문화의 이동과
이동하는 권리

이 저서는 2018년 대한민국 교육부와 한국연구재단의 지원을 받아 수행된 연구임
(NRF-2018S1A6A3A03043497)

이진형 문혜경 서유경 이해수 김희선 주하영 우연희 이종세 오정준

문화의 이동과 이동하는 권리

앨피

모빌리티인문학은 기차, 자동차, 비행기, 인터넷, 모바일 기기 등 모빌리티 테크놀로지의 발전에 따른 인간, 사물, 관계의 실재적 · 가상적 이동을 인간과 테크놀로지의 공-진화co-evolution라는 관점에서 사유하고, 모빌리티가 고도화됨에 따라 발생하는 현재와 미래의 문제들에 대한 해법을 인문학적 관점에서 제안함으로써 생명, 사유, 문화가 생동하는 인문-모빌리티 사회 형성에 기여하는 학문이다.

모빌리티는 기차, 자동차, 비행기, 인터넷, 모바일 기기 같은 모빌리티 테크놀로지에 기초한 사람, 사물, 정보의 이동과 이를 가능하게 하는 테크놀로지를 의미한다. 그리고 이에 수반하는 것으로서 공간(도시) 구성과 인구 배치의 변화, 노동과 자본의 변형, 권력 또는 통치성의 변용 등을 통칭하는 사회적 관계의 이동까지도 포함한다.

오늘날 모빌리티 테크놀로지는 인간, 사물, 관계의 이동에 시간적 · 공간적 제약을 거의 남겨두지 않을 정도로 발전해 왔다. 개별 국가와 지역을 연결하는 항공로와 무선통신망의 구축은 사람, 물류, 데이터의 무제약적 이동 가능성을 증명하는 물질적 지표들이다. 특히 전 세계에 무료 인터넷을 보급하겠다는 구글Google의 프로젝트 룬Project Loon이 현실화되고 우주 유영과 화성 식민지 건설이 본격화될 경우 모빌리티는 지구라는 행성의 경계까지도 초월하게 될 것이다. 이 점에서 오늘날은 모빌리티 테크놀로지가 인간의 삶을 위한 단순한 조건이나 수단이 아닌 인간의 또 다른 본성이 된 시대, 즉 고-모빌리티high-mobilities 시대라고 말할 수 있다. 말하자면, 인간과 테크놀로지의 상호보완적 · 상호구성적 공-진화가 고도화된 시대인 것이다.

고-모빌리티 시대를 사유하기 위해서는 우선 과거 '영토'와 '정주' 중심 사유의 극복이 필요하다. 지난 시기 글로컬화, 탈중심화, 혼종화, 탈영토화, 액체화에 대한 주장은 글로벌과 로컬, 중심과 주변, 동질성과 이질성, 질서와 혼돈 같은 이분법에 기초한 영토주의 또는 정주주의 패러다임을 극복하려는 중요한 시도였다. 하지만 그 역시 모빌리티 테크놀로지의 의의를 적극적으로 사유하지 못했다는 점에서, 그와 동시에 모빌리티 테크놀로지를 단순한 수단으로 간주했다는 점에서 고-모빌리티 시대를 사유하는 데 한계를 지니고 있었다. 말하자면, 글로컬화, 탈중심화, 혼종화, 탈영토화, 액체화를 추동하는 실재적 · 물질적 행위자agency로서의 모빌리티 테크놀로지를 인문학적 사유의 대상으로서 충분히 고려하지 못했던 것이다. 게다가 첨단 웨어러블 기기에 의한 인간의 능력 향상과 인간과 기계의 경계 소멸을 추구하는 포스트-휴먼 프로젝트, 또한 사물인터넷과 사이버 물리 시스템 같은 첨단 모빌리티 테크놀로지에 기초한 스마트시티 건설은 오늘날 모빌리티 테크놀로지를 인간과 사회, 심지어는 자연의 본질적 요소로 만들고 있다. 이를 사유하기 위해서는 인문학 패러다임의 근본적 전환이 필요하다.

이에 건국대학교 모빌리티인문학 연구원은 '모빌리티' 개념으로 '영토'와 '정주'를 대체하는 동시에, 인간과 모빌리티 테크놀로지의 공-진화라는 관점에서 미래 세계를 설계할 사유 패러다임을 정립하려고 한다.

차례

2부 탈식민 시기, 이동하는 문화

3부 이동적 공간의 문화적 생산

문화의 이동과 이동하는 권리

_ 이진형

문화의 초국적 이동과 혼종문화의 번성은 고-모빌리티 시대 생활세계를 구성하는 특징적 현상이다. 첨단 모빌리티 테크놀로지의 발달은 지구적 수준의 물리적·가상적 네트워크를 구축하고 각종 모바일기기의 활용을 보편화함으로써, 이질적 문화들의 공현존과 상호침투를 지구적 범위에서 동시 발생하는 현상으로 자연화한다. 특히 2019년부터 시작된 글로벌 팬데믹은 인간의 물리적 이동을 극단적으로 제한하기도 했지만, 다른 한편으로는 넷플릭스나 유튜브 같은 모바일 미디어 플랫폼의 급성장을 통해 문화 생산·유통·소비의 초국적 성격을 급속이 일상화하기도 했다. 그 결과 오늘날 이질적 문화들 사이에서 발생하는 상호침투, 문화융합, 이종배합 등은 그리 특별할 게 없는 자연현상의 일부처럼 보인다.

《혼종성, 혹은 지구화의 문화 논리Hybridity, or the Cultural Logic of Globalization》라는 마완 크레이디Marwan Kraidy의 유명한 책 제목처럼, 문화의 이동과 혼종화 현상은 많은 경우 지구화 논의와 관련해서 논쟁적으로 다루어진다. 이때 혼종성은 민족주의, 인종주의, 종족주의, 국수주의 같은 문화본질주의에 대한 비판적 관점을 제공함과 동시에 '제3의 영역'이나 '사이공간' 같은 새로운 문화적 상상계에 기반한 사회 공간의 재조직화를 요청하는 것으로서 긍정적으로 묘사되곤 한다. 하지만 다른 관점에서 보면 문화융합 또는 혼종화에서 유래한 창조성은 너무나도 쉽게 상업화될 수 있는 것이고, 그래서 궁극적으로 그 향유자들을 '주류'사회, 문화산업, 그리고 무엇보다도 혼종화된 양식의 자본주의에 철저히 종속시키는 결과를 낳는다.[1] 이에 크레이디는 혼종성이란 "문화적 차이와 융합에 대한 의무적 찬양으로 이 시대의 정신을 포착"하고 "규제 없는 경제적 교환이라는 지구화의 주문과 불가피해 보이는 모든 문화의 변형에 공명"하는 "우리 시대의 상징적 관념"이라고 규정한다.[2] 문화적 혼종성은 "전 지구적 관계에서 발생하는 실질적 불균등 · 비대칭 · 불평등", 그리고 그 내부에 기입되어 재생산되는 "권력과 헤게모니의 관계"를 은폐한다는 점에서 근본적 비판의 대상이 되기도 한다.[3]

도린 매시Doreen Massey의 표현을 빌리자면, 고-모빌리티 시대 생활세계는 이동하는 이질적 문화들의 '상호관계에 의한 산물'이자 그 문화들의 '다중적 공존 영역'이고, 그래서 '끊임없이 구성되는 공간'이다.[4] 이 혼종문화적 공간은 이동하는 문화들의 상호관계를 통한 끊임없는 (재)구성 과정으로 존재한다는 점에서 이동적 공간mobile space이라고 명명할 수 있다. 매시는 이러한 이동적 공간 인식이 공간을 질서화하고 조직

---

1 비린더 S. 칼라, · 라민더 카우르 · 존 허트닉, 《디아스포라와 혼종성》, 정영주 옮김, 에코리브르, 2013, 164-167쪽.

2 Marwan M. Kraidy, *Hibridity, or the Cultural Logic of Globalization*, Philadelphia: Temple University Press, 2005, p.1.

3 얀 네데르베인 피테르서, 《지구화와 문화》, 조관연 · 손선애 옮김, 에코리브르, 2017, 116-121쪽.

4 도린 매시, 《공간을 위하여》, 박경환 · 이영민 · 이용균 옮김, 심산, 2016, 35~36쪽.

하는 근대적 방식을 비판하는 데뿐만 아니라 공간의 진보적 재구성 가능성, 즉 '미래의 개방성'을 포착하는 데도 기여할 수 있음을 주장한다.[5] 그에 반해, 마르크 오제Marc Augé 같은 학자는 이동적 공간에 어떤 독자적 관계도 정체성도 역사도 존재하지 않음을 들어 어떤 진정성도 인간적 의미도 없다는 의미에서 '비장소non-place'라는 용어를 주조하기도 했다.[6] 그렇다면 문화의 초국적 이동과 혼종문화의 번성을 동반하는 고-모빌리티 시대 생활세계란 '미래의 개방성'과 '비장소성'을 모두 내포하는 이동적 공간이자 "실질적 불균등, 비대칭, 그리고 불평등"과 어떤 "권력과 헤게모니의 관계"에 의해 조건 지어진 정치적 공간이라고 말할 수 있다.

이렇듯 혼종문화의 번성과 장소의 유동적 편성을 두고 다양한 해석과 상반된 주장이 있지만, 이동하는 문화들과 그에 의한 이동적 공간의 구성이 고-모빌리티 시대의 경관을 이루고 있다는 데는 거의 이견이 없는 듯하다. 그 때문에 관련 논의는 문화적 혼종 지대로서의 이동적 공간을 대상으로 전개되고, 여기서 형성되는 이질적 문화들의 상호관계는 공간의 창조적 재구성에 기여하는 것이거나 권력과 헤게모니에 의해 언제나-이미 조건 지어진 것으로 해석된다. 그러나 잊지 말아야 할 것은, 이동적 공간이란 언제나-이미 모빌리티에 대한 권리를 소유한 사람들에게만 입장을 허용한다는 점이다. 예를 들어, 이동적 공간에서 자폐증 환자나 초고령 노인은 문화의 자유로운 이동과 혼종문화 형성에 도움이 되지 않는 존재들, 즉 '비혼종들non-hybrids'로 분류되어 거

5 도린 매시, 《공간을 위하여》, 174~175쪽

6 마르크 오제, 《비장소》, 이상길 · 이윤경 옮김, 아카넷, 2017, 119~126쪽.

부·묵살·박멸의 대상이 된다.[7] 다시 말해, 자유와 폭력은 모빌리티 관리를 중심으로 서로 맞물려 있다는 것이다.[8] 이 점에서 난민 또는 무국적자의 사례는 모빌리티 권리의 문제를 물리적·문화적 수준에서뿐만 아니라 법적·정치적 수준에서도 사고하게 해 준다. 무국적자는 물리적 이동이 가능하지만 이동의 권리가 법적으로 보장되지 않는 존재이고, 혼종문화 형성과 이동적 공간 구성에 개입하지만 오로지 불법적으로만 그렇게 할 수 있는 존재다.

이 책은 이질적 문화의 초국적 이동과 혼종문화의 번성을 모빌리티 권리의 문제와 관련해서 살펴보려는 의도에서 기획되었다. 1부 '모빌리티와 문화적 권리'에서는 모빌리티와 인권의 문제를 고대 그리스 사회, 오늘날 글로벌 세계, 민주화운동 시기 홍콩 등 특수한 역사적·지리적 맥락 속에서 탐구한다. 2부 '탈식민 시기, 이동하는 문화'에서는 예술 영역에서 전개되는 문화의 초국적 이동 양상을 디아스포라 예술가들의 활동을 중심으로 검토하고, 3부 '이동적 공간의 문화적 생산'에서는 모빌리티 인프라의 발전 또는 모빌리티 실천에 따른 이동적 공간의 구성에 관해 살펴본다.

◆ ◆ ◆

1부 '모빌리티와 시민의 권리'는 모빌리티와 권리 문제를 다루는 세 편의 글로 이루어져 있다. 여기서는 시민권 문제를 중심으로 한 고대

7 하임 하잔, 《혼종성 비판》, 이진형 옮김, 앨피, 2020, 11~14쪽.

8 하가르 코테프, 《이동과 자유》, 장용준 옮김, 앨피, 2022, 13쪽.

그리스시대 토착민과 이주민의 사회적 관계 연구, 인권 개념, 폴리스의 유목성, 수행성의 정치 같은 한나 아렌트Hannah Arendt의 개념들이 오늘날 글로벌 폴리틱스 논의에서 갖는 이론적 의의에 대한 탐구, 그리고 2019년 홍콩 시민권 보호를 위한 시위 현장에서 이루어진 문화(민주화 운동의 기억)의 초국적 이동에 대한 고찰이 이루어진다. 세 편의 글은 각각 그리스 아테네, 지구화된 세계, 홍콩 등 서로 다른 지리를 대상으로 논의를 전개한다. 하지만 구성원들 간의 상호관계, 이동적 공간 구성, 문화의 이동 문제를 권리(이주민의 권리, 지구화시대 인권, 홍콩 시민의 시민권)의 견지에서 다루고 있다는 점에서 상호 참조적 독서를 가능하게 해 준다.

첫 번째, 문혜경의 〈그리스 아테네에서 거류외인과 시민 간의 사회적 교류〉는 고대 그리스시대 거류외인들이 폴리스의 모든 공적 생활과 정치적 권리에서 배제되어 있었다는 전통적 해석을 배경으로 하면서도, 그들이 아테네인들과 공존하면서 아테네 사회에 순응해 가는 방식을 탐구한다.

고대 아테네에서는 솔론 · 페이시스트라토스 · 클레이스테네스 시기를 거치며 새로운 시민이 만들어졌다. 이는 기원전 451/0년 페리클리스의 시민권법이 제정되기 전까지 꾸준히 진행되었는데, 그전까지는 시민단 가입에 대한 엄격한 법규나 규정이 존재하지 않았기 때문이다. 이후 5세기 중반 시민 인구가 증가하면서 아네테 시민들은 시민권 조사라는 공식적 심사를 통해 새로운 시민과의 구별을 시도했고, 아테네 시민권의 가치가 국가적 차원의 이해관계와 직결되면서 공민적 동질성을 외부인들과 공유하는 것을 원하지 않게 되었다. 하지만 아테네에서 거류외인은 거류외인세 · 시장세 등을 납부하는 공공세입원, 상공업 ·

제조업 부문에서 활동하는 숙련공, 육군과 해군을 위해 일하는 군인 등으로서 유용한 집단이었기 때문에, 그리고 거류외인의 입장에서 볼 때도 아테네는 문화적·경제적 매력과 이익을 제공해 주었기 때문에, 아테네인과 거류외인은 정치적 불평등에 불구하고 지적·문화적 공동체에서 공존할 수 있었다.

요컨대, 아테네는 경제적으로 생산성과 창조성을 증진하기 위해서 숙련된 노동력을 끌어들이는 정책을 펴면서도 정치적 영역에서 배타적 시민권 정책을 통해 시민과 비시민 간의 정치적 갈등관계를 유지했다. 다른 한편, 아테네는 도시 디오니시아 축제 같은 공공제전에 아테네인과 거류외인 모두의 입장을 허용함으로써 아테네 폴리스와 거류외인들 사이에 유대감과 동질감이 형성될 수 있는 계기를 마련하기도 했다. 이와 같은 논의는 이주민과 토착민의 사회적 네트워크 형성이 우선 법적으로 시민권 문제에 의해 결정되지만, 그에 못지않게 수용국의 경제적·군사적 요구와 문화적 참여 정도에 의해서도 규정되는 복합적인 것임을 잘 보여 준다.

두 번째, 서유경의 〈한나 아렌트 정치사상과 오늘의 글로벌 폴리틱스: 인권, 유목적 폴리스, 그리고 수행성의 정치〉는 한나 아렌트의 인권 개념, 폴리스의 유목성, 수행성의 정치 개념 등이 오늘날 글로벌 폴리틱스에서 어떤 유의미한 이론적 공헌을 할 수 있는지 검토한다. 이를 위해 〈세계인권선언〉이 상정하는 '보편적' 인권 개념과 한나 아렌트의 인권 개념, "권리들을 가질 권리"라는 아렌트의 인권 개념이 갖는 특징, 그리고 폴리스의 유목성, 정치적 평등, 인권의 유기적 연관성 등에 관해 논의한다.

이 글은 우선 〈세계인권선언〉에 제시된 '보편적' 인권 개념의 공허함을 지적한다. 이 개념은 국민국가체제를 전제하고 있기 때문에 난민이나 무국적자처럼 어떤 국민국가에도 속하지 못하는 사람들을 인권의 사각지대에 놓이게 한다는 것이다. 그에 반해, 아렌트의 '정치존재론적' 인권 개념은 '비非국가적' 형태로 존재할 수 있는 '세계 내 장소'로서의 '폴리스'를 정치의 실현 조건으로 전제한다는 점에서 '보편적' 인권 개념의 공허함을 극복할 수 있는 것으로 간주된다. 이를 토대로 서유경은 '권리들을 가질 권리'를 자신이 구성원으로 참여하는 특정 '세계' 속에서 '말과 행위를 통해' '정체성'을 획득하고 '새로운 무언가를 시작'하는 데 대한 '기쁨과 만족감'을 향유할 수 있는 권리로 해석하고, 여기에 정치를 행위자 자신의 실존적 정체성 구현으로 보는 아렌트의 '정치존재론적' 인권 개념이 내재함을 주장한다. 이때 인권은 '정치행위를 할 수 있는 권리'로 간주되고, '정치적 평등 조건'이 충족될 때만 보장 가능한 것으로 여겨진다.

아렌트의 '정치존재론적' 인권 개념을 배경으로 서유경은 탈국민국가 시대 '폴리스'로서 일시적으로 조직되는 탈국민국가적 정치공동체, 즉 '유목적' 폴리스의 의의를 주장한다. 말하자면, 인권의 보루란 기존 국민국가의 실정법에 기초한 권리 체계가 아니라 우리 스스로 정초한 공적 영역 속에서 정치행위를 함으로써 그 공간을 하나의 '폴리스'로 전환시킬 때 출현하는 탈국민국가적 정치극장에서 이루어진 '합의'에 기초한 권리 체계라는 것이다. 이는 고-모빌리티 시대 인간의 이동과 그에 의한 이동적 공간의 구성을 인권과 정치(행위)의 견지에서 사유하는 중요한 방식이라고 말할 수 있다.

세 번째, 이해수의 〈기억의 초국적 이동과 다방향적 접합: 홍콩 시민들의 투쟁이 부른 민주화 운동의 기억들〉은 2019년 홍콩 시위 현장을 중심으로 민주화운동의 기억들이 시간과 공간을 가로질러 소환되는 방식을 탐구한다. 이를 위해 특히 다층적 기억들의 전 지구적 전송을 가능하게 함으로써 초국가적 기억 네트워크를 형성하는 디지털 미디어 환경에 주목하여, 서로 다른 기억들의 상호관계가 홍콩의 특정한 시공간을 어떻게 구성하는지 고찰한다.

이 글은 우선적으로 '다방향 기억'의 관점에서 2019년 홍콩 시위에 접근한다. 이 관점의 장점은 전 지구적 차원에서 기억이 상호 참조의 준거가 되는 현상을 설명하고, 국가주의적 기억의 틀에 도전하는 기억 주체들의 초국적 연대 가능성을 모색하게 해 준다는 데 있다. 구체적으로, 이해수는 홍콩 시위의 배경이라고 할 수 있는 중국-홍콩의 관계와 갈등의 역사를 검토하고, 홍콩 시위대가 소환하는 기억들과 이 기억들이 현재의 경험에 접합되는 방식을 분석한다. 특히 트위터 계정 '홍콩을 도와주세요'와 #SaveHongkong, #StandWithHongKong 해시태그로 검색되는 개별 포스트, 그리고 페이스북 홍콩 시위 한국 연대체 '국가폭력에 저항하는 아시아 공동 행동'과 '홍콩의 진실을 알리는 학생모임'을 대상으로 분석 작업을 진행한다.

이해수는 우선 홍콩 시위의 중요한 계기로서 디지털 기억공간에 관해 논의한다. 그동안 중국 정부는 1989년 천안문사건에 대한 기억을 통제함으로써 기억의 자유로운 이동을 반복적으로 무너뜨리려고 했지만, 홍콩 시민들은 공식 기록에서 지워져 가던 그 사건을 지켜 내기 위해 그동안 디지털 공간 전역에서 그 기억을 끊임없이 운반하고 있었다. 새로운 기억 주체로 부상한 홍콩 시민들은 국가의 공식 기억과 경쟁하며 봉인된 기억을 사회사적 기록으로서 기입하는 정치적 실천을 수행해 온 것이다. 이 천안문사건에 대한 기억에 2014년 우산혁명에 대한 기억이 결합함으로써 이른바 '다방향적 기억공간'이 형성되는데, 바로 여기서 홍콩 시민들은 민주시민으로서의 정체성을 획득하게 된다. 홍콩 시위 현장은 1980년대 한국 민주화운동의 기억들까지도 소환함으로써 그 '다방향적 기억공간'을 더욱 풍요롭게 만든다는 점에서 특히 주목할 만하다. 이는 디지털 미디어를 통한 기억의 소환, 공유, 확산이 국가의 경계를 넘는 지구적 역내의 힘으로서 작용하고 있음을 증명해 주기 때문이다.

홍콩 시위의 현장은 한나 아렌트가 말했던 '폴리스', 말하자면 민주화운동의 문화·정치적 기억들이 시공간을 거슬러 이동하며 상호관계를 맺음으로써 형성되는 이동적 폴리스의 가능성을 현실 속에서 실현한 역사적 사건이라고 말할 수 있다. 따라서 이 글에서는 문화의 초국적 이동에 의한 민주주의적 혼종문화의 형성이 '미래의 개방성'과 접합하는 대표적 방식을 분명하게 확인할 수 있다.

◆ ◆ ◆

2부 '탈식민 시기, 이동하는 문화'는 탈식민 시기 디아스포라 예술을 중심으로 문화의 초국적 이동 양상을 다룬 두 편의 글로 이루어져 있다. 한 편은 한국전쟁 이후 한반도를 중심으로 전개된 음악의 이동 양상을, 다른 한편은 영국 · 인도 · 아프리카 · 팔레스타인 · 이탈리아 · 미국 등을 이동하며 작품을 제작하는 동시대 디아스포라 여성 예술가들의 활동을 추적한다. 두 편의 글은 특히 탈식민시대 문화의 초국적 이동에 내재하는 '권력과 헤게모니의 관계'를 잘 보여 준다.

첫 번째, 김희선의 〈복수複數의 경계를 넘어: 북한 민족음악의 남한 이동〉은 탈식민시대 이데올로기, 국경, 문화 등 복수의 경계를 넘어 남한과 북한 사이에서 이루어진 초국적 문화 이동에 관해 논의한다. 구체적으로는 디아스포라 이주 예술가와 남한 예술가가 그 이동에 개입하는 다층적 양상, 악기·악곡·연주자의 남한 유입을 중심으로 한 북한음악의 이동 양상, 그리고 북한음악이 남한음악계에 수용되면서 벌어진 재맥락화의 문화번역 과정 및 정치학에 관해 다룬다.

이 글은 남한과 북한의 직접 교류가 불가능했던 냉전 시대 북한음악의 남한 이동이란 아시아 대륙을 가로지르는 초국적 이동이었음을 지적하고 한일수교(1965), 한중수교(1992), 일북관계 변화 등 국제정치적 환경의 변화와 더불어 그 이동 양상 또한 변화해 왔음을 주장한다. 냉전 시대에는 북한음악의 영향을 많이 받고 있던 자이니치 음악인에 의해 북한음악이 남한에 소개되었지만, 탈냉전시대 들어서는 주로 중국 연변자치구의 조선족 디아스포라를 통해 북한음악의 유입이 이루어졌다. 김희선은 특히 북한 악기, 악곡, 연주자의 유입이 남한에서 전개된 국악 개량 논의와 맞물리면서 남한의 전통음악계에 급격한 변화를 초래하는 과정을 상세하게 논의한다. 특히 북한의 개량대피리나 장새납(태평소의 개량악기) 같은 악기들은 남한에 유입된 후 많은 국악단의 주요 악기로 사용되고 있고, 거문고 창작곡 〈출강〉처럼 이념성이 잘 드러나지 않는 악곡들은 남한에서 널리 연주되고 있음을 그 사례로서 제시한다. 그와 함께 이 글은 신용춘, 최영덕, 김계옥, 문양숙, 박순아 등 대표적 디아스포라 예술가들이 남한 국악계에서 활동하는 양상을 소개함으로써 음악의 이동 양상을 더욱 구체화한다. 말하자면, 북한음악의 남한 이동은 남한음악계의 요구, 재맥락화, 재생산 구조 확립 등을 통해서 실현 가능했다는 것이다.

남한으로 이동한 북한음악은 전통음악의 경계를 한반도 전체로 확장하면서 그간 남한음악계가 견지해 온 '한국적' 전통음악의 개념에 도전하고 또 그를 교란하는 효과를 낳는다. 물론 북한음악 역시 지리적 경계를 넘는 순간 그 원전의 의미(사회주의적 프로파간다 음악)를 잃고 이념성이 탈각된 '겨레음악', '통일음악', '민족음악'으로 문화번역된다. 이를 근거로 김희선은 북한음악의 남한 이동을 횡단하고 교차하는 글로벌 문화정치의 상호작용이 가져온 결과이자, 다양한 욕망과 배경의 복합적 매개자들의 초국적 실천과 수행의 산물로서 결론짓는다. 따라서 이 글은 '겨레음악', '통일음악', '민족음악' 같은 혼종문화의 형성이 한편으로는 정치적 권력과 헤게모니 관계에 의해 조건 지어질 수밖에 없지만, 다른 한편으로는 어떤 문화적·정치적 공간의 유동화와 변화를 추동하는 힘으로서 작동하기도 함을 분명하게 보여 준다.

두 번째, 주하영의 〈이중의 디아스포라Double Diaspora와 다중적 정체성: 자리나 빔지와 에밀리 자시르를 중심으로〉는 아시아계 디아스포라 여성 예술가 자리나 빔지Zarina Bhimji와 에밀리 자시르Emily Jacir의 삶과 작품을 중심으로 여성 예술가의 정체성 형성과 표현 문제를 논의한다. 이 글은 '인도-우간다-영국'과 '팔레스타인-이스라엘-미국'이라는 이중의 이산을 경험한 두 예술가가, 은유와 상징의 디아스포라 미학을 통해 '약자의 강인함'뿐만 아니라 외부와 내부의 경계를 넘나드는 힘 또한 역설적으로 보여 준다는 데 주목한다.

이 글에 의하면, 빔지는 디아스포라적 서사가 응축된 시적인 영상과 사진작품을 통해 아시아, 아프리카, 유럽 대륙의 역사와 사건을 이리저리 엮어 놓음으로써 자신의 디아포라적 궤적과 삶의 의미를 찾아가는 과정을 보여 준다. 〈아웃 오브 블루Out of Blue〉(2002), 〈옐로우 패치Yellow

Patch〉(2011), 〈그녀가 좋아했던 순수한 침묵She Loved to Breathe-Pure Silence〉(1987), 〈붉은 색과 젖음Red and Wet〉(2000~현재), 〈장바Jangbar〉(2015) 등은 잊힌 사건과 일상성 사이의 무심한 거리 두기를 통해 이중의 디아스포라를 경험한 이들의 박탈과 상실을 조용히 대변하는 작품들이다. 한편, 자시르는 주로 이산, 이주, 추방, 전치, 이동 등을 주제로 작품활동을 하되 개인의 신화, 역사, 국가, 정치적 관계까지도 폭넓게 다루고 있다. 특징적인 것은 복잡한 내러티브를 기반으로 영화, 사진, 비디오, 퍼포먼스, 설치, 사운드 아트 같은 다양한 방법을 보여 준다는 점이다. 〈필름의 소재Material for a Film〉(2005~현재), 〈우리는 어디에서 왔는가Where We Come From〉(2001~2003), 〈설다를 건너다Crossing Surda〉(2003), 〈사랑을 품은 텍사스로부터From Texas with Love〉(2002), 〈섹시한 샘족Sexy Semite〉(2000~2002) 등이 이를 잘 보여 준다.

요컨대, 빔지와 자시르의 작품들은 결국 디아스포라적 삶, 특히 여러 국가들을 이동하면서 살아갈 수밖에 없는 이중의 디아스포라적 삶을 통해 고-모빌리티 시대 자유로운 이동과 혼종문화의 번성 배후에 은폐되어 있는 권리 없는 자들의 고통을 표면화한다. 그럼으로써 이 글은 문화의 이동과 상호관계에 선행하는 것으로서 시민의 권리 문제를 주제화한다고 말할 수 있다.

◆ ◆ ◆

3부 '이동적 공간의 문화적 생산'에서는 고-모빌리티 시대 이동적 공간의 구성에 관해 논의한다. 모빌리티 인프라의 발전과 그에 따른 '교외'라는 새로운 공간의 등장, 이질적 문화들의 이동과 상호관계에 의한 혼종적 공공공간의 편성, 그리고 장례식장이라는 장소를 중심으로 한 이동적 장소의 형성 등을 주로 다룬다.

첫 번째, 우연희의 〈'전후' 일본의 상징 공간, '교외': 모빌리티의 발전과 교외의 변화를 중심으로〉는 오오카 쇼헤이大岡昇平의 소설 《무사시노 부인武蔵野夫人》(1951), 오오카 쇼헤이의 희곡 《머나먼 단지遥かなる団地》(1966), 시게마쓰 키요시重松清의 《정년 고질라定年ゴジラ》(1997~1998)를 중심으로 전후 일본 사회에서 모빌리티 인프라의 발전과 그에 따른 새로운 공간으로서 '교외'의 형성·팽장·쇠락 과정을 추적한다. 이때 교외는 인구 증가와 도시 인구 집중으로 인한 주거지 확장의 측면에서뿐만 아니라 근대 모빌리티 테크놀로지의 발전이라는 측면에서도 고찰할 필요가 있는 다층적 생산물로서 간주된다.

우선 《무사시노 부인》은 철도라는 모빌리티 테크놀로지에 의한 교외('하케')의 형성을 보여 주는 작품으로서 제시된다. 이때 철도는 도시에서 주변 마을로 이동할 수 있는 편리한 접근 수단이지만, 그를 이용하지 않고서는 마을로의 이동을 어렵게 하는 비접근성 또한 내포하고 있다. 이 점에서 철도에 의해 형성된 교외는 외부에 대한 배제를 통해 유지되는 공간이자, 이방인의 등장에 의해 그 연약함이 쉽게 드러나는 공간으로서 제시된다. 다음으로 《머나먼 단지》는 1960년대 도시로의 인구 집중과 주택 문제를 해결하기 위해서 건설된 '단지'를 배경으로 전후 일본의 '동경'의 공간을 재현한다. 이때 전후의 교외는 냉장고 · 세탁기 · 텔레비전 · 전기밥솥 같은 생산물들로 채워진 '마이 홈'으로 제시되기도 하지만, 다른 한편으로는 인공적이고 균질적인 공간에 불과한 공간으로 드러나기도 한다. 끝으로 《정년 고질라》는 1980년대 교외 주택단지를 배경으로 정년을 맞이한 네 명의 산책 친구에 관한 이야기를 서술한다. 이 작품에서 교외는 부모 세대에게는 꿈의 도달점으로서, 자식 세대에게는 인생의 출발점으로서 의미화된다.

특히 이 글은 일본 교외의 형성을 모빌리티의 발전을 중심으로 한 일본 현대사의 상징으로서 이해한다. 20세기 모빌리티 테크놀로지의 발전에 따라 형성된 교외는, 일본이 전쟁을 겪고 도약하여 성장과 팽창을 지나 쇠락을 경험하기까지 전후 일본의 역사적 과정이 집약된 공간, 즉 전후 일본의 상징 공간이라는 것이다. 그럼으로써 이 글은 모빌리티의 고도화에 따른 문화의 이동과 공간의 이동적 구성 및 재구성 과정을 통시적으로 파악하게 해 준다.

두 번째, 이종세의 〈버내큘러적 공공디자인의 혼종성〉은 역사와 전통의 보존 및 공유적 공동체의 지향이라는 견지에서 공공디자인의 방향성을 논의한다. 이때 권력과 자본의 논리로부터 일정한 거리를 두고 있다고 여겨지는 국내외 작품들을 대상으로 하되, 「공공디자인 진흥에 관한 법률」에서 명시하는 범주 내에서 논의를 전개한다.

이 글에서 버내큘러적 디자인은 기본적으로 버내큘러vernacular가 갖는 전통과 관습의 보존을 포함하지만, 존 파일John Pile의 이론에 의거하여 세 가지 구성 요소를 갖는 것으로 규정된다. 자연에서 기인한 공동체의 자연 미학으로서의 '자연성', 사회 저변에 깔린 하층 미학으로서의 '민중성', 버네큘러적 성격을 디자인화하는 현대적 기예로서의 '과학기술'이 그것이다. 말하자면, 버내큘러적 디자인은 특정 지역 토속과 전통을 단순히 보존하는 것이 아니라, 그러한 원본을 차용하거나 전유하여 시대적으로 재해석함으로써 성립한다는 것이다. 이 점에서 이종세는 버내큘러적 디자인의 혼종적 특성, 즉 "문화적 변용의 예술적 자율성과 시대적 경험의 체화된 감각"을 강조한다. 그리고 버내큘러적 디자인의 실천적 사례로 말레이시아 피낭 섬Pulau Pinang에 위치한 조지타운 Georgetown의 사례를 검토함으로써 작가 미상의 '비의도적 디자인'과 '일상 순응적 디자인'이 도시의 자연환경과 거리의 시대적 삶 속에서 자연스럽게 누적되어 있음을 보여 준다.

결론적으로, 이종세는 버내큘러적 디자인이 수용미학의 변증법(주체와 객체, 포함과 배제, 제도와 비제도의 변증법), 폐허미학의 미정성未定性('형태 없음'의 기억 회상과 '부정확성/불일치'에 의한 자발적 유추와 변형 그리고 형태의 파괴에 의한 비의도적 재배치로서 폐허의 미적 가치 정당화), 일상미학의 순응성(미적 감각의 주관적 태도와 집단적 감성의 확장성) 등을 구현해야 한다고 주장한다. 이 점에서 이 글은 시대적으로 이질적일 뿐만 아니라 논리적으로도 상이한 문화들이 혼종적 상호관계를 통해 공공공간을 새롭게 구성하는 과정을 미학적으로 고찰한 유의미한 사례에 해당한다.

세 번째, 오정준의 〈장례식장의 지리학: 모빌리티와 수행의 만남〉은 수행성과 모빌리티의 관점에서 장소를 '수행을 위한 불안정한 무대'로서 이해한다. 장소는 그 고유한 특성에 부합하는 실천을 유도함과 동시에 상상적·사물적·신체적 모빌리티로 결합된 창조적 수행의 무대를 제공하기도 한다는 것이다. 이와 같은 장소 이해에 기초해서 이 글은 장례식장을 사례로 모빌리티의 실천을 통해 장소가 (재)구성되는 과정을 구체적으로 검토한다.

장례식장에서 수행되는 조문은 상주와 조문객 사이에서 또는 조문객들 사이에서 (우연한) 만남을 유도함으로써 기존 네트워크를 강화하기도 하고 소원했던 네트워크를 복구하기도 한다. 이때 수행되는 만남은 다양한 방식의 조의금 및 조문 전달을 통해서 현존적 부재present absence(물리적 공간에는 현존하지 않지만 사이버 공간상에는 현존하는 것)를 실현하고, 이를 통해 많은 모빌리티들의 실천으로 이루어진 '이동의 장소'로서 장례식장을 사이공간interspace으로 만든다. 이와 함께, 오정준은 2013년 남아프리카공화국 요하네스버그 FNB 경기장에서 열린 넬슨 만델라의 장례식을 사례로 장소의 불안정성을 설명한다. 이 장례식장에서 덴마크 총리, 영국 총리, 미국 대통령은 스마트폰으로 한 장의 사진을 촬영하는데, 이와 같은 수행을 통해서 슬픔의 장례식장은 우방국과의 외교 공간으로 변화된다. 이는 장소가 고정되거나 주어진 것이 아니라 생산되고 생성되는 것임을 증명한다. 다시 말해, 장소의 정체성은 사람들의 실천을 통해서 끊임없이 재구성되는 것이다.

이 글이 강조하는 것은 모빌리티와 수행, 이동과 네트워크의 관계 속에서 장소가 변화할 수 있다는 점이다. 장소는 모빌리티를 유도하지만, 네트워크화된 모빌리티는 장소를 변화시킨다. 그리고 신체적 수행은 장소에 새로운 의미를 부여한다. 오정준의 논의는 의미가 고정되고 정체성이 명확해 보이는 장소(장례식장)조차도 사실은 수많은 모빌리티들로 이루어진 '이동의 장소'에 불과하고 그 의미 역시 모빌리티 수행에 의해서 쉽게 불안정해질 수 있는 것임을 구체적으로 증명한다.

◆ ◆ ◆

이 책에 실린 여덟 편의 글이 모두 문화의 초국적 이동과 혼종문화의 형성을 모빌리티의 권리 문제와 관련해서 논의한 것은 아니다. 각각의 글은 고대 그리스시대 이주민의 권리 문제를 다루거나 글로벌 시대 인권의 문제에 천착하며, 홍콩이라는 특정 지역에서 시민권을 둘러싸고 벌어진 시위에 초점을 맞추기도 한다. 또한 한반도 지역을 둘러싸고 수십 년 동안 진행된 음악의 이동 과정을 추적하고, 아프리카 · 중동 · 유럽 · 아메리카 대륙을 이동하는 디아스포라의 작품들을 하나하나 읽어나가며, 일본의 교외 · 말레이시아의 피낭섬 · 남아프리카공화국의 장례식장을 방문해서 이동적 공간이 형성되는 과정을 살펴보기도 한다. 이 책은 이와 같은 각각의 논의들이 한 권의 책 속에서 상호관계를 맺기를, 즉 서로 다른 맥락을 갖고 있는 각각의 글들이 이동하면서 어떤 혼종적 공간을 만들어 내기를 기대한다. 특히 인권과 시민권 문제가 혼종문화 및 이동적 공간 구성의 문제로 이동하기를 바라면서 말이다.

1부

모빌리티와 시민의 권리

그리스 아테네에서 거류외인과 시민 간의 사회적 교류

문혜경

이 글은 《서양고대사연구》 제58집(2020.8)에 게재된 원고를 수정 및 보완하여 재수록한 것이다.

기회의 땅 아테네

기원전 5세기 중반 아테네는 정치 · 문화 · 지적 중심지로 각광받는 곳이었다. 페르시아전쟁(기원전 480~기원전 479)으로 파괴된 도시의 재건축과 삼단노선 함대 유지를 위한 인력이 필요했으며, 또한 안정되고 자신감 넘치는 아테네 도시에 대한 동경 혹은 정치적 망명 등의 이유로 그리스 세계의 모든 곳에서 기회의 땅인 아테네로 많은 이주민들이 몰려들었다.

이오니아의 과학적 전통을 계승한 아낙사고라스Anaxagoras · 아낙시메네스Anaximenes, 소피스트인 프로타고라스Protagoras · 고르기아스Gorgias, 할리카르나소스Halicarnasos 출신의 역사가 헤로도토스Herodotos, 마케도니아의 스타기라 태생인 아리스토텔레스Aristoteles, 법정연설가 리시아스Lysias · 이사에오스Isaeos 등 아테네 태생이 아닌 자들이 자신들의 지식과 사상을 가지고 아테네 도시의 지적 · 문화적 삶에 영향을 미치며 거류외인으로서 두각을 나타냈다. 고전기[1] 동안 그리스 세계의 모든 지역에서 산업과 상공업 분야에 종사하는 많은 사람들이 기회의 땅 아테네로 지속적으로 몰려들었다.

4세기 말(기원전 317~기원전 307) 팔레론Phaleron의 데메트리우스Demetrius 통치기에 유일하게 실시된 인구조사에는 시민 2만 1천 명, 거류외인 1만 명, 노예 40만 명으로 기록되었다.[2] 왓슨J. Watson은 기원전 431년 아

1 고대 그리스 역사는 상고기上古期(기원전 8세기~기원전 479)와 고전기(기원전 479~기원전 338 카이로네이아전투)로 나누어 구분한다.

2 A. W. Gomme, *The population of ancient Athens in the fifth and fourth centuries B.C.*, Chicago: Greenwood Press, 1967, p. 18.

테네 성인 남성 인구 중에 시민 5만 명, 거류외인 2만 5천 명, 노예 10만 명으로 추정하였다.[3]

아테네 시민 수의 대략 절반 정도에 달하는 거류외인이 아테네에 거주하고 있었다는 점에 주목할 필요가 있다. 거류외인은 아리스토텔레스가 언급한 '국가 공직(티마이τιμαί)에서 제외된 자'[4]로, 자유민이지만 시민과 달리 폴리스의 모든 공적 생활과 정치적 제 권리에서 배제된 자였다. 그럼에도 당대의 문학작품, 역사가와 철학자 · 웅변가들의 법정 연설이나 비문에서 거류외인의 존재가 드러나며, 그들은 아테네 도시에 없어서는 안 될 존재로 평가된다.

아테네 시민의 정치적 정체성은 공민적 이데올로기와 직접적으로 직결되며 거류외인에 관한 연구 또한 아테네 시민권과 밀접하게 연관되어 진행되어 왔다. 다수의 연구자들은 아리스토텔레스가 언급한 '거류외인은 티마이에서 제외된 자'라는 전거를 신뢰하여, 시민과 달리 정치적 제 권리가 없다는 점을 부각시키는 데 중점을 두었다.[5] 이와는 달리 거류외인의 이데올로기를 객관적으로 분석하고 그들의 기원, 발전, 소멸을 역사적으로 파악한 화이트헤드D. Whitehead의 연구는 주목할 만

3 J. Watson, "The origin of metic status of Athens", *The Cambridge Classical Journal*, 56, 2010, p. 259.

4 Aristoteles, *Politika* 1278a38.

5 K. kapparis, "Immigration and Citizenship Procedures in Athenian Law", *Revue internationale des droits de l'antiquite*, 52, 2005, pp. 71-113; J. Watson, "The origin of metic status of Athens", pp. 259-278; 거류외인에 관한 국내 연구로는 신선희, 〈고전기 아테네의 Metoikoi(거류외인) 연구〉(단국대학교 대학원, 1993)에서 거류외인의 지위와 기능을 상세히 분석하고 있다.

하다.[6]

이 글에서는 시민[7]과 거류외인의 지위를 비교하고 그 차별성을 부각시키기보다는, 오히려 사회적 통합과 공존에 더 많은 관심을 보인 코너W. R. Connor[8]와 테일러C. Taylor[9]가 강조한 사회적 네트워크의 틀 속에서 거류외인의 삶의 양상에 초점을 맞추려고 한다. 기존의 학자들이 인정한 폴리스의 모든 공적 생활과 정치적 권리에서 거류외인의 참여가 금지되었다는 전통적인 해석에서 결코 벗어날 수 없지만, 이 글에서는 고전기에 다른 국가 및 도시에서 아테네로 이주해 들어온—단기체류자가 아닌 장기체류자로서—도시의 요구에 부응하며 의무를 부담한 거류외인에 주목하여, 그들이 아테네 사회에 어떻게 공존하고 순응해 나갔는지를 탐색하려 한다. 아테네인들이 타자로 여긴 비시민들이 어떻게 그들과 함께 거주하고 그 체제를 받아들였는지를 파악하는 것은 아테네 폴리스Polis와 그 구성원들의 관계를 이해하는 데 많은 도움이 된다. 나아가 거류외인에 대한 이해는 고전기 아테네에서 타자로 살았던 주변인들의 삶의 양상을 파악하는 이주민 연구의 지평을 확장하는 데 기여할 것이다.

---

6 D. Whitehead, *The Ideology of the Athenian Metic*, Cambridge: Cambridge Philogical Society, 1977, pp. 140-173.

7 아리스토텔레스는 진정한 의미의 시민이란 "국가의 공직에 참여하는 자politai들"로 정의하고 있다(Aristoteles, *Politika* 1278a38). 이 글에서의 시민은 아리스토텔레스가 정의한 정치적 의미인 폴리타이 개념과 실제 전통적 혈연에 기초한 일반 시민astoi 모두를 포함하는 것이다.

8 W. R. Connor, "The problem of Athenian civic identity", in *Athenian identity and civic ideology*, A. L. Boegehold and A. C. Scafuro, eds., Baltmore and London: The Johns Hopkins University Press, 1994, pp. 40-41.

9 C. Taylor, "Social networks and social mobility in fourth-century Athens", *Communities and networks in the ancient Greek world*, Oxford: Oxford University Press, 2015, pp. 35-53.

거류외인의 용어

한센M. H. Hansen은 고전기 아테네에서 거주한 전체 인구를 세 개의 법적 범주—아테네 시민astoi, 거류외인metoikoi(단수형 metoikos), 노예douloi—로 구분하였다.[10] 아테네를 방문하거나 그곳에 정착하기 위하여 다른 도시 혹은 외국에서 온 모든 외국인을 일반적으로 크세노스xenos(복수형 xenoi)라 불렀다. 크세노스는 개인적으로 초대한 손님, 사업차 혹은 여행으로 방문한 자, 동맹국의 시민이나 사절단 등을 포함하여 아테네를 방문하거나 거주한 모든 '외국인'을 지칭하는 포괄적인 개념으로 사용된다. 아테네에 거주한 외국인 중에는 일반적으로 '거류외인', 아테네인들에게 가장 존경받는 특별대우 이방인인 '프로크세노스proxenos', 거류외인세를 면제받고 시민과 동등한 조세를 납부하는 '이소텔레스isoteles'가 있다.[11]

거류외인을 뜻하는 그리스어 메토이코스metoikos는 '이주민', '함께 사는 자', '국외자'의 의미를 함축하며 아테네와 아티카가 아닌 다른 도시에서 와서 일정 기간 이상 아테네에 살면서 거류외인세와 특별세를 납부하는 자유민을 말한다.[12] '메토이코스' 용어는 기원전 6세기 한 비문[13]에서 보이기 시작하여 기원전 463년에 상연된 아이스킬로스의 《탄원

---

10 M. H. Hansen, *The Athenian democracy in the age of Demosthenes: structures, principles and ideology*, Oxford: Blackwell, 1991, p. 86.

11 D. Whitehead, *The Ideology of the Athenian Metic*, pp. 10-14.

12 화이트헤드는 그리스어 메토이코스 용어가 환대와 우의의 성격을 함축하고 있으므로 '함께 살다'라는 의미로 해석하며, 메토이코스는 '한 도시에서 다른 도시로 이동한 사람'으로 정의한다(D. Whitehead, *The Ideology of the Athenian Metic*, p. 6). 이 글에서는 문맥에 따라 메토이코스, 메토이코이, 거류외인을 혼용하여 사용하였다.

13 *IG* I^{3} 1357.

하는 여인들》 609에서, 그리고 기원전 460년으로 추정되는 스캄보니드 Scambonid구區의 전례의식 비문에서도 발견된다.[14] 그 후 점차적으로 비극[15]과 희극[16]의 문학작품 그리고 헤로도토스[17]와 투키디데스,[18] 크세노폰[19]의 기록에 빈번히 등장한다. 이는 거류외인의 행동, 역할 등이 사회적으로 주목받고 있음을 드러내는 것이다.

시민 자격

아테네 법률 체제는 폴리스의 구성원과 비구성원을 엄밀하게 구별하고 있지만, 현실에서는 시민권자인지의 여부가 명확하지 않은 경우가 종종 발생하여 법정 소송으로 해결하는 일이 빈번했다. 시민과 이방인에 속한 거류외인 사이에 명확한 분계선이 없어 분쟁 발생 시 모호한

14 이 비문에는 시조인 부족 영웅 희생제 의식 참여에 시민 구성원과 거류외인을 구분하는 내용이 기록되어 있다(*IG* I^{3}244).

15 기원전 470~460년대 메토이코스와 관련된 단어는 아이스킬로스의 작품에서 8회(《페르시아인들》 319, 《테바이를 공격한 일곱 장수》 548, 《탄원하는 여인들》 609, 《아가멤논》 57, 《제주를 바치는 여인들》 684-5, 971, 《자비로운 여신들》 1011, 1018), 소포클레스 작품에서 5회(《안티고네》 852, 867-868, 《오이디푸스 왕》 411, 452-453, 《콜로노스의 오이디푸스》 934-935), 에우리피데스의 작품에서 4회(《헤라클레스의 자녀들》1032-1033, 《힙폴리토스》, 836-837, 《탄원하는 여인들》 888-900, 《바코스 여신도들》 1354-1355) 등장한다.

16 아리스토파네스, 《기사》 347-349, 《평화》 297, 《리시스트라테》 580, 등에서 거류외인에 대해 조롱 섞인 묘사를 하고 있다.

17 Herodotos, *Historiai* 4.151.2.

18 Thucydides, *Historiai* 1.143.1, 2.13.7, 4.90.1, 7.63.3.

19 Xenophon, *Hellenica*, 2.3.21(기원전 404년, 30인 참주 시기), 4.4.6(기원전 392), 5.1.12(기원전 388).

상황이 종종 발생하곤 했다. 소송의 쟁점은 아테네 시민 신분과 밀접히 관련되며, 그 결과 일련의 정치적 제 권리를 내포하는 시민권 소유의 문제로 번졌다.

아테네 도시가 규정한 시민 기준은 무엇인가? 실제로 아테네에서 시민이라는 개념 자체를 단순하게 정의하기가 쉽지 않지만, 민주정이 정착되기 전 시민 자격의 첫째 요건은 혈통이었다. 즉, 가문oikos, 씨족genos, 부족phylē에서 출생하고 성장하여 각 형제단(프라트리아phratry)에 속하면 시민이 되는 것이다. 기원전 508/507년 클레이스테네스가 데모스demos(행정구역)를 창안하기 전에는 아테네 시민권 자격의 독자적인 기준이 제시되지 않았다. 당시 합법성을 갖는 가장 분명한 증거는 아테네 혈통인 부계를 통해 프라트리아 구성원이 되는 것이며, 각각의 혈연집단은 상황과 관습에 따라 구성원들의 자격을 결정했다. 이 시기 시민단 가입은 개별적인 프라트리아의 절차를 통해 결정되었다. 전체 폴리스가 아닌 친척과 이웃들이 구성원의 지위를 결정했고, 그들이 그가 시민인지 아닌지를 판단했던 것이다.[20] 아리스토텔레스의 《아테네 국제》 21에서 "기원전 508/507년 이사고라스가 아르콘일 때 민중의 지도자가 된 클레이스테네스는 많은 사람들이 참정권을 갖도록 솔론의 4부족 대신에 10개의 부족을 혼합하여 새롭게 편성하였다. 각각의 데모스에 사는 사람들을 동료(데모테스)로 만들었고, 새로운 시민들과 차이 나지 않도록 공적으로 데모스 이름을 사용하도록 했다"고 전한다. 이러한

20 V. Ehrenberg, *The Greek State*, New York: Norton Library, 1964, pp. 39-40: P. B. Manville, *The Origins of Citizenship in Ancient Athens*, Princeton: Princeton University Press, 1990, pp. 174-177.

사료의 기록을 고려한다면, 기원전 508/507년 클레이스테네스의 시민단 개편 이후 아테네 시민은 프라트리아 소속보다는 그의 데모스에 등록된 사람이어야만 했다. 요컨대 클레이스테네스 시민단 개혁 이후로는 시민단 가입은 개별적 프라트리아에 기반한 그의 이웃과 친척에 의해서 결정되는 것이 아니라, 국가에서 정한 행정적·정치적 단위인 데모스 등록 기준에 충족된 자[21]에 한해서 결정되는 것이다. 데모스 등록으로 시민 기준은 결정되었지만 여전히 시민단의 성원에 대한 통일적이고 합법적인 기준은 존재하지 않았다.[22] 기원전 451/450년 페리클레스가 '양친 모두 아테네 시민에게서 태어난 자에게 시민권을 부여한다'는 법규를 제정하기 전까지는 아테네 혈통인 부계 중심으로 아버지가 인정한 자식이면 적자든 서자든 관계없이 데모스에 등록할 수 있었다. 따라서 페리클레스 시민권법 제정 전까지는 가문의 성원에 기초하여 형제단과 데모스에 등재되면 시민단 안으로 편입할 수 있었다.

거류외인의 신분 형성

그렇다면 거류외인이 아테네로 유입된 시기와 공적으로 인식된 시기는 언제부터인가? 기원전 8세기부터 2세기에 걸쳐 그리스 전역을 휩

21 아리스토텔레스는 데모스 등록에 관해 다음과 같이 전한다. "18세가 되면 데모스의 구성원으로 등록한다. 등록할 때 데모스 사람들이 선서를 하고 후보자들에 관해 두 개의 질문을 한다. 하나는 당사자가 적법의 나이에 해당되는지, 다른 하나는 이들 후보자가 자유인이며 적법한 소생인지를 묻는다."(Aristoteles, *Athenaian Politeia* 42.12).

22 C. Patterson, *Pericles' Citizenship law of 451-50 B.C.*, New York: Arno Press, 1981, pp. 11-22.

쓴 경제적 대변혁의 영향으로 아테네는 해외 교역과 상공업 부문에 종사할 인력을 충당해야 했다. 기원전 6세기 초 솔론은 국가 정책으로 가능한 많은 사람들을 아테네에 정착시켜 상공업을 장려하고 발전시키려 하였다. 솔론 이전에도 광범위한 범주의 사람들이 안전한 곳을 찾아 도처에서 계속 아티카로 유입되기는 했지만, 도시는 대부분 불모지고 가난하여 땅을 경작하는 사람만 겨우 먹고살 만큼 양식을 생산하고, 직업이 없어 일하지 않는 대중을 부양할 능력이 없었기 때문에 제조업과 상업에 종사하도록 장려한 것이다.[23]

이러한 솔론의 정책은 정치 · 사회적 영역에서 아테네 시민과 비시민, 두 집단 간의 신분 갈등을 불러왔다. 솔론의 상공업 장려로 도처에서 귀화한 자에 대한 법률 제정 또한 필요했다. 플루타르코스의 《솔론 전기》24에서 "자기 나라에서 영구추방된 자나 온 가족을 데리고 아테네로 와서 생업에 종사하는 자에게만 시민권을 허용했다"고 전한다. 이 법은 솔론이 인정한 두 범주에 속하지 않는 사람들, 즉 일시적인 방문자나 가족 없이 혼자 온 사람들은 시민단에서 제외된 것을 의미한다. 솔론의 입법에서 주목할 점은, 아테네인들 스스로 규정한 아테네 혈통이 아닌 자들도 시민으로 허용했다는 점이다.

메토이코스 용어가 기원전 6세기 비문에 등장한 점을 고려한다면 솔론이 요구한 귀화 기준에 맞는 이주민 중에 시민이 된 거류외인이 있을 가능성이 크며, 그들은 주로 초기에 대도시보다는 아티카 지역 근교나 무역이 발달한 페이라이에우스Peiraieus 항구 지역에 주로 거주하였

23 Plutarchos, *Solon* 22.

다. 이는 아리스토텔레스의 《아테네 국제》 13.5에서 언급한 기원전 510년 '시민명부 개정diapsephismos'에서 추정할 수 있다. "페이시스트라토스의 지지자 중에는 출생이 순수하지 못한 자들이 있었고, 참주정이 붕괴된 후 자격 없는 자들이 참정권을 가지고 있었으므로 혈통이 순수하지 못한 자들을 조사하여 시민단에서 축출하였다"는 아리스토텔레스의 기록에서 거류외인도 이러한 범주 속에 있었음을 시사한다. 또한 아리스토텔레스의 《정치학》 1275b34-37에서 "클레이스테네스는 참주들을 추방한 뒤 많은 거류외인과 노예들을 부족단체에 등록했다"고 기술하고 있다. 이러한 아리스토텔레스의 두 개의 전승을 고려한다면, 솔론과 페이시스트라토스 치세에 혈통이 순수하지 못한 외국인들이 아테네 시민단 속으로 들어왔으나, 참주가 추방된 후 시민명부 조사로 시민단에서 쫓겨났다가 클레이스테네스 시기에 다시 시민으로 회복되었음을 알려 준다. 물론 시민명부에 불법으로 등록한 자들 중 시민으로 위장등록한 외국인과 클레이스테네스의 새로운 시민단에 포함된 외국인이 거류외인과 동일한 이들인지는 전승 사료의 증거 부족으로 분명하진 않다. 그러나 기원전 508년 시민단 재조직 전에 클레이스테네스가 정치적 지지자를 얻기 위한 하나의 방법으로 혈통이 순수하지 못한 자, 이방인인 거류외인을 새로운 시민neopolitai으로 받아들였을 가능성은 매우 높다.[24] 맨빌P. B. Manville은 모든 사회집단을 포괄하고 동질성을 유지하는 통일된 법규나 체제가 없었기 때문에 오히려 이방인들이 아테네 사회로 동

24 P. J. Rhodes, *A Commentary on the Aristotelian Athenaion Politeia*, Oxford: Oxford University Press, 1981, p. 256.

화될 기회가 더 많을 수 있다는 점을 지적한다.[25] 솔론 이래 페이시스트라토스, 클레이스테네스 시기에 모든 사회집단을 포괄하고 동질성을 유지하는 통일된 법규나 체제가 없었기 때문에 오히려 이방인들이 아테네 사회로 동화될 기회가 더 많았다. 따라서 이 시기 시민단 조직에 포함된 외국인들은 단기체류자가 아니라 아테네에 일정 기간 이상 체류하고 있었던 거류외인일 가능성이 더 크다.

아리스토텔레스의 《아테네 국제》 26.4에 따르면 "안티도토스Antidotos의 아르콘 재직 시(기원전 451/0년)에 시민의 수가 많았기 때문에, 그리고 페리클레스의 제안으로, (아테네인들은) 두 명의 시민 부모 사이에서 태어나지 않은 사람은 그 도시에 참여하지 못한다고 결정했다"고 한다. 또한 플루타르코스의 《페리클레스 전기》 37.3에서는, "페리클레스는 부모가 둘 다 아테네인인 자만 아테네인이 될 수 있다는 법을 제안했다"고 기록하고 있다. 이러한 전승은 기원전 5세기 중반 전에는 시민과 비시민 간의 법적 경계가 마련되지 않았음을 시사한다. 따라서 기원전 451/450년 페리클레스의 시민권법이 제정되기 전까지는 시민단 가입에 대한 법규나 규정이 존재하지 않았으며, 이 시기 시민단 가입은 프라트리아와 데모스의 등재만으로도 가능했다.

25 P. B. Manville, *The Origins of Citizenship in Ancient Athens*, pp. 143-144.

새로운 시민

왜 페리클레스는 시민권에 대한 법규를 제정해야 했을까? 아리스토텔레스가 언급한 '시민의 수가 많기 때문'이라는 점에 주목한다면, 기원전 5세기 중반 아테네 시민 수의 증가를 예측해 볼 수 있다.

헤로도토스의 기록[26]에 따르면 살라미스전투에서 180척의 삼단노선에 선원을 태웠다고 하였는데, 그러면 삼단노선에 승선한 총 인원수는 대략 3만 6천 명이 되고, 이 숫자는 아테네 시민으로만 구성하기에는 많은 수이다. 헤로도토스 기록의 3만 명[27]을 아테네 시민 수로 본다면, 기원전 480년대 아테네 시민 수는 2만 5천~3만 명으로 추정할 수 있다.[28]

기원전 450년대 아테네는 역동적이고 에너지가 넘치는 분위기 속에 이집트, 아이기나, 메가라에까지 영향력을 미치면서 계속 해군력을 보유해야 했다. 이러한 맥락에서 패터슨C. Patterson은 기원전 450년 초 아테네의 시민 수를 4~5만 명으로 보았으며, 이는 기원전 480년보다 크게 증가한 수치라고 강조한다.[29] 곰므A. W. Gomme 또한 기원전 480년경 아테네 시민 수를 3만 명, 기원전 432년 아테네 시민 수는 4만 3천 명으로 추산하였다.[30] 로즈P. J. Rhodes 역시 기원전 431년 아테네 시민 수를 4만 5천~6만 명으로 산정하였다.[31]

26 Herodotos, *Historiai* 8.44.

27 Herodotos, *Historiai* 5.97.3.

28 C. Patterson, *Pericles' Citizenship law of 451-50 B.C.*, pp. 48-49.

29 C. Patterson, *Pericles' Citizenship law of 451-50 B.C.*, p. 68.

30 A. W. Gomme, *The population of Athens in the fifth and fourth centuries B.C.*, pp. 26-29.

31 P. J. Rhodes, *A Commentary on the Aristoelian Athenaion Politeia*, pp. 271-276.

기원전 480년대~기원전 450년대 초기까지 근 30년 동안 아테네 시민 수가 1만 5천~2만 명으로 증가하였다는 주장은, 매년 자연증가율이 0.9~2.3퍼센트일 때 가능한 수치이다.[32] 과연 고대사회에서 이러한 자연증가 비율이 인구통계학적으로 가능할 수 있을까? 일반적으로 한 사회의 자연증가율은 연 0.25~0.4퍼센트 범위로 책정할 수 있으며,[33] 자연증가율의 비율을 0.5퍼센트로 계산하더라도, 고대사회에서 30년 동안 1만 5천~2만 명의 시민 수 증가는 순수한 자연증가 이외에 인위적 증가가 복합적으로 섞인 양상으로 볼 수 있다.[34]

이러한 아테네 시민 수의 증가는 내부적으로는 페르시아전쟁이 끝나 해외에서 군복무에 징집되어 봉사했던 사람들이 귀국하면서 나타난 '베이비 붐'시기 현상이며, 외부적으로는 아테네의 도시화를 동경하여 인근에서 아테네로 이주해 온 자들이 시민으로 포함된 복합적 현상이다.

기원전 445/444년 이집트 왕이 아테네에 밀 4만 메딤노이를 선물로 보내고, 그것을 아테네 시민들에게 나누어 주면서 시민 조사[35]를 한 점에서도 시민단 내부에 새로운 시민들이 포함되어 있었음을 시사한다. 이 사건의 개요는 이렇다. 국가적 곡물 분배를 위해 시민 조사를 시행했는데 그때까지 관대하게 대했던 서자들에게 페리클레스의 '양친 모두 아테네 시민 출신'이라는 기준을 적용하면서 많은 법적 소송이 제기되었고, 아테네 시민이 아닌 자는 유죄선고를 받고 노예로 팔려갔는데

32 J. Watson, "The origin of metic status of Athens", p. 263.

33 W. Scheidel, "The Greek demographic expansion: models and comparisons", *Journal of Hellenic Studies*, 123, 2003, pp. 122-124.

34 J. Watson, "The origin of metic status at Athens", pp. 263-267.

35 Plutarchos, *Perikles* 37.3-5.

그 인원이 5천 명에 달했다는 것이다.

기원전 451/450년 이전 합법적인 아테네 시민 자격의 가장 분명한 증거는 아테네 시민 부계를 통한 프라트리아와 데모스 등록이었으며, 아테네 혈통인 부계 중심으로 아버지가 인정한 자식이면 적자든 서자든 관계없이 데모스에 등재되었다. 이 기준에 부합하면 거류외인도 새로운 시민에 포함될 가능성이 매우 높다. 따라서 5세기 중반 시민 수의 증가는 자연적 증가와 더불어 인위적 증가가 함께 섞인 복합적인 양상으로 드러난다.

거류외인의 법률적 지위 확립

아테네에서 새로운 시민은 솔론, 페이시스트라토스, 클레이스테네스 시기 심지어 페르시아전쟁 이후에도 만들어졌다. 반면에 아테네인들은 시민권 조사라는 공식적인 심사를 통해 새로운 시민과의 구별을 시도하려 했다. 더욱이 아테네 시민권의 가치가 국가적 차원의 이해관계와 직결되면서, 아테네인들은 더 이상 공민적 동질성을 외부인들과 공유하길 원하지 않았다. 거류외인은 기원전 5세기 중반 이전까지는 상황에 따라 가변적으로 새로운 시민으로 아테네 시민단에 유입될 가능성이 컸지만, 페리클레스 시민권법이 통과되면서 더 이상 시민단 편입이 불가능하게 된 것이다.

아테네인은 그 도시의 지적 · 문화적 · 경제적 번영으로 아테네로 이주하기를 희망하는 외국인이 계속 늘어날 것으로 예상하고, 더 많은 이주민이 몰려들기 전에 이주민에 대한 태도를 확실하게 결정해야 했다.

즉, 이주민 수가 증가하면 그들이 집단적으로 시민권 획득을 주장할 것이고, 심지어 생업을 놓고 아테네인과 경쟁하게 되면서 아테네인이 받는 혜택도 줄어들 것이라고 여겨 외부인은 외부인 그룹으로 여전히 남기를 바란 것이다. 이러한 이유로 아테네인들은 '양친 모두 시민 출신'의 기준을 적용하여 이에 준하는 적격 시민이 아닌 자들에게는 그에 맞는 신분에 부여되는 세금 및 다수의 의무를 부과하여 그들을 시민과 구별하려 한 것이다.

다수의 학자들은 메토이코스 제도가 확립된 시기를 기원전 508/ 507년 클레이스테네스의 데모스 창안 시기로부터 기원전 451/450년 페리클레스 시민권법 제정 사이로 추정하고 있다. 페리클레스의 '양친 모두 시민 출신' 기준이 적용되면서 시민권은 폴리스 차원에서, 그리고 그 하부구조인 가문 · 프라트리아 · 데모스 등의 입회를 통해 부여되었다. 왓슨은 기원전 5세기 중반 전에는 시민과 비시민 간의 법적 경계가 만들어지지 않았음을 강조하며, 아테네 인구의 세 범주인 시민, 거류외인, 노예들이 법적 범주로 구분된 시기를 기원전 451/450년이라고 주장한다. 요컨대 페리클레스 시민권법으로 아테네 혈통인 자(시민)와 아닌 자(비시민)에 대한 기준이 명확하게 결정되었다는 것이다.[36] 실리R. Sealey 역시 거류외인의 지위가 페리클레스의 시민권법으로 결정되었다고 주장한다.[37] 따라서 솔론과 클레이스테네스 시기에는 공식적으로 거류외인의 법적 지위가 정해지지 않았으며, 고전기 동안 그 법률 체제가 점차 형성되어 가다가 페리클레스의 시민권법으로 거류외인의 신분 결정이 확정된 것이다.

36 J. Watson, "The origin of metic status at Athens", pp. 266, 271-274.

37 R. Sealey, *The justice of the Greeks*, Ann Arbor: University of Michigan Press, 1994, p. 64.

거류외인의 데모스 등록, 법적 보호인

거류외인에 대한 사법적 자료는 기원전 3세기 중반 비잔티움Byzantium의 아리스토파네스Aristophanes(기원전 257~기원전 180)의 기록에서 유일하게 찾아볼 수 있다. 그 기록에 따르면 "거류외인은 외국에서 와서 그 도시에 살고 있는 사람으로서 그 도시의 일정한 요구에 따라 세금을 내야 한다. 여러 날 동안 거주하면 방문자로 불리고 세금이 면제되지만, 만약 정해진 기일을 경과하여 머물 경우엔 그는 거류외인이 되고 세금을 내야 한다"[38]는 것이다. 거류외인에 대해 매우 귀중한 정보를 제공해준 이 기록에서 거류외인은 외국인 중에서 단기체류자가 아닌 자로 일정 기간이 지나면 세금을 납부해야 하는 자로 관찰된다. 화이트헤드 역시 개인적으로 초대한 손님, 사업차 혹은 여행으로 방문한 자, 동맹국의 시민이나 사절단 등을 포함하여 아테네를 방문하거나 거주한 자들은 일시적인 거주자여서 출신 도시로 언제든지 돌아갈 수 있기 때문에 '한 달 이상'거주한 자를 거류외인으로 지칭하고 있다.[39]

거류외인은 시민처럼 구 이름demotikon을 기재하는 것이 아니라, 어느 구의 누구인지 혹은 거주지를 기재해야 한다. 즉, 시민은 등록된 구 이름으로 식별하지만 거류외인은 반드시 '어느 구에 사는 아무개(oikon en + 구 이름)'로 표기함으로써 시민과 구별하였다.[40] 아리스토텔레스의

38 *IG* Ⅱ ²141 30-36.

39 D. Whitehead, "The ideology of the Athenian metic: some pendants and a reappraisal", *Cambridge Philological Society*, 4, 1986, p. 148.

40 D. Whitehead, *The Ideology of the Athenian metic*, p. 73.

《정치학》 1275a5-7에서는 "거류외인은 시민이 아니지만 시민과 같은 장소에 거주하고 있다"고 기술하고 있다. 또한 아리스토텔레스의 《아테네 국제》 58.2에서, "폴레마르코스는 거류외인 및 동일세액 납부 거류외인과 특별 거류외국인에 관련된 민사재판 건만 접수한다. 들어온 사건은 10개의 군으로 나누어 각 부족에 한 부분씩을 할당한다. 그리고 부족의 재판관들은 이것을 중재인들에게 넘긴다"고 전한다. 이러한 아리스토텔레스의 기록은 거류외인이 시민과 같은 데모스에 거주하더라도 각 부족과 구에 속하지 않음을 알려주며, 거류외인에 관한 사적 소송은 아르콘이 아니라 폴레마르코스의 업무임을 규정하고 있다.

아리스토텔레스의 《정치학》 1275a 10-14에서 "많은 지역에서 재판권이 거류외인들에게 주어지지 않으므로 이들은 보호자를 지정해서 불완전하게 재판 절차에 참여할 수가 있다"는 묘사, 그리고 이소크라테스가 "거류외인의 인격은 그의 프로스타테스prostatēs의 인격에 의해 평가된다"[41]고 기술하고 있는 점으로 보아, 일정 기간 이상 지나 아테네에 거주한 거류외인은 데모스에 등록할 때 그의 법정대리인인 아테네 시민 프로스타테스를 동반해야 했음을 알 수 있다. 프로스타테스가 없는 경우 거류외인이 유죄로 판결되면 노예로 팔리는 형벌을 받기도 했다.[42] 일반적으로 아테네 시민이 거류외인의 보호자와 대리인의 가교 역할을 했던 것과 달리, 프로스타테스는 거류외인을 대신하는 공적·제도적인 장치로 작용하였다.[43] 이러한 기능 이외에 프로스타테스의 운

41 Isocrates, 8.53.

42 W. Harrison, *The Law of Athens*, p. 165.

43 D. Whitehead, *The Ideology of the Athenian metic*, p. 91.

영과 실제 효과에 대해서는 사료 부족으로 확실하게 알려진 바가 없다.

거류외인의 제 권리와 의무

데모스에 등록을 마친 거류외인은 폴리스에 대한 납세의무를 수행해야 했다. 그들은 일종의 인두세에 해당하는 세금metoikion을 납부해야만 했다. 데모스테네스의 법정 연설문에서 에욱시테스Euxitheis는 그의 시민권 방어에 대한 논쟁에서 외국인세와 거류외인세를 납부하지 않았음을 강조한다. "제가 이방인Xenos인가요? 제가 어디에 거류외인세를 냈습니까? 아니면 내 가족 중에 누가 그랬습니까?"[44]라는 말에서, 화자는 거류외인세를 납부하지 않은 것을 시민임을 증명하는 이유로 들고 있다. 시민은 그 자신의 인신에 대한 세금을 납부하지 않으므로, 화자 자신은 거류외인이 아니라 시민임을 강조한 것이다.

거류외인세는 인두세에 해당하는 직접세로 성인 남성은 월 1드라크마drachma(연 12드라크마), 독립적으로 자영업을 하는 여성은 월 0.5드라크마(연 6드라크마)를 납부해야 했으며,[45] 이를 납부하지 않으면 기소할 수 있고 탈세 혐의로 유죄선고를 받아 구금되거나 노예로 팔려 가는 가혹한 형벌을 받아야 했다.[46] 거류외인세는 국가 재산을 관리하는 폴레타이poletai에서 매년 세금징수원telonai에게 도급을 맡겨 징수했다. 거류

44 Demosthenes 57.55.

45 *IG* Ⅱ ²141; D. Whitehead, *The Ideology of the Athenian metic*, pp. 75-76.

46 Demosthenes 25.57-58.

외인세 납부는 거류외인의 신분을 검증하는 장치로, 그리고 시민과 거류외인을 구분하는 기제로 작용하였다.[47] 기원전 4세기에도 연설문 여러 곳에서 거류외인세를 부과한 사실이 확인된다.[48]

기원전 5세기 말(기원전 408/407) 에렉테이온Erechtheion신전 완공과 관련된 비문[49]에서 신전 건축에 종사한 모든 노동자들(시민, 거류외인, 노예)에게 임금으로 하루에 1드라크마를 지급했다고 하니, 하루 일용금액에 해당하는 1드라크마를 한 달에 한 번 거류외인세로 납부하는 것은 가난한 거류외인에게는 무거운 부담이 될 수도 있다. 하지만 일반적으로 거류외인세의 납부금액이 그리 큰 금액이라 할 수는 없다. 거류외인의 수가 많았던 것을 고려하면 거류외인세는 국가의 연 수입에서 무시할 수 없는 금액이었고, 이를 통해 국가는 공적기금으로 고정된 수입의 효과를 얻었다. 매해 국가 수입의 상당 부분을 차지한 거류외인세는 거류외인의 신분을 확인하는 제도적 장치로 작용하는 동시에, 국가에 상당한 재정적 세입을 제공하였다.[50]

다른 재정적 의무로서 이방인이 내는 시장세를 들 수 있다. 데모스테네스의 연설문 중 "솔론 시기 법령에 의하면 이방인은 시장(아고라)에서 일하지 못하도록 되어 있는데, 만일 이방인이라면 시장세tele를 내야 하고 또 외국인세xenika etelei를 냈는지를 확인받아야 한다"[51]는 언급에서 미루어 보면, 시장에서 시장세를 납부하지 않아도 영업 활동을 할 수

47 D. Whitehead, *The Ideology of the Athenian metic*, p. 76.

48 Demosthenes 29.3; Lysias 31.9.

49 *IG* I ^{2}373-374.

50 K. Kapparis, "Immigration and citizenship procedures in Athenian law", pp. 108-109.

51 Demosthenes 57.31-34.

있는 자는 일반적으로 시민만 해당되나 이방인도 시장세를 납부하면 시장에서 영업할 수 있도록 허용한 것으로 보인다. 외국인의 시장세 납부가 거류외인에게까지 확대되었는지는 사료의 부족으로 상세하게 알 수 없지만, 재정적 세입이라는 점을 염두에 둔다면 외국인에 속한 거류외인에게까지 범위가 확대되어 부과되었을 가능성이 크다.[52]

또 다른 특별세로 거류외인은 에이스포라eisphora 납부와 레이투르기아leiturgia를 부담하여야 했다. 거류외인이나 이방인은 시민과 달리 아테네에서 집이나 토지 등 부동산을 소유할 수 없었다. 토지나 집 등의 부동산을 소유하고 양도할 권리는 시민들만의 특권이었으며, 예외적인 상황이 아닌 한 거류외인들은 일반적으로 임대차로 부동산을 사용했다.[53] 이 점 또한 시민과 비시민을 구별하는 기본적인 기준점에 해당된다. 거류외인은 토지나 집 등의 부동산 소유권이 없었기 때문에 주로 상업 · 공업 · 제조업 · 대금업 · 청부업자 등 경제적인 부문에 종사하였고, 일반적으로 해외교역과 상공업에서 거류외인들이 주요 업무를 수행했음은 주지의 사실이다. 거류외인 중 일부 부유한 자는 자신이 소유한 재산 정도에 따라 특별과세 형태인 에이스포라와 레이투르기아를 부담해야 했다. 거류외인인 리시아스는 "그와 그의 형제는 많은 금액을 에이스포라로 기부했다"[54]고 기술하였으며, 이소크라테스도 자신

52 D. Whitehead, *The Ideology of the Athenian metic,* p. 78.

53 동액세 납부자isoteles, 특별대우 이방인proxenos, 도시 간 특별조약에 의해 동등한 권한을 부여받은 자, 시민권을 받은 이방인의 경우에는 장소와 부여 권한의 정도에 따라 다소 차이가 있지만 집과 토지 등의 부동산을 소유할 수 있는 특별대우를 받았다.

54 Lysias 12.20.

의 이름으로 많은 금액을 에이스포라로 기부했다고 전한다.[55] 또한 다수의 비문에서 "아테네인과 함께 에이스포라를 냈다"는 사실이 발견된다.[56] 에이스포라는 일정한 경제적 수준에 있는 거류외인들이 부담하는 과세이며, 이에 대한 대가로 그들에게 공식적인 명예를 부여하였다. 또한 그들은 종교적 · 문화적으로 수행하는 레이투르기아를 통해 명예를 얻기도 했다. 예컨대, 디오니시아 축제 때 합창대 의상 및 연습 경비 혹은 연극상연 비용을 조달하는 코레기아choregia 의무를 시민과 함께 수행하기도 했다.[57] 이와 같은 재정적 지출을 통해 거류외인들은 국가에 봉사했으며, 그에 대한 보상은 아테네에 거주하고 있다는 자긍심과 명예를 얻는 것이다.

거류외인은 병역 및 공공사업에도 봉사를 하였다. 페르시아전쟁 후 아테네는 해상국가로 바뀌면서 이와 관련된 수많은 노동력이 필요했다. 기원전 492년 테미스토클레스의 해군법안[58]이 통과되어 함대 복무 인력을 비롯하여 관련 산업 성장에 따라 이 분야에 종사하는 인력이 대거 필요하게 된다. 특히 테미스토클레스 법령에서 아테네 삼단노선 함대에 시민들과 함께 480명의 거류외인이 승선했음을 확인할 수 있다.[59] 또한 투키디데스의 기록과 아리스토파네스의 희극에서 거류외인

55 Isocrates 17.41.

56 *IG* II ²142, 421, 554, 715: D. Whitehead, *The ideology of the Athenian Metic*, pp. 78-79.

57 Demosthenes 20.18-21: Lysias 12.20.

58 Herodotos, *Historiai* 7.144.1: Aristoteles, *Athenaian politeia* 22.7.

59 "The Decree of Themistokles: 480 B.C." In ML No. 23.7.31; Diodorus Siculus, 13.30-31.

은 펠로폰네소스전쟁 시에 육군[60]과 해군[61]에서 각각 중갑보병과 선원으로서 병역 봉사를 하였음이 드러난다. 공공사업에 대한 봉사로서 거류외인이 시민과 함께 노동력을 제공한 사실이 기원전 5세기 말 에렉테이온신전 비문[62]에서 발견되어, 공공사업과 관련된 건축업 직종의 모든 부분에서도 거류외인들이 기술자 및 임금노동자로 활동하였음을 확인할 수 있다.

거류외인의 결혼과 사적 소송

아테네 법률은 거류외인이나 이방인이 시민과 동거하거나 결혼하는 것을 용인하지 않았으며, 만일 그런 경우 적발되면 처벌받는다. 대표적인 예로 데모스테네스의《네아이라에 대항하여》59.16의 연설문을 들 수 있다.

만일 이방인이 시민 여자와 교묘하게 또는 몰래 결혼해 살면 권리가 있는 아테네인 가운데서 원하는 자가 사법관thesmothetes 앞으로 고발할 수 있다. 만일 유죄가 되면 그의 재산이 몰수된다. 그 재산 중 3분의 1은 고발한 자의 것이 된다. 만일 이방인 여자가 시민 남자와 결혼해 살아도 같은 처

60 Thucydides, *Historiai* 2.13.6-7, 31.1-2.

61 아리스토파네스《개구리》190, 693-4.

62 이 비문은 아테네의 아크로폴리스 언덕 위에서 발견되었으며 시민 20명, 거류외인 35명, 노예 16명의 이름이 언급되고 있다.(*IG* I^{2}374)

벌을 받는다. 이방인 여자와 결혼한 사람이 유죄가 되면 1천 드라크마를 물어야 했다.

위 글은 이방인이 시민과 위장결혼을 하여 시민 행세를 한 것에 대한 공적 소송의 법적 절차graphe xenias를 언급한 연설문이다. 시민 행세를 한 외국인을 기소할 수 있고 유죄가 입증되면 재산을 몰수하는 형벌에 처할 수 있음을 보여 주는 사례이다. 사법관 앞으로 가는 기소 사건은 공적 소송에 해당되며, 그중 이방인 여부의 판별 혹은 이방인이 뇌물을 주고 신분을 사칭한 죄는 사법관이 관장한다.[63] 따라서 위 사례에서 이방인 출신 남성이나 여성이 시민과 결혼이나 동거를 하다 적발되면 사법관 앞으로 기소되어 재산이 몰수되는 형벌에 처하는데, 이는 시민의 권리를 빼앗는 자로 여겨 중대한 공적 위법행위로 보는 것이다. 이에 반해 이방인과 결혼한 시민 남성의 경우는 1천 드라크마의 벌금을 내야 했다. 또한 아테네 시민 남성이 이방인 여성을 자신의 동료와 결혼시키면 노예로 팔리거나 재산이 몰수되며 심하면 시민권 박탈의 형벌에 처할 수 있다.[64] 위의 연설문은 이방인과 관련된 내용이지만 위 사례와 동일한 상황이 거류외인에게 발생할 경우 같은 처벌을 받을 수 있음을 암시한다.

노예와 달리 거류외인은 법정에서 사적 소송을 제기할 수 있다. 거류외인의 사적 소송은 폴레마르코스가 관장한다. 아리스토텔레스의 《아테네인의 국제》 58.2-3에 따르면 "폴레마르코스는 거류외인과 관련하

63 Aristoteles, *Athenaian Politeia* 59.3.

64 Demosthenes 59.52-53.

여 해방시켜 준 주인에 대한 의무를 소홀히 한 죄, 보호자 없는 죄, 그리고 거류외인과 관련된 상속재산 사건을 관장한다. 시민들은 아르콘이 담당하나 거류외인은 폴레마르코스가 담당한다"고 전한다. 폴레마르코스는 거류외인 중에 법정대리인을 무시했거나 대리인이 없는 혐의로 고발된 자, 거류외인의 상속 등 거류외인에 관한 모든 사적 소송을 관장한다. 하지만 고의로 누군가 죽이거나 상해하면 아레오파고스에서 살인과 상해 재판을 관장하고, 누군가 의도적이지 않거나 혹은 사주를 하여 가속家屬 · 거류외인 · 외국인을 죽이면 시민의 과실치사를 재판하는 팔라디움palladium 법정에서 재판한다. 팔라디움 법정에서는 거류외인과 외국인, 심지어 노예의 살인 소송도 다루지만, 그곳에서는 어떤 소송이든지 간에 추방형만을 내릴 수 있다. 고의적인 살인이 아닌 경우 비시민에 대한 모든 살인죄도 시민에 대한 과실치사와 똑같은 추방형이 부과되는 것이다.[65] 반면 거류외인이 납세의무를 거부하면 공적 위법행위에 해당되어 구금되거나 노예로 팔리는 형벌을 받는다. 일반적으로 거류외인은 고의적인 살인이 아닐 경우 유죄로 판결되더라도 팔라디움 법정에서의 재판을 통해 추방형 정도의 가벼운 형벌로 관대히 처리되었다.

사회적 네트워크: 공존과 순응

고전기 시기 다수의 문학작품에서 거류외인에 대한 우호적인 묘사

65 W. Harrison, *The Law of Athens*, p.198. n.1: Demosthenes 23.45, 71-72.

나 혐오적인 감정 묘사가 함께 드러나는 것은 그만큼 아테네에 거주한 거류외인의 수가 많고 그 존재감이 크다는 것을 입증한다. 아이스킬로스의 《테바이를 공격한 일곱장수》 545-549에서 "소매상인 아르카디아Arkadia(펠로폰네소스반도 중앙에 있는 내륙지방)의 파르테노파에우스Parthenipaeus는 아르고스Argos 이주민으로서, 자신을 부양해 준 은공을 갚기 위해 아르고스인과 함께 전쟁터에 나가 적국의 성탑을 위협해야 한다"는 묘사와, 아이스킬로스의 《탄원하는 여인들》 994-995에서는 "이주해 온 사람은 누구에게나 나쁜 말을 듣게 되고 모함의 대상이 된다"고 하며, 또한 에우리피데스의 《탄원하는 여인들》 891-895에서도 "아탈란테Atalante의 아들 파르테노파에우스는 아르카디아인이었지만 아르고스의 이주민으로서 거류외인이면 마땅히 자신이 성가신 존재가 되거나 도시의 시샘을 사거나 시비를 걸지 않으려고 무척 조심하려고 노력했으며, 그런 일들은 시민에게든 이방인에게든 가장 큰 흠이 되는 것이기 때문에 위법행위를 저지르지 않으려고 조심했다"고 하였다. 이처럼 비극작품에 묘사된 거류외인은 외국인으로서 말썽을 일으키거나 성가신 존재가 되지 않으려 애쓰면서 폴리스에 순응하는 모습으로 나타난다. 문학작품 속 거류외인의 이미지는 현실에서 실제적으로 투영되는 모습을 반영한다.

아리스토파네스의 《아카르나이 구역민들》 503-508에서는 "레나이아의 제전에는 시민과 거류외인들만 있고 동맹도시나 다른 도시의 외국인이 오지 않았다"고 언급하고, 시민은 밀가루로 거류외인은 시민의 겨(밀기울)로 비유하면서 거류외인을 시민보다 못한 처지로 묘사하였다. 하지만 밀기울은 밀가루에 꼭 필요한 재료로 활용되는 것이므로, 이는 거류외인이 도시에 없어서는 안 될 필요한 존재임을 은연중에 암시하는 것이다. 아리스토파네스의 《평화》 297와 《리시스트라테》 580에서도 전쟁의 공포에서 해방되기 위해 거류외인을 포함하여 동맹국의 시민, 이방인, 섬 주민 등 모든 그리스인이 함께하는 장면이 관찰된다. 이상의 아리스토파네스의 세 작품에서 묘사된 거류외인에 대한 우호적인 태도는 폴리스에 절대적으로 필요한 존재로서 실제 거류외인에 대한 아테네인의 태도를 잘 반영하고 있다.

또한 투키디데스의 《역사》 1.143.1에서 거류외인들이 선원으로서 필요하다는 점을 강조하고 있으며, 크세노폰의 《아테네 국제》 1.12에서도 "아테네 도시국가는 기술자와 함대 선원의 일 때문에 거류외인을 필요로 한다"고 전한다. 디오도로스 역시 테미스토클레스가 아테네의 제조업을 증대시킬 목적으로 더 많은 사람들이 도시로 오도록 이주시켜야 하고 함대 건조를 위해 거류외인과 장인에 대한 세금을 면제해 주어야 한다고 아테네인들을 설득했다고 전한다.[66] 이러한 전승에서 분명한 것은 아테네인들이 거류외인들을 필요로 하고 있다는 점이다. 공동체 자체의 보존을 위해, 시민만으로는 모든 활동을 수행할 수 없기 때문에 거류외인의 필요성은 커질 수밖에 없다. 더욱이 아테네에서 가장 유익한 세입원 중 하나가 거류외인과 이방인이 내는 직접세와 시장세인데, 이런 세금은 분명 공공세입에 해당되므로 특별히 전쟁과 같은 혼란기에는 그 수입이 더 효과적으로 활용될 수 있다.

국가가 특별히 거류외인에게 곡물 수혜 등과 같은 정규적인 혜택을 주지 않고서도 거류외인이 내는 세금은 부수입으로서 도시 소득으로

66 Diodorus Siculus, 11.43.3.

활용되었다. 따라서 아테네에서는 공공세입원으로, 혹은 경제적으로 상공업·제조업 부문에서의 숙련공으로, 나아가 육·해군에서의 군사 기여 및 특별세 납부자로 거류외인의 필요성이 커졌고 그들을 유용한 존재로 여겼다. 반면 솔론의 상공업 장려 정책과 아테네 도시의 사회적 개방성, 페르시아전쟁 후 해상국가로서 아테네의 패권과 번영으로 인해 아티카 이외의 많은 곳에서 유입된 거류외인들은, 아테네가 제공하는 문화적·경제적 매력과 이익 때문에 정치적으로 시민과 다른 불리한 상황을 감수하면서라도 지적·문화적 공동체에서 아테네인들과 함께 공존해 나갔다.[67]

사회적 통합

아테네는 경제적으로 생산성과 창조성을 향상시키기 위해 숙련된 노동력을 끌어들이는 정책을 펼친 반면, 정치적 영역에서는 배타적 시민권 정책을 통해 시민과 비시민 간의 정치적인 갈등관계를 유지하였다. 이러한 공동체의 갈등을 봉합하기 위한 방법으로 또한 공동체의 존속과 결속을 강화하려는 시도로, 국가적 축제로 발전한 도시 디오니시아 축제와 판아테나이아Panathenaia 축제 및 공공제전을 활용하여 정치적 갈등을 다소 완화시키려 했다. 디오니소스신전에서 아고라를 지나 디오니소스 성소까지 향하는 도시 디오니시아 축제 행렬 속에 자색 옷을 입

67 Cf. K. Kapparis, “Immigration and citizenship procedures in Athenian law”, pp. 112-115.

고 작은 관통 혹은 봉헌물을 담는 쟁반을 든 남녀 거류외인과 그들의 딸이 시민들과 함께하는 모습이 비문에 보인다.[68] 일반적으로 도시 디오니시아 축제는 페이시스트라토스 통치 시기인 기원전 6세기 중반에 도입되어 클레이스테네스에 의해 재편된 것으로 알려졌다. 엘레우테라이의 디오니소스 신의 영접을 재현하는 행렬 속 거류외인의 모습, 그리고 디오니소스극장 내 좌석 배치에 거류외인의 좌석까지 배정된 사실을 고려한다면, 국가 제전인 도시 디오니시아 축제가 아테네 폴리스와 거류외인들 간에 유대감과 동질감을 형성하는 기제로 작용했음을 알 수 있다.

파르테논 소벽 부조에서도 도시 수호신 아테나 폴리아스Athena Polias를 기리는 판아테나이아 제전 행렬에 참여하는 거류외인의 모습이 나타난다. 이 행렬은 아고라, 아크로폴리스를 거치는 장엄하고 웅장한 행렬의 장관을 보여 주는데, 이 행렬에 물항아리를 들거나 바구니 운반자를 위해 양산을 나르는 거류외인 여성이 시민 여성들과 함께 섞여 있는 모습을 발견할 수 있다.[69] 아테네에서 판아테나이아 제전은 공식적으로 공적 생활의 주된 영역에 해당한다. 이러한 공동체 의식에 시민과 함께 참석하는 것은 공민적 이데올로기를 강조한 정치적 영역과는 다른 사회적 네트워크를 통한 사회적 동질감을 체험하는 기회가 된다.

아테네인들은 거류외인을 없어서는 안 될 존재로 여겼지만 그들에게 '티마이'를 공유하지 못하도록 하여 아테네 시민이 아닌 자들이 아테네 시민 집단으로 침투하는 것을 금지하였다. 반면에 상당수의 거류외인

68 *IG* II ^{2}1006, 1011.

69 아리스토파네스《새》1549-1552.

은 아테네에 거주하는 조건으로 다양한 의무를 수행했으며, 그러한 의무를 이행한 거류외인은 방해받지 않고 안정적으로 생업에 종사할 수 있었다. 오히려 그들은 아테네 민주정치제도의 탁월성과 해양제국으로서의 번영을 지켜보면서 그러한 아테네에 살고 있다는 자긍심을 갖고 그 체제에 쉽게 순응한 것이다. 궁극적으로 아테네 도시는 정치적 갈등의 조절 방식을 비제도적인 공공제전과 같은 국가적 행사를 통해 아테네인과 거류외인의 공존과 사회적 통합을 해결하려 했다.

참고문헌

아리스토파네스, 《아이스킬로스 비극전집》, 천병희 옮김, 도서출판 숲, 2008.
아리스토파네스, 《아리스토텔레스 정치학》, 천병희 옮김, 도서출판 숲, 2009.
에우리피데스, 《에우리피데스 비극전집 1,2》, 천병희 옮김, 도서출판 숲, 2009.
아리스토파네스, 《아리스토파네스 희극전집 1,2》, 천병희 옮김, 도서출판 숲, 2010.
투키디데스, 《펠로폰네소스 전쟁사》, 천병희 옮김, 도서출판 숲, 2010.
헤로도토스, 《페르시아 전쟁사》. 천병희 옮김, 도서출판 숲, 2002.
플루타르코스, 《플루타르코스 영웅전》, 천병희 옮김, 도서출판 숲, 2002.

신선희, 《고전기 아테네의 Metoikoi(거류외인) 연구》, 단국대학교 석사학위논문, 1993.

Brownson, C. L. Xenophon, *Hellenica*, Cambridge: Harvard University Press, 1968.

Connor, W. R., "The problem of Athenian civic identity", in *Athenian identity and civic ideology*, A. L. Boegehold and A. C. Scafuro, eds., Baltmore and London: The Johns Hopkins University Press, 1994, pp. 34-44.

Ehrenberg, V., *The Greek State*, New York: Norton Library, 1964. (《그리스 국가》, 김진경 옮김, 민음사, 1991.)

Godley, A. D. tr., *Herododotus,Historiai*, Cambridge: Harvard University Press, 1957.

Gomme, A. W. *The population of ancient Athens in the fifth and fourth centuries B.C.*, Chicago: Greenwood Press, 1967.

Green, P. tr., *Diodorus Siculus*, Austin: University of Texas Press, 2006.

Hansen, M. H., *The Athenian democracy in the age of Demosthenes: structures, principles and ideology*, Oxford: Blackwell, 1991.

Harrison, W., *The Law of Athens: The Family and Property*, Oxford: The Clarendon Press, 1963.

Hunter, V., "Status distinctions in Athenian Law," in *Law and social status in classical Athens*, V. Hunter and J. Edmondson, eds., Oxford: Oxford University Press, 2004, pp. 1-30.

Lamb, W. R. M.,*Lysias*, Cambridge: Harvard University Press, 1976.

MacDowell, D. M., *The law in classical Athens*, New York: Cornell University Press, 1978.

Manville, P. B., *The Origins of Citizenship in Ancient Athens*, Princeton: Princeton University Press, 1990.

Norlin, G., tr., *Isocrates*, Cambridge: Harvard University Press, 1956.

Page, T. E. tr.,*Demosthenes*, Cambridge: Harvard University Press, 1953.

Patterson, C., *Pericles'Citizenship law of 451-50 B.C.*, New York: Arno Press, 1981.

Rackham, H. tr., *Aristotlels, The Athenian Constitution*, Cambridge: Harvard University Press, 1952.

Rackham, H. tr., *Aristotels,Politika*, Cambridge: Harvard University Press, 1972.

Perrin, B., tr.,*Plutarchos Lives*, Cambridge: Harvard University Press, 1968.

Rhodes, P. J., *A Commentary on the Aristotelian Athenaion Politeia*, Oxford: Oxford University Press, 1981.

Scafuro, A. C., "Bifurcations and intersections," in *Athenian identity and civic ideology*, A. L. Boegehold & A. C. Scafuro, eds., Baltimore and London: The Johns Hopkins University Press, 1994, pp. 1-20.

Sealey, R., *The justice of the Greeks*, Ann Arbor: University of Michigan Press, 1994.

Taylor, C., "Social networks and social mobility in fourth-century Athens," *Communities and networks in the ancient Greek world*, Oxford: Oxford University Press, 2015, pp. 35-53.

Whitehead, D., *The Ideology of the Athenian Metic*, Cambridge: Cambridge Philological Society, 1977.

Kapparis, K., "Immigration and Citizenship Procedures in Athenian Law," *Revue internationale des droits de l'antiquite*, 52, 2005, pp. 71-113.

Scheidel, W.,"The Greek demographic expansion: models and comparisons," *Journal of Hellenic Studies*, 123, 2003, pp. 120-140.

Walters, K., "Perikles' Citizenship Law," *Classical Antiquity*, 2, 1983, pp. 314-336.

Watson, J., "The origin of metic status of Athens," *The Cambridge Classical Journal*, 56, 2010, pp. 259-278.

한나 아렌트 정치사상과 오늘의 글로벌 폴리틱스

: 인권, 유목적 폴리스, 그리고 수행성의 정치

서유경

이 글은 《한독사회과학논총》 제28권 제2호에 게재된 원고를 수정 및 보완하여 재수록한 것이다.

한나 아렌트는 정치사상이 담론 프레임화framing 작업에 도전하고 비예측성에 가치를 부여하며, 새로운 사상과 목소리들이 정치적 공간에 대한 접근성을 획득할 수 있도록 채널들을 열어젖히고자 한다.[1]

20세기가 낳은 가장 독창적인 정치이론가이자 정치철학자로 알려진 한나 아렌트Hannah Arendt의 첫 번째 저서인 《전체주의의 기원》은 놀랍게도 역사 기술 방식으로 풀어 쓴 유럽의 현실정치에 관한 분석서였다. 그 책에서 아렌트는 18세기 이후 유럽 전역으로 확산된 민족주의, 제국주의, 그리고 반유대주의운동이 종국에 스탈린과 히틀러의 전체주의 정권의 등장으로 귀결되었다는 주장을 펼쳤다. 또한 이데올로기와 테러를 도구로 삼아 인종말살 정책을 집행한 독일의 나치정권에 대해서는 역사상 유례가 없는 특이한 신종新種 통치구조를 장착한 '전체주의' 정권이라고 특정했다.

유대인이었던 아렌트는 바로 그 나치정권의 직접적인 피해 대상이었다. 그러나 그는 한 사람의 의식 있는 지식인으로서 독일시온주의협회the German Zionist Organization 활동에 적극 가담하여 히틀러 치하 독일의 현실정치 상황에 대항했고,[2] 1933년 경찰에 체포·구금되었다가 가까스로 풀려난 직후 프랑스로 망명하였다. 7년 뒤인 1940년 독일이 파리

1 Lang, Anthony F. Jr. & Williams, John, "Between International Politics and International Ethics,"Anthony F. Lang, Jr. and John Williams, (eds.), *Hannah Arendt and International Relations: Readings Across the Lines*, New York: Palgrave Macmillan, 2008, p. 7.

2 Owens, Patricia, "Hannah Arendt: A Biographical and Political Introduction," Anthony F. Lang, Jr. and John Williams, (eds.), *Hannah Arendt and International Relations: Readings Across the Lines*, New York: Palgrave Macmillan, 2008, p. 31.

를 점령함에 따라 안전을 위협받자 미국행을 감행했으며, 뉴욕에 도착한 이후 자신이 몸소 겪은 현실정치 상황을 설명할 수 있는 어떤 정합적인 이론 체계를 제시하고자 했다. 그 첫 번째 시도가 바로《전체주의의 기원》이다.[3]

그 책에는 어떠한 형태의 국제정치 이론이나 역사에 관한 체계적 기술 방식도 제시되어 있지 않다. 그러나 아이러니하게도 당시 미국의 흉포한 매카시즘 정국에서 반공주의자들이 구소련 체제를 공격하는 반反전체주의 정치 담론 프레임으로서 안성맞춤 격이었고, 아렌트는 본의 아니게 당시 뉴욕 사회에 반공주의의 전도사인 양 소개되었다. 아렌트가 그 책에서 "공영역the public realm의 상실"과 "인간 행위 능력의 파괴"를 전체주의의 주된 특징으로 지목하고 있다는 사실은 대단한 역설이 아닐 수 없다.[4] 왜냐하면 당시 매카시즘 광풍 역시도 바로 그러한 전체주의적 행태들을 고스란히 답습하고 있었기 때문이다. 그때 이후 아렌트는 사실상 "글로벌 폴리틱스global politics와 관련해서는 거의 아무것도 언급하지 않았다."[5]

이런 점들을 고려하면 필자가 여기서 아렌트의 정치사상과 '글로벌 폴리틱스'[6]의 연관성을 논의하려는 시도는 일견 무의미한 일로 보일 수

3 Klusmeyer, Douglas, "Hannah Arendt's Critical Realism: Power, Justice, and Responsibility," Anthony F. Lang, Jr. and John Williams, (eds.), *Hannah Arendt and International Relations: Readings Across the Lines*, New York: Palgrave Macmillan, 2008, p. 114.

4 Bowring, Finn, *Hannah Arendt: A Critical Introduction*, London: Pluto Press, 2011, p. 164.

5 Owens, Patricia, "Hannah Arendt: A Biographical and Political Introduction," p. 35.

6 글로벌 폴리틱스global politics라는 용어는 Haywood(2011)의 책 제목에서 보듯이 근래 국제정치international politics, 국제관계international relations, 세계정치world politics라는 기성의 용어들과 함께 정식화되었다. 이 용어는 관련 분야의 가장 최신 개념으로서

있다. 그러나 근래 신자유주의, 세계화. 난민, 집단이주, 소수자 권리 보호 등과 같이 시급히 해결해야 할 다양한 글로벌 폴리틱스 현안들이 떠오르면서 아렌트의 정치존재론적 개념 범주들이 새롭게 주목을 받았다. 가장 관심을 모은 것은 아렌트가 《전체주의의 기원》에서 제시한 "권리를 가질 권리a right to have rights"[7]라는 개념 범주이다. 그리고 아렌트가 이 '권리들을 가질 권리'를 비非시민 또는 무국적자에게 허락되지 않는 인간의 권리로 규정했으므로, 결과적으로 '시민권'을 지칭하고 있다는 식으로 설명되었다. 바꿔 말해서 아렌트는 인권 개념을 한 국가공동체 내에서만 성립하는 '국민국가적 권리'로서 인식했다는 것이다. 그러나 이것은 아렌트의 정치사상에 대한 불충분한 이해에서 비롯된 오해로 보인다.

아렌트가 《전체주의의 기원》 출간 이후 인권이라는 주제를 직접적으로 다룬 적은 없었다. 그런 한편으로 아렌트는 《인간의 조건》(1958), 《혁명론》(1963), 《공화국의 위기》(1972) 등을 통해 자신의 시민공화주의civic-republicanism 정치사상을 꾸준히 심화·발전시켰다. 예컨대 《인간의 조건》에서는 가장 이상적인 정치공동체로서 고대 아테네 폴리스와 관련된 정치사상을 이론화했고, 《혁명론》에서는 근대 3대 시민혁명을 통해 탄생한 근대적 정치공동체에 관한 비교론적 통찰을 제시했으며, 《공화국의

국민국가nation-state 중심 사고와 "지배ruling" 개념에 기초하고 있는 국제정치나 국제관계 이론 틀과 달리 초국가적 관점을 채택한다는 점에서 기성의 학문 분과명들과 차별화할 필요성이 제기된다. 이와 관련된 보충설명은 Williams & Lang, Jr.(2008: pp. 3-9)를 참조하시오.

7 Arendt, Hannah, *The Origins of Totalitarianism*. (New Edition with Added Prefaces), New York & London: A Harvest Book·Harcourt, Inc., 1994, p. 296.

위기》에서는 미국 자유민주주의 정치공동체에 대한 비판적 성찰을 통해 현대 대의민주주의의 민주적 정당성 결여 문제를 적시하기도 했다.

이러한 정치사상의 진화 과정에서 가장 뚜렷한 변화를 보여 준 것은 그의 정치공동체에 관한 이해 방식이다. 추후 논의하겠지만, 아렌트는 고대 그리스의 폴리스polis를 현재 우리의 현실에서도 재현 가능한 이상적 정치공동체 모델로 인식했고, 그것을 모종의 '언어적 행위 공동체'로서 이론화하였다. 그래서 이 '아렌트적' 폴리스라는 언어공동체는 말과 행위를 수행하는 행위자가 이동함에 따라 생성되고 그가 떠나면 함께 사라지는 '유목적' 성격을 띤다고 볼 수 있다. 이런 관점을 수용한다면, '국민국가nation-state가 곧 정치공동체'라는 우리의 고정관념은 재고될 필요성이 있다. 그 연장선상에서 아렌트의 '권리들을 가질 권리'를 간단히 시민권으로 환원시키는 기성 학자들의 이해 방식 역시 재검토 대상이 되어야 할 것이다.

이에 필자는 이 글을 통해 아렌트의 인권 개념, 폴리스의 유목성, 수행성의 정치 개념 등이 오늘 우리의 글로벌 폴리틱스에 어떤 유의미한 이론적 공헌을 할 수 있는지 그 가능성을 타진해 보고자 한다. 이를 위해 먼저 〈세계인권선언〉이 상정하고 있는 '보편적' 인권 개념과 아렌트의 인권 개념을 비교한 다음, 아렌트의 "권리들을 가질 권리"로서 인권 개념의 특징과 성격을 집중·조명할 것이다. 그런 다음 폴리스의 유목성, 정치적 평등, 그리고 인권의 유기적 연관성을 살펴보고, 이 글의 결론에 해당하는 '지구화 시대의 인권정치학' 부분에서는 아렌트의 정치사상이 글로벌 폴리틱스에 기여하게 될 것으로 보이는 유익한 이론적 함의를 제시하고자 한다.

따라서 이 글이 한편으로는 국제정치 · 국제관계학 분야의 기성 연구자들이 견지하는 국민국가체제에 대한 무조건적인 수용 태도를 경계하는 계기를 마련하고, 다른 한편으로는 탈국민국가 시대를 맞아 글로벌 폴리틱스가 다루는 인권 개념의 외연 확장에 적실한 이론적 정당성의 근거를 제공할 수 있기를 기대한다.

〈세계인권선언〉의 '보편적' 인권과 시민권

'인권'이란 무엇인가. 인권에 관한 학문적 논의를 전개하기 위해서는, 우선 그것의 일반적 의미와 관련된 약간의 예비 지식이 필요하다. 가장 손쉬운 지식 획득 수단인 구글에서는 'human right'를 "개별 인간에게 정당하게 속해 있다고 생각되는 권리"[8]라고 설명한다. 다음으로 케임브리지 사전은 인권을 "정의正義나 당신이 생각한 바를 말할 수 있는 자유처럼 일반적으로 모든 사람이 가져야 한다고 생각되는 기본권들"[9]로 정의하고 있다.

좀 더 특화되고 실제적인 방식으로 글로벌 차원에서 '인권' 문제를 다루고 있는 유엔인권고등판무관실UNOHCHR의 정의는 앞의 것들보다 훨씬 더 정교하고 구체적이다. "인권은 우리의 국적, 주거지, 성별, 국적이나 종족성, 피부색, 종교, 언어, 또는 기타 지위를 불문하고 모든 인간에게 고유한 권리들이다. 우리는 차별받지 않고 우리의 인권들을 평등

8 원문은 "a right that is believed to belong justifiably to every person"이다.

9 원문은 "the basic rights that it is generally considered all people should have, such as justice and the freedom to say what you think"이다.

하게 누릴 자격이 있다. 이 권리들은 상호연결되어 있고 상호의존적이며 나누어질 수 없다."[10]

상기한 세 가지 정의들을 종합해서 이해하자면, 인권은 일반적으로 인간에게 고유한 개별적 권리이자 인간이 인간다운 삶을 영위하기 위해 보호되어야 할 기본권들을 말하며, 그 기본권들은 서로 연결되어 있고 상호의존적이며 나누어질 수 없는 성격을 가진다고 간주되는 듯하다. 잘 알려진 대로 〈세계인권선언〉[11]은 이러한 인권의 기본 관념들을 두루 다 포괄하는 '보편적' 인권 개념을 제시하고 있다고 주장된다. 그러나 실제로 그것이 우리가 기대하는 것만큼 보편적인 수준인지는 의문이다.

〈세계인권선언〉이 채택한 '보편적' 인권 개념의 허약성

1948년 12월 10일 유엔총회에서 〈세계인권선언〉이 선포될 당시 이 선언을 이끌어 낸 엘리너 루스벨트 Eleanor Roosevelt는 비록 그 선언이 조약의 형태는 아닐지라도 "분명 모든 국민들all peoples과 모든 국가들all nations이 성취해야 할 공통 기준"이 될 것이며, "인류 모두의 국제대헌장 an international Magna Carta of all mankind"이 되어 마땅하다고 주장했다.[12] 그

10 유엔인권고등판무관실 http://www.ohchr.org/EN/Issues/Pages/WhatareHumanRights.aspx

11 The Universal Declaration of Human Rights(UDHR). 대개 〈세계인권선언〉으로 통용된다. 이 문서의 한역본 전문前文에는 "모든 사람과 국가가 성취하여야 할 공통의 기준으로서 이 세계인권선언을 선포한다"(밑줄은 필자)라고 적혀 있다. 필자는 밑줄 친 부분인 "peoples"를 "국민들"로 "nations"를 "민족들"로 각각 옮겼는데 그렇게 함으로써 이 조항의 실제 의미를 좀 더 정확하게 전달할 수 있을 것으로 판단했기 때문이다. http://www.ohchr.org/EN/UDHR/Documents/UDHR_Translations/kkn.pdf (2018년 4월 1일 검색).

12 Risse, Thomas and Sikkink, Kathryn, "The Socialization of International Human Rights Norms into Domestic Practices: Introduction," Thomas Risse, Stephen C. Ropp, and

의 예언은 적중했고 그 선언은 지난 70년간 국제정치는 물론 국내정치 차원에서도 인권 이슈에 관한 한 가장 권위 있는 표준지침서로서 중요한 역할을 담당해 왔다.

〈세계인권선언〉의 내용 가운데 가장 우리의 관심을 끄는 것이 바로 '보편적' 인권 개념을 제시한 제2조이다. 그것은 "개인이 속한 국가 또는 영토"에 상관없이, 또 "그 국가 또는 영토의 정치적 · 법적 또는 국제적 지위"에 상관없이 "모든 권리와 자유를 향유할 자격이 있다"고 규정함으로써 인간이라면 누구나 향유할 수 있는 보편적 권리로서의 인권 개념을 상정하고 있기 때문이다. 제2조의 전문은 다음과 같다.

> 모든 사람은 인종, 피부색, 성, 언어, 종교, 정치적 또는 기타의 견해, 민족적 또는 사회적 출신, 재산, 출생 또는 기타의 신분과 같은 어떠한 종류의 차별이 없이, 이 선언에 규정된 모든 권리와 자유를 향유할 자격이 있다. **더 나아가 개인이 속한 국가 또는 영토가 독립국, 신탁통치 지역, 비非자치 지역이거나 또는 주권에 대한 여타의 제약을 받느냐에 관계없이, 그 국가 또는 영토의 정치적, 법적 또는 국제적 지위에 근거하여 차별이 있어서는 아니 된다.** (〈세계인권선언〉 한역본. 강조는 필자)

위에서 알 수 있듯이 〈세계인권선언〉은 우선적으로 모든 사람이 특정 국가나 영토에 속한다는 국민국가체제의 기본 전제를 채택하고 있다. 그와 동시에 "국가 또는 영토의 정치적, 법적 또는 국제적 지위에 근

Kathryn Sikkink, (eds.), *The Power of Human Rights: International Norms and Domestic Change*, Cambridge: Cambridge University Press, 1999, p. 1.

거한 차별"을 금지함으로써 국제사회 내에서 특정 국가의 주권적 지위가 그 나라 국민이 "모든 권리와 자유를 향유할 자격"을 판단하는 기준이 되지 않아야 한다는 탈脫국민국가적인 또는 국제적 인권 보호를 요청하고 있다. 다시 말해, 이 조항은 국민국가적 요소와 탈국민국가적 요소가 혼합된 '보편' 인권 개념을 수립한다는 것이다.

그러나 이 '보편적' 인권 개념은 그것이 채택하고 있는 국민국가체제라는 기본 전제로 인해서 실질적 내용이 공허해질 수밖에 없다. 난민이나 무국적자처럼 어떤 국민국가에도 속할 수 없는 처지의 사람들이 인권의 사각지대에 놓이게 될 것이 자명하기 때문이다. 유엔난민기구의 2021년 7월 추계에 따르면 지구상에는 8,240만 명의 강제이주자가 존재하며, 그중 2,640만 명은 유엔이 인정한 '난민refuge'이고 4,800만 명은 '국내이재민Internally Displaced Persons'으로 분류되어 있다.[13] 또 매년 수백만 명이 망명지를 찾아 헤매고 있지만 제3국 정착 기회는 평균 5퍼센트 미만의 최소 인원에게만 허용되고 있다.[14]

이런 난맥상으로 인해 '인권'은 불가피하게 중요한 국제정치적 이슈가 될 수밖에 없다. 여기서 '정치적'이라는 표현이 함축하는 바는 아마도 칼 슈미트Carl Schmitt가 《정치적인 것의 개념》(1996)에서 제시한 피아

13 http://www.unhcr.org/figures-at-a-glance.html (2021년 7월 19일 검색).

14 2011년 이후 지속되고 있는 시리아 내전으로 대량 난민이 발생하자 독일과 캐나다를 비롯한 국제사회 내 여러 국가들이 시리아 난민의 자국 입국을 허용한 바 있다. 그럼에도 국제사회 내 전반적인 분위기는 시리아 난민의 자국 수용에 대해 소극적이었다. 2018년 봄 제주도에 예멘인 5백여 명이 상륙하여 난민 지위를 요구하자 제주도민들은 물론 대다수 한국인들도 그들의 요구에 대해 불편한 기색을 숨기지 않았다. 베네수엘라와 미얀마 사태로 인해 해외로 탈출하려는 사람들이 급격히 늘어났으나 그들을 반기는 나라는 별로 없다.

彼我 구분을 소환하면 훨씬 이해하기가 수월할 것이다. 누군가의 '인권'은 일반적으로 그가 '동지' 범주에 속하느냐 아니냐에 따라 보호되거나 거부되는 전형적인 이중적 잣대 적용 사안이기 때문이다. 실제로 한 개인이 어떤 국민국가에 소속된 국민의 신분인지 아닌지, 즉 시민권을 보유하고 있는지 아닌지는 그가 기본적으로 향유할 수 있는 인권의 범위가 무엇인지를 알 수 있는 가장 결정적인 요소로 작용해 왔다.

《전체주의의 기원》을 쓸 당시 한나 아렌트 역시 인권의 필수조건이 시민권이라는 사실을 누구보다 깊이 인식하고 있었던 것으로 보인다. 예컨대 "인권의 근본적인 박탈은 … 우선 다른 무엇보다도 세계 내 한 장소a place in the world의 상실로써 명시화된다"[15]는 그의 주장에서 "세계 내 한 장소"는 분명 국민국가이다. 이는 한 개인의 '무국적성statelessness'이 곧 그의 인권이 무방비 상태에 놓이게 된다는 사실과 직결된다는 그의 주장과도 일치한다. 그는 한 개인의 시민권 박탈은 우선적으로 그의 정체성과 직업 및 주거지 상실을, 나아가 그가 하찮은 소모품으로 전락하게 될 가능성을, 그리고 결과적으로는 그의 인권이 안전하게 보호되지 못할 가능성을 내포한다고 주장했다.[16]

그러나 이것은 국민국가체제 하에서 살고 있는 현실정치적 차원에서 설명한 것일 따름이다. 다음 절에서 보게 되듯 우리는 아렌트로부터 또 하나의 인권 개념을 발견하게 되는데, 이는 그가 자신의 정치이론적 차원에서 제시하는 '정치존재론적' 인권 개념이다. 이 후자의 인권 개념에 대한 이해가 필요한 것은, 추후 논의 과정에서 좀 더 명확해지겠지

15 Arendt, Hannah, *The Origins of Totalitarianism* (New Edition with Added Prefaces), p. 296.

16 Arendt, Hannah, *The Origins of Totalitarianism*, New York: Schocken Books, 1951, p. 475.

만 현재 우리가 살고 있는 현실정치의 세계 속에서 정치존재론적 차원의 설명이 점점 더 정치적 유의미성을 획득해 가고 있기 때문이다.

아렌트 인권 개념의 두 가지 '정치적' 차원

자신의 정치철학에 그 뿌리를 두고 있는 아렌트의 인권 개념은 슈미트의 피아 구분이 절대적 효과를 발휘하는 현실정치적 또는 국제정치적 차원의 '정치적' 맥락과 별개로, 모든 사람들에게 적용되는 정치존재론적 맥락이라는 또 다른 '정치적' 차원에 대한 이해 없이는 온전히 설명할 수 없다. 이 점 때문에 앞에서 간단히 설명한 아렌트의 인권 주장으로 다시 돌아가야 할 것 같다. 그 주장의 전문은 "인권의 근본적인 박탈은 **첫째로 그리고 다른 무엇보다도 (참여자의) 의견들을 중요하게 만들고 행위들을 효과적이게 만드는** 세계 내 한 장소의 상실로써 명시화된다"[17]라는 것이다. 이 주장에서 굵은체로 쓴 관형구 부분이 아렌트의 독특한 정치존재론적 맥락의 '정치적' 특성을 밝혀 주는 결정적인 단서다.

이 추가적인 두 번째 '정치적' 차원에 대한 인식이 중요해지는 것은 다음 두 가지 고려 사항 때문이다. 첫째, 비록 〈세계인권선언〉이 한 국가(또는 영토)에 속하는 '모든' 사람이 똑같은 권리와 자유를 향유할 자격이 있다고 명시했을지라도 현실은 반드시 그렇지가 않다. 국제사회는 차치하더라도, 비록 동일 국가 내에 거주하고 있다손 쳐도 비非시민권자나 임시 또는 불법체류자는 다른 시민들과 동일하게 모든 권리를 다 향유할 수 없다. 결과적으로 국제정치적 차원의 '정치적' 의미로서

17 Arendt, Hannah, *The Origins of Totalitarianism* (New Edition with Added Prefaces), p. 296.

국가들 간의 피아 구분이나, 현실정치적 차원 일반의 '정치적' 의미로서 피아 구분을 정당화하는 근거로서 시민권의 유무는 '보편적' 인권 개념의 최대 걸림돌로 작용하게 된다는 것이다.

둘째, 그와 정반대로 아렌트 정치사상이 설파하는 '정치적'이라는 것의 실제적 의미는 사실상 그의 '탄생성natality'과 '다수성plurality'이라는 인간의 두 가지 근본적인 '정치적' 속성에서 파생된다. 하나의 개별체로서 인간은 뭔가 새로운 것을 끊임없이 만들어 내면서 주변 것들과 교호하는 속성을 지닌다. 특히 인간은 다른 무엇보다도 말이라는 언어 행위를 통해 자신의 정체성을 지속적으로 재구성하는 특성이 있다. 이것이 아렌트의 탄생성이 담지하고 있는 핵심 의미인데, 이 속성으로 인해 각각의 인간은 다른 모든 사람들과 구별되는 동시에, 그들과 언어공동체를 이루고 그 속에서 삶의 의미를 끊임없이 재구성한다.[18]

요컨대 지구상의 삶 속에서 각각의 인간이 지닌 속성으로서 탄생성은 부득불 타인들의 개별 탄생성과 조우하게 된다. 인간은 세상에 태어나는 순간부터 죽음에 이르는 순간까지 매순간 사람들과 더불어 공생의 삶을 영위하며, 이 지구상 어디에도 단 한 사람만이, 다른 누구와도 관계를 맺지 않고 온전히 독립적으로 살아갈 수 있는 경우란 상상조차 할 수 없기 때문이다. 아렌트는 이런 인간의 속성을 '인간다수성human plurality'[19]이라고 부른다. 그리고 이것을 '정치'가 성립될 수 있는 근본적 필요조건으로 상정한다.

---

18 서유경, 〈버틀러(J. Butler)의 '수행성 정치' 이론의 정치학적 공헌과 한계〉, 《대한정치학회보》 19(2), 2011, 31~56쪽.

19 이것은 아리스토텔레스의 '정치적 존재*zoon politikon*' 개념과 대체로 공명한다. 이에 대한 보다 상세한 설명은 이 글의 각주 24)와 서유경(2017)을 참조하시오.

아렌트에게 '정치'란 한 개인이 사람들의 면전에서 말과 행위를 통해 자신의 의견을 표출하고 타인들의 말과 행위를 듣고 보며 서로의 존재를 확인해 주는 한편, 그곳에서 타인들과 더불어 결정한 것을 함께 행동에 옮기는 일종의 '공조共助' 양태로 정의된다. 이 아렌트적 정의는 기성 정치이론들이 사용하는 정치 개념(들)과 확실히 차별화되는 지점이다.[20] 이 새로운 정치 개념의 도입은 정치를 외부 목적에 복무하는 수단으로 환원시키는 아리스토텔레스의 도구주의적 정치 개념의 탈도구화 필요성으로 이끌리게 되며, 결국 독일 실존주의 철학의 현상학적 방법론을 통해 그리스적 정치존재론을 현대화한 '정치적 실존주의'라는 새로운 정치존재론적 차원을 열어젖히게 된다.[21]

여기서 우리가 이 두 번째 정치존재론적 차원을 승인한다면, 아렌트적 정치를 실현하기 위한 "세계 내 한 장소"가 반드시 국가공동체로 한정될 필요는 없어진다. 그런 정치의 실현 조건을 충족시킬 수 있는 세계 내 장소, 즉 '폴리스'는 다양한 '비非국가적인' 형태로도 존재할 수 있기 때문이다. 이 점은 우선 아렌트의 인권 개념과 관련하여 그가 시민권을 인권의 필요충분조건으로 인식하고 있다는 주장이 잘못된 것일 수 있음을 시사한다. 그 주장의 진위 여부는 아렌트의 인권 개념에 좀 더 밀착해서 검토한다면 그 과정에서 자연스럽게 가려질 것이다.

---

20 Arendt, Hannah, *The Human Condition*, Chicago: The University of Chicago Press, 1958; 서유경, 〈한나 아렌트의 '정치행위Action' 개념 분석〉, 《정치사상연구》 3, 2000, 95~123쪽; 서유경, 〈약속의 정치학: 한나 아렌트의 로마커넥션과 그 함의〉, 《정치사상연구》 17(2), 2011, 9~33쪽 참조.

21 서유경, 〈아렌트 정치적 실존주의의 이론적 연원淵源을 찾아서: 성 어거스틴, 마틴 하이데거, 그리고 칼 야스퍼스〉, 《한국정치학회보》 36(3), 2002, 71~89쪽.

아렌트의 "권리들을 가질 권리"로서 인권

"정치행위를 할 수 있는 권리"로서 인권

아렌트는《전체주의의 기원》9장 '국민국가의 쇠퇴와 인간 권리들의 종언'에서 한 개인이 특정 정치공동체 내에서 "권리들을 가질 권리" 개념을 도입했다. 바로 이것이 아렌트 '인권' 개념의 핵심이자 그가 다른 인권이론가들과 차별화되는 지점이기 때문에 그의 설명을 먼저 들어볼 필요성이 있다.

> 우리는 **권리들을 가질 권리**a right to have rights**가 현존한다는 사실**—이것은 누군가가 그 자신의 행위와 의견들에 비춰 판단되는 어떤 〔공동체의〕 테두리 속에서 산다는 의미이다—을 인지하게 되었다. 또한 **특정 유형의 조직된 공동체에 속할 권리가 현존한다는 사실**도 알게 되었다. 〔안타깝게도〕 이미 그러한 권리들을 잃었고 새로운 지구적 정치 상황으로 인해 그것들을 다시 회복할 수 없게 된 수백만 명의 사람들이 나타났을 때에서야 비로소 그런 사실들을 인지하게 된 것이다.[22] (강조와 〔 〕는 필자)

위 인용문에서 아렌트는 ①'권리들을 가질 권리가 현존한다'는 사실과 ②'특정 유형의 조직된 공동체에 속할 권리가 현존한다'는 사실을 인지하게 되었다고 고백한다. 그러므로 아렌트의 인권 개념을 이해하기 위해서는 이 두 가지 사실이 각기 의미하는 바가 무엇인지를 먼저

---

22 Arendt, Hannah, *The Origins of Totalitarianism*. (New Edition with Added Prefaces), pp. 296-297.

파악해야만 한다. 그리고 이 목적상 우리는 다음 두 가지 질문을 제기해야만 할 것 같다. 첫째, 아렌트가 생각하는 '권리들을 가질 권리'가 포함하는 '권리들'에는 어떤 것이 있는가? 둘째, '특정 유형의 조직된 공동체에 속할 권리'라는 표현에서 '특정 유형의 조직된 공동체'란 구체적으로 무엇을 가리키는가?

아렌트는 첫 번째 질문과 관련하여 그것이 시민들에게 주어진 "자유를 향유할 권리the right to freedom"나 "사유할 수 있는 권리the right to think"보다 훨씬 더 근본적인 권리로서 "정치행위를 할 수 있는 권리the right to action"와 "의견을 말할 수 있는 권리the right to opinion"를 특정하여 제시한 바 있다.[23] 그런데 "정치행위를 할 수 있는 권리"와 "의견을 말할 수 있는 권리"는 사실상 동어반복이라고 볼 수 있다. 아렌트의 정치행위action[24]는 언어적 존재로서 인간이 공적인 공간에서, 즉 동료 시민들의 면전에서 그들과 더불어 말과 행위를 공유하는 것을 말한다고 설명되고 있기 때문이다.[25]

앞에서 언급했듯이, 아렌트의 정치존재론적 관점에서 정치행위는 기성의 정치이론이 가정하듯 행위자 외부에 있는 목적에 복무하는 수단이 아니라, 행위 그 자체가 목적인 자기충족적 행위이며 오직 행위자 자신의 공적인 정체성을 드러내고 확인시키는 내재적 목적에만 복무한다고 가정된다. 그리고 그것에 수반되는 것은 행위자가 행위 수행을 통

23 Arendt, Hannah, *The Origins of Totalitarianism*. (New Edition with Added Prefaces), p. 296.

24 아렌트의 용어인 'action'은 아리스토텔레스의 '*praxis*' 개념을 재전유한 것으로서 거의 모든 경우에 '정치행위'를 의미한다. 이에 대한 자세한 설명은 서유경(2000)을 참조하시오.

25 서유경, 〈한나 아렌트의 '정치행위Action' 개념 분석〉, 95~123쪽.

해 느끼게 될 공적 즐거움이다. 그러므로 '정치행위를 할 수 있는 권리'는 곧 "공적인 행복"[26]을 획득할 수 있는 권리이기도 하다. 아렌트의 설명을 직접 들어 보자.

> 〔공적인 행복이란 것은〕 우리가 동료〔시민〕들과 함께 있음, 그들과 함께 공개적인 장소에 등장하여 함께 행위를 수행함, 그리고 말과 행위를 통해 우리 자신을 세계world 속에 끼워 넣음으로써 개인적 정체성을 획득하고 전적으로 새로운 무엇인가를 시작하는 것으로부터 우러나오는 기쁨과 만족감이다.[27] (강조와 〔 〕는 필자)

이를 종합하면, '권리들을 가질 권리'라는 것은 자신이 구성원으로 참여하는 특정 "세계" 속에서 "말과 행위를 통해" 자신의 "정체성을 획득하고 전적으로 새로운 무엇인가를 시작하는 것"에 대한 "기쁨과 만족감"을 향유할 수 있는 권리를 말한다. 여기서 '세계'는 물론 앞서 살펴본 "특정 유형의 조직된 공동체"와 상호치환적이며,[28] 기본적으로 국가 형태와 비非국가 형태가 모두 포함된다고 볼 수 있다. 따라서 세계는 공영역으로서 그것의 형태와 별개로 '권리들을 가질 권리'의 필수 전제조건이 된다. 아렌트가 《전체주의의 기원》에서 "공영역의 상실"과 "인간 행위 능력의 파괴"를 전체주의 체제의 두 가지 결함으로 제시한 이유도

26 서유경, 〈약속의 정치학: 한나 아렌트의 로마커넥션과 그 함의〉, 15쪽.

27 Arendt, Hannah, *Between Past and Future*. New York: The Viking Press, 1968, p. 263.

28 아렌트의 정치이론에서는 '폴리스*polis*', '세계world', '공영역public realm', '내부 공영역interior public space' 등이 그때그때 맥락에 따라 상호치환적으로 사용되고 있다. 이런 용법이 정당화되는 근거는 그것들이 전부 아렌트의 "human plurality" 개념에서 파생되

여기에서 찾을 수 있는 것이다.

다음으로, 아렌트의 "권리들을 가질 권리"는 "특정 유형의 조직된 공동체" 내에서만 보장받을 수 있다고 가정된다. 그의 설명에 따르면 그러한 공동체는 전체주의국가가 파괴한 형태로서 개인이 "그 자신의 행위와 의견들에 비춰 판단되는 어떤 〔공동체적〕 테두리"이다. 그런데 그것은 현대국가(또는 국민국가)의 형태와도 거리가 있다. 한마디로 말해서 그것은 아렌트가 이상형으로 보았던 고대 아테네의 '폴리스'였기 때문이다. 폴리스는 현대정치학이 바탕에 두고 있는 대의제 또는 간접민주주의 체제가 아닌 직접민주주의 체제였고,[29] 기본적으로 시민들의 자발적인 정치 참여가 바탕이 되는 공적·정치적 공간이었다.

실제로 아렌트가 이해한 바로서 폴리스의 정치행위는 "동등한 시민들 사이의 상호작용, 자신의 〔삶의〕 목표가 지닌 의미를 밝히고, 정체성을 실현시키며, 사적인 삶의 협소하고 잠정적이며 불명료한 본질을 초월하는 것"과 같은 존재론적인 목적에 복무하는 형태였다.[30] 이런 특징을 지닌 정치행위의 이상형ideal-type을 제시함으로써 아렌트는 정치나

었기 때문이다. 이 개념은 "인간다수성"과 "인간다수체"라는 이중의 의미를 담고 있으며, 특히 후자인 인간다수체는 구체적으로 5가지 유형으로 구별할 수 있다. 더 자세한 설명은 Suh(2017)을 참조하시오.

29 물론 고대 폴리스가 늘 그런 직접민주주의와 공화주의적 조건을 구비했던 것은 아니다. 전제적인 통치자들이 나타나서 폴리스의 공영역 기능을 통째로 파괴했던 사례가 적잖았기 때문이다. 그들은 "시민들이 스스로를 드러내고, 보고, 보이고, 듣고, 들리는 곳인 시장, 즉 공적 영역에 접근하지 못하도록" 함으로써 "폴리스의 자유를 알고 있고 그것을 박탈당하면 반란을 일으킬 것 같은 사람들을 통제"하고자 했다(서유경, 2005: 148 각주 8). 그러므로 아렌트의 모델은 정확히 말해서 페리클레스가 통치했던 몇 십 년 동안 직접민주주의 전성기의 아테네 정치체제였다고 볼 수 있다.

30 Honohan, Iseult, *Civic Republicanism*, London & New York: Routledge, 2002, p. 123.

정치행위를 개인이 원하는 것을 얻기 위한 수단으로 간주하는 기성 정치이론들에 팽배한 도구주의 관행을 뒤집었고, 행위자 자신의 실존적 정체성 구현이라는 존재론적 성격을 띤 탈도구화된 정치와 정치행위 개념을 대안으로서 확립했다.[31]

그러면 이 새로운 정치존재론적 접근법은 그의 인권 개념과 어떤 상관관계에 있는 것일까? 아렌트의 "정치행위를 할 수 있는 권리"는 바로 그런 유형의 정치행위를 할 수 있는 권리를 말하며, "특정 유형의 조직된 공동체에 속할 수 있는 권리" 역시 바로 그러한 정치행위를 허용하는 고대 아테네와 유사한 성격의 공동체를 지칭하는 것으로 보는 게 합리적일 것이다. 아렌트는 아테네라는 폴리스가 "발언과 행위"의 방식으로 "나를 남에게 보이고 남이 나에게 보여짐"으로써 서로의 존재를 확인해주는 장소이자,[32] 사람들이 정치행위를 펼칠 수 있는 "일종의 〔정치〕 극장을 제공한 정확히 그런 형태의 정부였다"[33]고 설명한다.

문제는 이러한 성격의 고대 폴리스라는 정치공동체를 근대적 국민국가나 현대의 대의민주주의 국가공동체와 동일시할 수 없다는 데서 발생한다. 아렌트는 고대 직접민주주의 정치공동체와 현대 간접민주주의 국가공동체 사이의 간극과 관련하여 토크빌Alexis de Tocqueville의 《미국의 민주주의》 속에 묘사된 결사체 민주주의 또는 타운홀미팅 방식에서 새로운 통찰을 끌어냄으로써 자신의 폴리스 이론을 현대화하는 쾌거를 이룬다. 예컨대 그의 공영역the public realm은 타인들의 발언과 행위의 연

31 서유경, 〈약속의 정치학: 한나 아렌트의 로마커넥션과 그 함의〉, 15쪽.

32 Arendt, Hannah, *The Human Condition*, p. 199.

33 Arendt, Hannah, *Between Past and Future*, p. 154.

계망으로 둘러싸여 있고 그것들과 지속적인 접촉 상태에 있는 공적인 공간을 지칭한다.[34] 그는 이 다수의 사람들이 모여 말과 행위를 공유하는 공영역으로서 현대 국가 내 공론장의 존재와 그것의 직접민주주의적 정치 효과에 주목했다.[35]

> 이 나라(미국)는 너무 커서 모두가 함께 모여 우리의 운명을 결정할 수가 없으므로 우리에게는 나라 안에 많은 공적 공간들public spaces이 필요하다. … 가령 우리들 열 명이 한 테이블에 둘러앉아 각자의 의견을 제시하고, 각기 다른 사람들의 의견을 듣는다고 치자. 그러면 이러한 의견 교환을 통해 합리적인 제안이 탄생할 수 있다.[36] (( )는 필자)

위 인용문에서 아렌트는 대의제 민주주의 하에서 간과되는 시민들의 의견 수렴 과정, 즉 여론 형성의 장으로서 공적 공간들의 정치적 기능을 설명하고 있다. 그의 관점에서 볼 때 이 현대적인 공영역들은 고대 아테네의 아고라에 버금가는 정치 극장으로 간주될 수 있는데, 그 이유는 그것이 시민들이 직접 참여하는 형식일 뿐 아니라 참여자들 모두에게 '정치적 평등'을 보장한다는 이소노미아isonomia 원칙을 채택한 것으로 간주되기 때문이다.

---

34 Arendt, Hannah, *The Human Condition*, p.188.

35 벤하비브를 비롯한 하버마스주의자들은 아렌트의 공영역은 현대적 맥락의 공론장에 적용될 수 있다는 의견을 피력한다. 이는 고대 그리스의 아고라처럼 제한된 수의 사람들이 현전하여 의견을 나누는 물리적 공간을 창출하기 때문이다. 사실 그것은 원래 아렌트가 가지고 있었던 생각이었다.

36 자료 출처는 "정치와 혁명에 관한 생각: 논평"인데, 이것은 1970년에 이루어진 독일 작가 Adelbert Reif와의 대담 내용이며 《공화국의 위기》(Arendt, 1972)에 수록되어 있다.

다시 인권 논의으로 돌아가서, 어떤 사람이 자신이 속한 정치공동체의 정치 과정에 참여할 수 없다는 것은, 곧 그가 정치적으로 평등한 지위에 있지 않다는 사실의 방증이다. 그리고 만약 우리가 아렌트와 함께 '정치행위를 할 수 있는 권리'가 바로 인권이라는 데 동의한다면, 인권은 정치적 평등 조건이 충족될 때에만 보장될 수 있다는 결론에 도달하게 된다. 이처럼 아렌트에게 인권의 문제는 정치적 평등의 조건을 확보하는 문제로 환원된다. 이 점을 염두에 두고 현재 우리가 살고 있는 탈脫국민국가 시대 인권과 정치행위의 관계를 간단히 검토해 보자.

탈脫국민국가Post·nation·state 시대의 "세계–만들기"

16세기 계몽주의 시대 이후 서구 사상을 지배한 자연권 사상은 인간 존엄을 생득적 요인이라고 가정했고, 이 가정에 바탕을 둔 18세기의 자유권liberal rights은 인간 본성the nature of man을 모든 사람이 향유해야 할 기본적 권리의 출발점으로 상정했다. 그러나 20세기 들어 글로벌 차원의 인적·물적 교류 증가와 통신기술의 발전, 글로벌 경제의 상호의존성 심화, 핵무기에 의한 대량파괴 가능성 등이 '인류'라는 추상적 개념에 실체를 부여함에 따라 "'인간성humanity' 관념이 인간 본성을 대체하였다."[37]

그럼에도 현재 우리가 다 함께 속한 세계, 즉 지구촌에는 '세계헌법'이 존재하는 것도 아니고 시민들에게 '세계시민권'을 부여해 줄 세계정부가 있는 것도 아니다. 지금 우리에게 가용한 것으로는 1948년 〈세

37 Cotter, Bridget, "The Right to Have Rights," Anthony F. Lang, Jr. and John Williams, (eds.), *Hannah Arendt and International Relations: Readings Across the Lines*, New York: Palgrave Macmillan, 2008, p. 108.

계인권선언〉과 그 이후에 나타난 일련의 '인권협약'들이 있을 뿐이다.[38] 이런 맥락에서 일부 인권학자들이 주장한 것처럼, 인권 문제에 관한 한 우리에게 남은 유일한 선택지는 초국적 성격의 '인류법the law of humanity'을 정초하는 것일지도 모른다. 그러나 '세계시민권'[39]이라는 초국적 시민권의 실효적인 부여라는 선결 문제가 해결되지 않는다면, 설령 이 법이 제정되더라도 필시 〈세계인권선언〉의 전례를 답습할 것이다. 비록 국민국가체제가 많이 이완된 것이 사실이라 해도 우리는 여전히 특정 국가의 시민권이 담보하는 법적 권위에 우선성을 두고 있기 때문이다. 예컨대 한 사람의 난민은 그를 받아 준 국가의 법에 따라 불법체류 외국인, 경제적 난민, 거짓 망명자, 또는 순수 난민 등으로 분류되고 꼬리표가 붙게 된다는 것이다.

물론 인권이 지향해야 할 목표가 인간 존엄의 수호라는 데 이견을 제시할 사람은 없다. 그러나 어떤 개인의 인간 존엄이 수호될 수 있는지 여부는 근본적으로 그가 속한 정치공동체 내의 동료-인간들이 그것을 보장할 준비가 되어 있는지에 좌우된다. 이런 관점에서 아렌트는 "우

38 그러한 국제협약의 사례로는 〈인종범죄방지및처벌협약〉(CPCG, 1948), 〈난민지위에관한협약〉(CSR, 1951), 〈모든형태의인종차별제거협약〉(CERD, 1965), 〈모든형태의여성차별철폐협약〉(CEDAW, 1981), 〈유엔고문금지협약〉(CAT,1987), 〈아동권리보호협약〉(CRC, 1989), 〈모든이주노동자와그가족에대한보호협약〉(ICRMW, 1990), 〈장애인권리협약〉(CRPD, 2008), 〈모든사람들의강제망명금지국제협약〉(ICPPED, 2006). 등을 들 수 있다. 다음 웹사이트를 참조하시오. https://en.wikipedia.org/wiki/International_human_rights_law (검색일: 2018. 04. 24.)

39 최근 들어 '세계시민권world citizenship'이란 용어보다는 'global citizenship'이란 용어가 더 자주 눈에 띈다(Carter, 2006; Cabrera, 2010 참조). 둘을 구별하고자 후자는 일반적으로 '지구시민권'으로 옮긴다. 카터에 따르면 "지구시민권"은 국가 정부들에 의해 행사되거나 지구시민들이 "지구시민사회에 참여하는 것"을 통해 행사될 수 있다(Carter, 2006: 148).

리의 정치적 삶은 우리가 조직하는 일을 통해서 평등(의 조건)을 창출할 수 있다는 가정에 근거하고 있다"고 주장한다. 또한 "우리는 우리 자신이 상호 간에 평등한 권리들을 보장하겠다고 결정한 그 (약속의) 힘에 기초하고 있는 한 집단의 멤버로서만 평등해질 수가 있다"고 덧붙인다.[40] 이런 점에서 "정치행위는 특별히 세계지향적인, 즉 타인들의 현존을 요구하는 세계-만들기world-making 활동"[41]으로 환원된다. 무엇보다 정치적 평등은 "정의 원칙의 인도를 받은 인간 조직 방식의 결과"[42]이며, 정치행위는 정치적 평등 조건을 요구하기 때문이다.

이런 아렌트적 관점에서 보면 20세기 후반 이후 지구촌 내 대의민주주의 국가들에서 일어난 다양한 시민봉기 현상들 역시 정치적 평등 구현을 위한 '세계-만들기' 활동으로 설명해도 무방할 것이다. 우선, 1968년 파리에서 일어난 5월혁명(May'68)을 기점으로 전 세계적으로 확산된 시민불복종운동 문화는 대의민주주의 체제가 암묵적으로 정당화해온 소수 엘리트 통치에 대한 견제장치로서 점차 정당성을 획득하였고, 21세기로 들어서면서는 아예 제도화된 정치 참여 기제인 양 모종의 정치적 상수로 자리매김했다. 이를 두고 어떤 학자는 "시민운동의 제도화"라고 명명하기도 했다.[43]

약간 다른 각도에서, 이른바 1970년대 미국의 흑인민권운동, 1980년 한국의 광주민중항쟁, 1986년 필리핀의 마르코스 퇴진운동, 1987년

40 Arendt, Hannah, *The Origins of Totalitarianism*. (New Edition with Added Prefaces), p. 301.
41 Owens, Patricia, "Hannah Arendt: A Biographical and Political Introduction," p. 31.
42 Arendt, Hannah, *The Origins of Totalitarianism*. (New Edition with Added Prefaces), p. 301.
43 조대엽, 《한국의 사회운동과 NGO: 새로운 운동주기의 도래》, 아르케, 2007.

한국의 6월 민주항쟁, 1989년 중국 톈안먼사건과 동유럽의 시민혁명, 2010년 튀니지의 자스민혁명과 '아랍의 봄', 2014 홍콩의 우산혁명에 이르기까지 각국의 시민항쟁은 분노한 시민들이 민의를 표출한 '노상' 공론장이었을 뿐만 아니라, 아렌트적 관점에서는 "정의 원칙의 인도를 받은 인간 조직 방식의 결과"이기도 했다. 같은 연장선상에서 1999년 시애틀 반세계화시위는 국민국가의 경계선을 벗어난 시민불복종운동이자 국제적 공론장의 출현이라는 점에서 특별한 국제정치적 의미가 있는 사례였다.

이와 약간 대조적인 성격의 좀 더 이성적인 '공론장'의 도입은 이른바 숙의민주주의라는 표제어로 이해되는 참여 방식인데 이것은 근래 '공공거버넌스'니 '민관협치'니 하는 숙의적 참여 구조의 확대를 통해 빠르게 제도화 차원으로 진입하고 있다. 일례로 2000년대 이후 한국 사회에 도입된 '주민참여예산제'의 확산은 숙의민주주의로의 이행을 상징하는 가장 대표적인 사례로 볼 수 있으며, 최근 신고리원전 5, 6호기 폐기 결정을 위한 '공론화위원회'나 '대입제도 개편 공론화위원회'는 그러한 추세가 중앙정부 차원까지 확대될 수 있는 가능성을 보여 준 일종의 숙의민주주의적 전환의 신호탄으로 이해할 수 있다.

국제적 차원에서도 이와 유사한 경향들을 어렵지 않게 찾아볼 수 있다. 그간 유엔 주도로 이루어진 1992년 리우환경회의, 1995년 베이징 세계여성대회 등은 국제적 차원에서 민관합동의 숙의민주주의가 수립될 수 있는 가능성이 실험된 사례들로 볼 수 있다(양 회의는 각국 정부 대표와 시민사회 대표들이 함께 참여했다). 이에 덧붙여 해마다 열리는 다보스 포럼, 즉 '세계경제포럼World Economic Forum'은 동 기간에 세계 다른 곳에서 열리는 '세계사회포럼World Social Forum'과 짝을 이루면서 세계시민들의 삶에 중요한 영향을 미치게 될 지구적 차원의 경제·사회정책들을 수립하는 쌍두마차 역할을 톡톡히 감당하고 있다.

이상에서 살펴본 대로 우리는 이제 탈脫국민국가 시대로 이행하고 있으며, 국내정치는 물론 국제정치 차원에서도 초국적 성격의 '세계'를 조직하는 행위들이 더욱더 늘어나게 될 것이다. 다양한 조직화 형태를 보여 주는 시민불복종의 현장은 물론 이성적 토론의 장들도 필자가 앞에서 설명한 아렌트적 정치의 장, 즉 '아렌트적' 폴리스로 이해될 수 있다고 본다. 그러나 이 모든 것들은 고정된 국민국가적 정치공동체가 아니라 일시적으로 조직되는 탈국민국가적 정치공동체라는 점에서 '유목적' 폴리스이다. 아래에서 이런 공간에서의 정치적 평등 구현 방식과 아렌트의 인권 개념의 특수한 관계성에 대해 검토해 보자.

유목적 폴리스, 정치적 평등, 그리고 인권

아렌트의 정치행위는 사람들의 면전에서 이루어지는 언어적 행위인 동시에, 수행 그 자체가 목적인 자기충족적 행위이며 타인들과 같은 공간에 함께 참여하여 수행하게 된다고 가정된다. 또한 사람들이 모이는 곳에 권력이 존재하며 그들이 흩어질 때 권력도 함께 사라진다고 가정된다.[44] 그는 이런 기본 가정들을 설정함으로써 공적 영역에 "분투 개념 agonistic conception"을 도입했고, 그렇게 함으로써 "공적인 삶의 수행적 차

44 최근 학계에서 크게 각광받은 버틀러의 "수행성 정치the politics of performativity" 담론 속에 나타나는 언어 · 수행적 행위 개념에도 이런 기본 가정들이 그대로 채택되고 있는

원"에 각별한 정치적 의미를 부여했다.[45] 이 점을 염두에 두고 '수행성의 정치'가 이루어진 한 역사적 장면을 떠올려 보자.

1999년 11월 마지막 며칠 동안 시애틀에서 개최된 세계무역기구WTO의 회의가 무산되었다. 부분적으로는 그 빌딩 밖 노상에서 벌어진 항의집회가 원인이었다. 1999년 1월부터 다양한 비정부단체들NGOs이 미팅을 가지고 비폭력항의들을 통해 협상을 저지할 방법에 관해 계획을 수립해 왔다. 그들의 행위—거북이 복장을 하거나 시애틀의 주요 교차로의 교통 통제를 방해하는 일—가 협상장 밖의 거리를 아수라장으로 만들었고 협상 대표 일부가 협상장 안으로 들어가는 것을 막기도 했다.[46]

위에 기술한 시애틀의 시위 장면은 필시 우리에게 1987년 6월 민주항쟁과 2016~2017년 겨울의 광화문과 종로 거리에서 행해진 촛불시위를 떠올리게 할 것이다. 그 두 사건은 매우 흡사한 인상을 주지만 한 가지 분명한 차이점이 있다. 앞에서 논의한 아렌트의 '오인된' 인권 개념, 즉 '시민권이 곧 인권의 보루'라는 주장에 비춰 볼 때 서울 광화문 광장에 모인 촛불시민들과 달리 시애틀 반세계화시위 현장에 모인 사람들은 인권의 사각지대에 놓여 있다. 그들은 세계 각지에서 모여든

듯하다. 서유경(2011b)을 참조하시오.

45 Owens, Patricia, "Hannah Arendt, Violence, and the Inescapable Fact of Humanity," Anthony F. Lang, Jr. and John Williams, (eds.), *Hannah Arendt and International Relations: Readings Across the Lines*, New York: Palgrave Macmillan, 2008, p. 44.

46 Lang, Anthony F. Jr. & Williams, John, "Between International Politics and International Ethics," p. 179.

'지구시민들'이었으므로 사실상 시민권이 보장한다고 간주되는 '권리들을 가질 권리', 즉 정치행위를 수행할 자격이 없었다. 그러나 우리가 알고 있듯 그들은 정치행위를 수행했고 매우 중요한 정치적 효과를 창출했다. 그 이유가 무엇이었을까?

> 폴리스는 제대로 말하자면 그 도시국가가 위치한 물리적인 장소가 아니었다. 그것은 함께 말하고 행동하는 과정에서 생겨난 그 사람들의 조직체였다. 그들이 어느 곳에 있게 되든, 그것의 사실적 공간은 이 목적을 위해 함께 살고 있는 그들 사이에 놓이게 된다. 〔그러므로〕 "당신이 어딜 가든 당신은 하나의 폴리스가 될 것이다." … 행위와 발언은 거의 언제 어디서나 참여자들 사이에 적당히 위치할 수 있는 어떤 공간을 창출한다.[47] (강조와 〔 〕는 필자)

아렌트의 폴리스 이론에 의하면 그 이유는 거기 있던 그들 자신이 바로 하나의 '폴리스'였기 때문이다. 사실 고대 아테네 폴리스는 시민들 간의 완벽한 정치적 평등이 실현된 상태로서 지배자와 피지배자의 구분이 없는 이소노미아였다. 그리고 그곳은 오로지 그 정치공동체의 안녕과 번영이라는 공동 목표를 위해 분투하는 시민들의 정치극장이었다. 이 대목에서 잠시 2016~2017년 촛불시위 현장을 떠올려 보자. 거기 참여한 사람들은 대부분 대한민국 국적을 가진 시민권자였다. 그러나 그곳에는 초중고교에 다니는 미성년자들도 꽤 있었고 아직 시민권을 얻지 못한 외국인도 제법 섞여 있었다. 그들도 거기 있는 다른 모든

---

47 Arendt, Hannah, *The Human Condition*, p. 198.

사람들과 함께 "이게 나라냐?"라는 물음과 그것이 함축하는 바를 공유했고 강렬한 연대감을 형성했다. 그 공간에서는 단지 그것이면 족했다. 그들 사이에 존재했던 나이, 성별, 종교, 국적, 직업, 피부색, 학벌, 결혼 유무, 은행잔고 등의 조건과 차이들은 일시에 무효화되었고, 정치적 평등이 그들의 상호작용을 위한 대원칙으로 작동했다. 그 공간 속에는 지배하는 자도 지배받는 자도 없었고, 오로지 서로가 서로를 존엄한 인간으로서만 인식했다.

같은 연장선상에서 시애틀 반세계화시위 현장 역시도 신자유주의적 자유무역협정의 무산이라는 공동 목표를 향한 분투의 현장이었으며, 말 그대로, "함께 말하고 행동하는 과정에서 생겨난, 그 사람들만의 조직체였다."[48] 다만 시애틀의 시위 현장이 단발성의 단기적 정치행위 수행의 장이었다면, 한국의 2016~2017년 촛불시위 현장은 남녀노소의 시민과 비非시민들이 함께 어우러져 거의 4개월에 걸쳐 지속적이고 반복적인 방식으로 정치행위를 수행한 정치극장이었다는 차이가 있을 뿐이다. 따라서 이런 시애틀 반세계화시위 현장이나 촛불시위 현장과 같은 '유목적' 성격의 정치적 공간을 아렌트적인 폴리스, 즉 현대판 '이소노미아'로 이해할 수 있는 것이다. 그런 공간에서는 "국민국가체제가 보장하는 법적 평등"[49]이 아니라 고대 아테네 특유의 '정치적 평등'이

48 거기 모인 항의자들은 단순히 가두시위만 한 것이 아니라 행사 전부터 상당수의 웹사이트를 개설하여 행사 관련 정보를 교환하고 자신들의 직접행동에 대해 설명하고 정당화하는 글을 통해 사람들과 소통을 시도했다. 또한 일부 참여자는 미디어 인터뷰를 통해 자신들의 항의 목적을 설명함으로써 일반 공중의 지지를 이끌어 내기도 했다(Lang, Jr., 2008: 194-195).

49 Brisk, Alison (ed.), *Globalization and Human Rights*, Berkeley, Los Angeles & London: University of California Press, 2002, p. 23.

구현되었기 때문이다.

이상의 논의를 통해 우리는 다음 세 가지 중요한 이론적 통찰을 끌어낼 수 있을 듯하다. 첫째, 아렌트적 관점에서 볼 때 우리가 "권리들을 가질 권리"로서 인권을 온전하게 보장받을 수 있는 근본 조건은 우선적으로 생각이 같은 동료-인간들과 더불어 '유목적' 폴리스를 스스로 조직하는 것이다. 그런 공간에서만 온전한 '정치적 평등'이 구현될 수 있으며 정치적 평등이 보장되지 않는 한 인권 개념은 공허한 것으로 남겨지기 때문이다. 이 방식은 법적 평등의 보장을 우선 원칙으로 가지고 있는 현 국민국가체제가 불가피하게 인권의 사각지대를 만들어 내며, 시민권 제도가 그것을 정당화하는 수단이 된다는 약점의 보완책이 될 수 있다.

둘째, 현실적으로 세계시민권world citizenship 또는 최근 선호되는 표현인 지구시민권global citizenship 개념은 세계정부가 부재한 현 상태에서는 실현 가능성이 거의 없는 구두선口頭禪에 불과하다. 때문에 주로 글로벌 거버넌스 개념이라든지 세계인에 대한 책무성을 더욱 강력히 요구하는 국제기구 개혁 제안들이 사실상 세계정부 모델을 대체해 왔다. "한 명의 세계군주a world sovereign보다 글로벌 거버넌스가 현존하는 국제기구나 지역기구들의 다중성을 대변하며, 또한 기업 · 비정부단체 · 사회운동의 역할도 적절하게 담아낸다."[50] 역으로, 비록 우리가 온갖 지혜를 다 짜내어 세계인들에게 지구시민 권리증을 발행한다손 쳐도 그것을 소지한 사람들 사이에 정치적 평등이 실현된다는 보장은 어디에도 없

50 Carter, April, *The Political Theory of Global Citizenship*, Oxford & New York: Routledge, 2006, p. 143.

다. 이 점은 한 국민국가 내에 엄존하는 정치적 불평등의 존재를 통해서 이미 확인된 사실이다.

끝으로, 우리가 정치적 평등 조건이 구현된 상황에서만 향유할 수 있는 인간의 권리가 바로 인권이라는 아렌트의 관점에 동의할 수 있다면, 우리의 인권이 시민불복종이나 심의의 현장과 같은 현대판 유목적 폴리스에서 가장 유의미한 방식으로 방어될 수 있다는 사실도 어렵지 않게 받아들일 수 있을 것이다. 아렌트 식으로 표현하자면, 인권의 보루는 역설적이게도 시민권과 같은 국민국가의 '실정법'에 기초한 권리 체계가 아니라, 우리 스스로 조직화하여 공적 영역을 정초하고 그 속에서 정치행위, 즉 말과 행위를 수행함으로써 그 공간을 하나의 '폴리스'로 전환시킬 때 비로소 출현하는 탈국민국가적 정치극장에서 이루어진 '합의'에 기초한 권리 체계라는 것이다.

이 세 가지 논점은 지금까지 국민국가체제의 권위적인 수호자로 존재해 온 기존의 국제정치와 국제관계 이론가들에게 결코 적지 문제의식을 제공하할 것이다. 결론에서는 필자의 앞선 논의를 바탕으로 지구화 시대 인권정치학의 청사진에 과연 어떤 것들이 담겨야 할지, 그 방향성을 제시하는 이론적 고려 사항 몇 가지를 추가적으로 제시하고자 한다.

결론: 지구화 시대의 인권 정치학

1940년대에 《전체주의의 기원》을 집필할 당시 한나 아렌트가 인권의 필수조건이 시민권이라는 사실을 깊이 인식하고 있었던 것은 틀림 없는 사실로 보인다. 앞에서 살펴본 것처럼, 그는 한 개인의 무국적성이 의미하는 바는 바로 그의 인권이 사각지대에 놓이게 된다는 사실임을 부정하지 않았다. 이 점은 아렌트가 "인권의 근본적인 박탈은 … 첫째로 다른 무엇보다도 세계 내 한 장소의 상실로 명시화된다"[51]고 주장할 때 그가 언급한 "세계 내 한 장소"라는 표현을 국가공동체(또는 국민국가)로 이해하게 하는 근거가 되기도 했다. 그러나 아렌트가 왜 굳이 '국가'라는 간명한 표현 대신 "세계 내 한 장소"라는 다소 모호한 표현을 사용했는지, 그 표현의 숨은 의도를 간과해서는 안 될 것이다.

필자는 이런 문제의식 하에 우선 아렌트가 시민권을 인권의 필요충분조건으로 간주했다고 보는 일각의 선부른 견해를 경계하고, 나아가 그가 제시한 독특한 인권 개념의 핵심인 '권리들을 가질 권리'를 국민국가적 시민권과 동일시하는 환원적 태도 역시도 비非아렌트적이고 잘못된 해석이라는 점을 주장했다. 그러고 나서 아렌트의 '시민권' 개념은 기존의 국민국가의 '실정법'에 기초한 권리 체계보다, 우리 스스로 조직화하여 공적 영역을 정초하고 그 속에서 정치행위, 즉 말과 행위를 수행함으로써 그 공간을 모종의 아렌트적 폴리스로 전환시킬 때 비로소 가능해지는 구성원 간의 '합의'에 기초한 권리 체계에 더 적합한 것이라는 점을 그 주장의 근거로 제시했다.

여기서 우리의 기억을 잠시 환기하면, 아렌트가 제시하는 인권, 즉 '권리들을 가질 권리'는 그의 이상적 모델인 고대 아테네 폴리스의 정치양식에서 도출한 개념 범주였다. 한마디로 그것은 자신이 구성원으

51 Arendt, Hannah, *The Origins of Totalitarianism* (New Edition with Added Prefaces), p. 296.

로 참여하는 특정 "세계" 속에서 "말과 행위를 통해" 자신의 "정체성을 획득하고 이전에 없던 새로운 무엇인가를 시작하는 것"에 대한 "기쁨과 만족감"을 향유할 수 있는 정치존재론적 권리를 말한다. 따라서 이 '권리들을 가질 권리'는 이른바 아렌트적인 폴리스, 즉 공론장에서 실현 가능한 유형이므로 반드시 시민권이 있어야만 향유할 수 있는 것은 아니다. 이런 맥락에서 필자는 1999년 시애틀 반세계화집회와 2016~2017 촛불집회 현장을 현대판 폴리스의 사례로서 제시했던 것이다.

이제 지금까지 논의한 내용을 바탕으로 아렌트의 독특한 정치존재론, 유목적 폴리스, 수행적 정치행위, 그리고 그 연장선상에 놓여 있는 그의 인권 개념이 현재 우리의 인권정치학에 어떠한 이론적 통찰을 제공할 수 있는지에 대한 필자의 생각 몇 가지를 추가로 제시하며 논의를 마무리하고자 한다.

첫째, 우리는 우선 모종의 "윤리적 담론공동체"[52]로서 시민사회와 지구시민사회가 인권의 최후 보루가 될 수 있다는 사실에 착목할 필요가 있다. 이는 신토크빌주의자들이 말하는 시민결사가 활발하게 이루어지는 건강한 "시민사회",[53] 각국 시민사회와 유기적 관계에 있으며 각국 시민들이 지구적 차원에서 영위하는 결사적 삶에 대한 강고한 신뢰에 바탕을 두고 있는 "지구시민사회"[54]는 아렌트가 제시한 "권리들을 가질

---

52 Carter, April, *The Political Theory of Global Citizenship*, 2006.

53 Edwards, Michael, *Civil Society* (Third Edition), Cambridge, UK & Malden, USA: Polity Press, 2014.

54 Keane, John, *Global Civil Society*, Cambridge: Cambridge University Press, 2003.

권리"로서의 인권이 향유되고 수호될 수 있는 유목적 폴리스들의 본령이기 때문이다.

그러나 이 지구적 담론공동체들의 집합체로서 지구시민사회는 '누가 어떻게 특정 담론공동체의 윤리성을 판단해야 하는가?'라는 현실적인 딜레마에서 자유롭지 못하다. 이는 무엇보다도 그 공간이 특정 힘 있는 국가에 속한 소수의 사람들에게 유리한 방식으로 구조화되어 있어 그들의 편익에 따라 담론의 향방이 정해질 개연성이 매우 크기 때문이다. 특히 담론공동체라는 특성상 특정 언어를 사용하는 특정 국가 출신의 시민들이 훨씬 유리한 전략적 고지를 선점하는 경향도 무시할 수 없다. 그래서 지구시민사회는 "담론제국주의"의 현장으로 간주되기도 한다.[55]

둘째, 이런 맥락에서 "지구적 윤리로서 지구시민권global citizenship as global ethic"[56] 개념을 도입하자는 제안이 설득력을 얻는다. 어쩌면 이것만이 '누가 지구시민사회의 수호자들을 수호할 것인가?'라는 궁극적인 질문에 대해 현재 우리가 내놓을 수 있는 유일한 해결책일지도 모른다. 이에 덧붙여, 모든 지구시민이 지구적 윤리를 '지구시민권'의 실질로서 체화하면 모든 인권유린의 문제는 단번에 사라질 것이다. 그러나 현실적으로 이 해법도 다시 '이 지구적 윤리를 누가 규정하는가?'라는 질문으로 환원될 수밖에 없다.

셋째, 그럼에도 우리 주변에 탈국민국가적 담론 생태계가 빠르게 조성되고 있으며 우리가 원하든 원치 않든 우리의 삶을 그것 속에 효과

55 서유경, 〈지구시민사회Global Civil Society의 두 가지 전체주의적 질서체계 비판〉, 《오토피아》 19(1), 2004, 81~114쪽.

56 Cabrera, Luis, *The Practice of Global Citizenship*, Cambridge: Cambridge University Press, 2010, p. 26.

적으로 편입시킨다. 세계경제포럼과 세계사회포럼의 경우가 그런 것처럼, 각종 정상회담이 열리는 동 시간대에 같은 도시에서 또는 그 도시의 반대편 어딘가에서 국제NGO들이 담론의 장을 열고 정반대의 주장을 펼친다. 2018년 봄 도쿄의 총리관저 앞에서 일본 시민들이 2016~2017 한국의 촛불시위를 본떠 촛불시위를 했고, 미국발 미투운동(#MeToo)이 한국에 상륙하여 상당한 위력을 발휘했다. 그런가 하면 '인권운동사랑방', 'Human Rights Watch', 'openDemocracy' 같은 온라인 인권 담론 공동체 플랫폼들이 보다 장기적 안목에서 기성의 인권 담론에 도전을 가한다. 이런 다채로운 유목적 폴리스들이야말로 탈국민국가적 인권 담론 생태계의 교점node들이다.

끝으로, 아렌트적 관점에서 우리가 인간으로서 보장받아야 할 기본권으로서 인권은 바로 '정치행위를 할 수 있는 권리'로서의 시민권, 즉 개인이 세계 속에서 오로지 자신의 말과 행위에 의해 판단될 수 있는 권리였다. 그러한 폴리스적 인권의 전제 조건은 정치적 평등이며, 정치적 평등은 사람들이 스스로 조직하여 어떤 의미공동체로서의 세계를 정초할 때 성취할 수 있는 집합적 가치였다. 따라서 특정인의 인권은 어떤 국민국가가 발행한 시민권 그 자체보다, 그 국가 안에서 그의 말을 경청하고 함께 행동하는 사람들이 존재할 때 수호될 수 있는 합의적 권리로서 새롭게 정의될 수 있을 것이다. 이러한 아렌트 인권정치학의 맥락에서 볼 때, "당신이 어딜 가든 당신은 하나의 폴리스가 될 것이다."

참고문헌

서유경, 〈한나 아렌트의 '정치행위Action' 개념 분석〉, 《정치사상연구》 3, 2000, 95~123쪽.

______, 〈약속의 정치학: 한나 아렌트의 로마커넥션과 그 함의〉, 《정치사상연구》 17(2), 2011a, 9~33쪽.

______, 〈버틀러J. Butler의 '수행성 정치' 이론의 정치학적 공헌과 한계〉, 《대한정치학회보》 19(2), 2011b, 31~56쪽.

______, 〈아렌트 정치적 실존주의의 이론적 연원淵源을 찾아서: 성 어거스틴, 마틴 하이데거, 그리고 칼 야스퍼스〉, 《한국정치학회보》 36(3), 2002, 71~89쪽.

______, 〈지구시민사회Global Civil Society의 두 가지 전체주의적 질서체계 비판〉, 《오토피아》 19(1), 2004, 81~114쪽.

아렌트, 한나, 《과거와 미래 사이: 정치사상에 관한 여덟 가지 철학연습》, 서유경 옮김, 푸른숲, 2005.

〈세계인권선언〉, http://www.ohchr.org/EN/UDHR/Documents/UDHR_Translations/kkn.pdf (2018년 4월 1일 검색).

Arendt, Hannah, *The Origins of Totalitarianism* (New Edition with Added Prefaces), New York & London: A Harvest Book · Harcourt, Inc., 1994.

______, *The Origins of Totalitarianism*, New York: Schocken Books, 1951.

______, *The Human Condition*, Chicago: The University of Chicago Press, 1958.

______, Between Past and Future, New York: The Viking Press, 1968.

______, *The Crises of the Republic*, New York: Harcourt Brace & Company, 1972.

Bowring, Finn, *Hannah Arendt: A Critical Introduction*, London: Pluto Press, 2011.

Brisk, Alison (ed.), *Globalization and Human Rights*, Berkeley, Los Angeles & London: University of California Press, 2002.

Cabrera, Luis, *The Practice of Global Citizenship*, Cambridge: Cambridge University Press, 2010.

Carter, April, *The Political Theory of Global Citizenship*, Oxford & New York: Routledge, 2006.

Cotter, Bridget, "The Right to Have Rights," Anthony F. Lang, Jr. and John Williams, (eds.), *Hannah Arendt and International Relations: Readings Across the Lines*, New York: Palgrave Macmillan, 2008, pp. 95-112.

Dryzek, John. S., *Deliberative Democracy and Beyond: Liberals, Critics, Contestations*, Oxford: Oxford University Press, 2002.

Edwards, Michael, *Civil Society* (Third Edition), Cambridge, UK & Malden, USA: Polity Press, 2014.

Haywood, Andrew, *Global Politics*, New York: Palgrave Macmillan, 2011.

Honohan, Iseult, *Civic Republicanism*, London & New York: Routledge, 2002.

"Human Rights." https://dictionary.cambridge.org/ko/%EC%82%AC%EC%A0%84/%EC%98%81%EC%96%B4/human-rights (2018년 4월 28일 검색).

"International human rights law." https://en.wikipedia.org/wiki/International_human_rights_law (2018년 4월 24일 검색).

Keane, John, *Global Civil Society*, Cambridge: Cambridge University Press, 2003.

Klusmeyer, Douglas., "Hannah Arendt's Critical Realism: Power, Justice, and Responsibility," Anthony F. Lang, Jr. and John Williams, (eds.), *Hannah Arendt and International Relations: Readings Across the Lines*, New York: Palgrave Macmillan, 2008, pp. 113-178.

Lang, Anthony F. Jr. & Williams, John, "Between International Politics and International Ethics," Anthony F. Lang, Jr. and John Williams, (eds.), *Hannah Arendt and International Relations: Readings Across the Lines*, New York: Palgrave Macmillan, 2008, pp. 221-232.

"OHCHR." "What are human rights? http://www.ohchr.org/EN/Issues/Pages/WhatareHumanRights.aspx (2018년 4월 25일 검색).

Owens, Patricia, "Hannah Arendt: A Biographical and Political Introduction," Anthony F. Lang, Jr. and John Williams, (eds.), *Hannah Arendt and International Relations: Readings Across the Lines*, New York: Palgrave Macmillan, 2008a, pp.27-40.

_____, "Hannah Arendt, Violence, and the Inescapable Fact of Humanity," Anthony F. Lang, Jr. and John Williams, (eds.), *Hannah Arendt and International Relations:*

Readings Across the Lines, New York: Palgrave Macmillan, 2008b, pp. 41-66.
Risse, Thomas and Sikkink, Kathryn, "The Socialization of International Human Rights Norms into Domestic Practices: Introduction," Thomas Risse, Stephen C. Ropp, and Kathryn Sikkink, (eds.), *The Power of Human Rights: International Norms and Domestic Change*, Cambridge: Cambridge University Press, 1999, pp. 1-38.
Schmitt, Carl, *The Concept of the Political*, Chicago: University of Chicago Press, 1996.
Suh, You-Kyung, *The Political Aesthetics of Hannah Arndt: Howe Is the Concept of Human Plurality to Be the Condition for It?*, Germany: Lambert Academic Publishing, 2017.
"UNHCR." http://www.unhcr.org/figures-at-a-glance.html (2018년 4월 1일 검색).

기억의 초국적 이동과 다방향적 접합
: 홍콩 시민들의 투쟁이 부른 민주화 운동의 기억들

이해수

이 글은 《한국언론정보학보》 통권 제102호(2020.8)에 게재된 원고를 수정 및 보완하여 재수록한 것이다.

2019년 홍콩 시위와 기억의 정치

2019년 '범죄인 인도 법안'(이하 송환법) 개정안을 반대하며 시작된 홍콩 시위가 들불처럼 퍼지며 수주 동안 이어졌다. 2019년 6월 9일 송환법에 반대해 홍콩 시민 103만 명 이상이 거리로 쏟아져 나왔고, 6월 16일 진행된 평화행진에서는 그 수가 200만 명에 육박했다. 홍콩의 인구수가 750만여 명인 것을 감안하면, 가히 기록적인 숫자라고 할 수 있다. 홍콩 반환 기념일인 7월 1일에는 홍콩 의회인 입법회 건물이 시위대의 공격을 받았고, 이어 8월 5일에는 총파업으로 도시가 마비됐으며, 같은 달 12일에는 시위대가 공항에 몰려들어 수백 편의 항공편이 취소됐다. 도심에서 시작된 시위는 폭넓은 사회계층을 아우르며 전국으로 확대됐다. 9월 4일 홍콩 시민들의 거센 분노에 당황한 캐리람林郑月娥 행정장관이 끝내 송환법을 철폐하겠다고 선언했지만, 홍콩 시위는 현재진행형이다. 홍콩 역사상 최장 기간, 최대 규모의 시위다.

홍콩 정부가 송환법을 추진하게 된 것은 2018년 2월 대만에서 일어난 한 살인사건 때문이었다. 당시 한 홍콩인 남성이 여자 친구와 대만으로 여행을 떠났다가 그를 살해하고 시신을 대만에 유기한 뒤 홍콩으로 귀국했다. 홍콩은 대만과 범죄인인도조약을 체결하지 않아 홍콩 경찰은 그를 체포하고도 대만으로 송환할 수 없었고, 또 홍콩은 역외에서 일어난 범죄에 대해서는 처벌하지 않는 '속지주의territorial principle'를 채택하고 있어 그를 처벌할 방법도 없었다. 대만은 범죄인 인도를 요구했고 홍콩 정부는 이를 계기로 범죄인 인도가 가능하도록 송환법 체결을 추진했다.

문제는 송환법 체결 대상국에 중국도 포함된 것이었다. 홍콩 야당과 시민단체는 중국 정부가 반체제, 반중 인사나 인권운동가를 중국 본토로 소환하는 데 이 법을 악용할 수 있다며 우려했다. 이는 중국이 홍콩에 더 많은 권력을 행사할 수 있는 빌미를 제공하는 것과 다름없었다. 이에 따라 송환법 반대로 시작된 시위는, 중국과 홍콩 사이의 '일국양제一國兩制'(한 국가 두 체제)의 모순에 대한 반발심과 반중 · 반정부 성격이 짙어지면서 홍콩의 민주주의 쟁취를 위한 시위로 진화했다. 이에 시진핑習近平 중국 주석이 혼란과 폭력을 제압하고 질서를 회복하라고 직접 지시하면서 홍콩 경찰은 곤봉과 후추스프레이, 물대포, 실탄 등을 동원해 시위대를 과잉진압했고, 경찰과 시위대 간의 적대감은 위험수위로 치달았다. 유혈 폭력진압이 격화됨에 따라 2019년 12월 기준 6천여 명이 체포되고 2,600여 명이 구속되었으며 수천 명의 부상자와 시위 참가자들의 의문사가 잇달아 발생했다.[1]

이와 동시에 중국은 언론에 대한 검열과 통제를 강화해 홍콩의 상황이 본토에 알려지지 않도록 차단하고 중국 관영언론은 시위에 대한 편파적인 보도를 이어 갔다. 《환구시보》는 홍콩 시위를 '폭동'으로 간주하고 시위대의 폭력성을 집중적으로 부각했으며, 홍콩 시위를 이슬람 무장단체 IS와 닮았다고 비유하며 강도 높게 비난했다.[2] 신화통신은 페이스북에 홍콩 시위대를 바퀴벌레로 묘사하는 만화를 올렸고, 중국 중

1 Cheng, K., "Hong Kong police used crowd control weapons 30,000 times since June; over 6,000 arrested," *Foreignpolicy*, 2019. 12. 19. URL: https://hongkongfp.com/2019/12/10/hong-kong-police-used-crowd-control-weapons-30000-times-since-june-6000-arrests; Sudworth, J., "Hong Kong march: Thousands join largest pro-democracy rally in months," BBC, 2019. 12. 8. URL: https://www.bbc.com/news/world-asia-china-50704137

2 김이삭, 〈中 환구시보 "홍콩 시위대 IS 닮아가"〉, 《한국일보》 2019년 11월 16일자. URL: https://www.hankookilbo.com/News/Read/201911161236360878

앙TV는 홍콩 시위대를 나치당에 비유하는 시를 트위터에 게재했다. CCTV는 '홍콩인, 그들은 모두 거짓말쟁이'라는 가사를 담은 랩 영상을 만들었다.[3] 영국 등 서구에서 홍콩 시위대에 대해 지지를 표명하자 이러한 수사법은 더욱 강력해졌다. 이와 함께 공산당이나 시진핑 체제를 비판하는 외신 뉴스를 삭제하거나 시위 현장을 취재하는 기자들을 홍콩 경찰이 구타하고 체포하는 일이 잇달아 발생했다.[4] 한국을 포함한 아시아 국가들은 중국과의 정치적·경제적 관계로 인해 홍콩 시위에 대해 입장을 밝히지 않거나 제대로 공론화하지 않은 채 침묵을 지켰다.

이러한 상황에서 홍콩 민주화시위를 세계 곳곳에 알리는 구실을 한 것은 개인의 소셜미디어였다. 홍콩 시위대는 언론통제와 탄압으로 보도되지 않거나 왜곡되어 보도되고 있는 홍콩 시위 현장을 사진과 영상 등으로 중계함으로써 저항하였다. 걸개그림과 노래, 퍼포먼스, 대자보 등 중국 정부와 홍콩 경찰의 억압에 저항하는 시민의 모습을 여러 상징으로 재현해 내기도 했다. 그들의 기록은 어떠한 중앙의 명령 없이 개개인이 자율적으로 생산한 것이기에 전통적인 미디어를 거치지 않은 가공되지 않은 정보였다. 이러한 절규에 가까운 시위대의 목소리가 개인과 개인 사이에 직접 전달되고 인터넷망을 타고 공중에게 공유되었다.

흥미로운 지점은, 홍콩 시위대가 중국 당국과 언론에 대항하는 방법으로 다양한 기억을 참조하여 자신들만의 서사를 만들어 내고 있다는 것이다. 시위대는 홍콩 시위에 관한 초기의 기억을 '폭력범죄 분자'로

---

3 안승섭, 〈홍콩 시위대, SNS로 모금해 한국 등 세계 언론에 광고 게재〉, 《연합뉴스》 2019년 8월 20일자. URL: https://www.yna.co.kr/view/AKR20190820156300074

4 안승섭, 〈홍콩 경찰, 시위 현장 취재마저 막아…취재기자 7시간 구금〉, 《연합뉴스》 2019년 10월 29일자. URL: https://www.yna.co.kr/view/AKR20191029094300074

형성하려는 움직임에 맞서 흩어져 있고 고립되어 있거나 침묵해 있던 민주화운동의 기억들을 소환했다. 홍콩 시민들의 목소리는 민주화운동의 기억들과 결합되어 더욱 절박성을 띠게 되고, 국제적인 관심을 높이는 데 성공할 수 있었다.

이 글은 시간과 공간을 달리하는 민주화운동의 기억들이 2019년 홍콩의 시위 현장으로 소환되고 수렴되는 현상에 주목하여 새로운 기억 정치의 가능성을 타진해 보고자 한다. 이를 위해 기억 연구의 이론적 지형을 살펴보고, 서로 다른 기억들이 만나 상호 참조되는 양상에 주목한 논의들을 조명한다. 동시에 이 글은 초국가적 기억 네트워크를 가능하게 하는 장field으로서 디지털 미디어 환경에 주목한다. 인터넷망을 통한 네트워크의 진화는 다층적 기억들을 전 지구적으로 실어 나르는 데 있어 거대한 영향력을 발휘하고 있기 때문이다. 이를 바탕으로 다음과 같은 질문을 던진다. 홍콩 시위대는 디지털 공간에서 유영하는 기억의 파편들 중 어떤 역사의 소재를 발굴하여 기억의 대상으로 소환하는가? 소환된 기억을 어떠한 내용과 형태로 발현시켜 시위를 전개해 나가는가? 비동시적으로 산재해 있는 기억의 접합이 가져오는 효과는 무엇이며, 그것이 갖는 사회문화적 함의는 무엇인가?

기억 연구의 이론적 전환: 집단기억에서 다방향 기억으로

기억에 대한 사회적 관심은 1980년대 이후 폭발적으로 증가했다. 두 차례의 세계대전과 각종 내전을 겪은 국가들은 자국의 안정을 도모하기 위해 '집단기억collective memory'[5]을 적극적으로 활용했다. 집단기억이 집단 구성원에게 고유한 정체성과 정통성을 부여하고 그것을 유지·재생산하는 데 중요한 역할을 하기 때문이다. 이에 따라 기억 연구memory studies도 민족국가라는 정태적인 틀 안에서 작동하는 집단기억이 무엇이며, 그 기억을 통해 민족·국민정체성이 만들어지고 내면화되는 과정을 밝히는 데 주력했다. 그 선구적인 예가 노라Pierre Nora의 '기억의 터les lieux de mémoire' 연구다. '기억의 터'는 민족적 기억을 담고 있는 장소와 특정한 물건, 상징적 행위와 기호 등을 망라하는 개념이다. 국기, 교과서, 의례와 행사, 각종 기념동상, 노래 등 국가가 민족적 자긍심과 집단 정체성을 확립하기 위해 동원하는 거의 모든 수단들이 기억의 터의 예라고 할 수 있다. 노라에 의하면 기억의 터는 사회 내 동일성과 집단성을 강조하며, 타 집단과 구별하는 기호가 된다.[6] 노라의 논의는 국가체제를 유지하기 위한 방법으로서 그 중요성이 부각되었고, 실제로 그의 연구에 자극을 받은 여러 유럽 국가들은 박물관이나 기념비, 의례 등을

5 '집단기억'은 1925년 알박스Maurice Halbwachs가 제시한 개념이다. 그는 기억이란 개인의 정신 능력이나 심리적 현상이 아니라 본질적으로 사회적 틀social frameworks을 통해 획득, 인지, 배치되는 사회적 구성물이라 보았다. 한 사회집단이 공유하고 있는 공동의 기억은 구성원을 결속시키며, 집단 정체성을 구성하고 유지하는 상징적 기초로 기능한다. Halbwachs, M., *On Collective Memory*. (Lewis, A. C., Trans.). Chicago, IL: The University of Chicago Press, 1992. 이때 하나의 집단기억이 하나의 정체성으로 이어지는 것은 아니다. 집단 내부에는 경쟁하는 여러 기억이 존재한다. 그러나 경합과 내부 합의를 거쳐 공적 의미를 획득한 기억이 집단을 대표하는 정체성의 근거로 활용된다. 세계대전 종전 이후 각국은 내부적인 결속을 도모하고 세대 간의 긴밀한 유대감을 강화하기 위해 집단기억을 정립, 활용하는 것을 중요한 사명으로 여겼다. Wang, Z., *Collective Memory and National Identity In Memory Politics*, Identity and Conflict, pp. 11-25, London: Palgrave Macmillan, 2017.

6 Nora, P., "Between Memory and History: Les Lieux de Mémoire," *Representation* 26, 1989, pp. 7-24.

통해 과거의 사건이나 기억을 물리적 형태로 가시화하고 기념하는 작업을 본격화했다.[7]

그러나 2000년대 들어 본격적으로 밀어닥친 지구화globalization에 따라 기억이 민족국가라는 그릇을 깨고 나와 국경을 넘나들며 조우하는 양상이 두드러졌다. 국가와 대륙, 대양을 가로지르는 전례 없는 규모의 인구 이동과 함께 국경에 가로막혀 있던 기억들도 이동한 것이다. 특히 이주 · 망명 · 디아스포라 등으로 다양한 사람들이 낯선 땅에 정착하면서 그들이 가진 기억과 경험들이 이주 공간에 이식되기 시작했고, 얽힌 기억들은 상호 연결 지점을 발견하면서 양차 대전과 홀로코스트, 식민 정복과 제노사이드 같은 폭력의 역사가 국가 경계선을 넘어서는 공유된 경험임을 깨닫게 했다.[8] 기억에 관한 논의도 시대 변화 맥락에 맞게 수정하려는 시도들이 등장했다.

미국의 역사학자 로스버그Michael Rothberg는 '다방향 기억multidirectional memory' 모델을 제시하며 일국적이거나 지역적인 차원에서 논의되던 집단기억에 대한 해석이 전 지구적인 큰 그림 안에서 이야기되어야 한다고 주장한다.[9] 로스버그에 따르면 집단기억은 민족국가 내에서 각각의 기억이 공적 기억으로 격상되기 위해 인정투쟁을 벌인 결과 단일한 실재의 집단기억이 만들어지는 것이 아니라, 여러 가지 기억의 판본들versions이 다방향적으로 상호작용하며 변화하는 것이다. 기억은 생성되

7 Huyssen.A., "Present pasts: Media, politics, amnesia," *Public Culture* 12(1), 2000, pp. 21-38.

8 권윤경, 〈기억의 경쟁에서 기억의 연대로? 홀로코스트와 프랑스 탈식민화 기억의 다방향적 접합〉, 《역사비평》 113, 2015, 370~397쪽.

9 Rothberg, M., *Multidirectional Memory: Remembering the Holocaust in the Age of Decolonization*. Redwood City, California: Stanford University Press, 2009.

는 시점부터 다른 기억들과의 교섭 · 참조 · 모방 · 수렴이 이루어지며, 기억이 만들어진 이후에도 고정된 실체로 존재하지 않고 능동적으로 구성된다.[10] 그는 몇몇 학자들이 제기했던 바와 같이 홀로코스트가 다른 제노사이드 기억들에 비해 특권적 지위를 부여받았다는 문제의식을 이어가면서, 홀로코스트 기억은 세계 각지에서 벌어진 전쟁·테러·인종차별주의와 같은 폭력과 억압의 일부이지 그 위에 존재하는 절대적 도덕의 잣대가 아님을 주장한다. 이를 위해 로스버그는 양차 대전과 홀로코스트, 탈식민화 기억의 연결 지점들을 분석하며 홀로코스트 기억 역시 다른 학살과 전쟁의 경험을 전거로 생성되고 변화해 왔다는 것을 강조한다.[11]

뿐만 아니라 로스버그는 서로 다른 기억들은 경쟁하는 관계에만 있는 것이 아니라 언제든지 상호 교류하고 연대하며 결합된 목소리를 만들어 낼 수 있다고 주장한다.[12] 과거의 집단기억에 대한 해석은 통합성과 배타성을 전제로 했기 때문에 어떤 기억을 공식 역사화할 것인가, 또는 누구의 고통이 더 큰가, 그렇다면 누구를 보상할 것인가 위계를 가리는 경합으로 흐르기 쉬웠다. 그러나 로스버그는 상이한 역사에 대한 기억들이 서로 겹치고 확장되는 과정이 개별 사건을 고립시키지 않고 집단 경계를 넘어서는 연대를 가능하게 한다고 설명한다. 다시 말해, 서로 다른 주체들이 자신들의 기억과 타 집단기억 사이에서 접점을 찾고, 상대방을 이해함으로써 초국가적 연대 네트워크를 구성할 수 있

10 Rothberg, M., *Multidirectional Memory* p. 3.

11 Rothberg, M., *Multidirectional Memory*. pp. 6-10.

12 Rothberg, M., *Multidirectional Memory* p. 23.

다는 것이다.

임지현 또한 서로 동떨어져 얽힌 적이 없던 전쟁과 학살의 기억들이 만나 서로를 북돋우고 화해하고 공존하는 양상에 주목한다.[13] 임지현은 낯선 땅에서 낯선 기억들이 만나 공통의 기억의 장memory field을 만들어 나가는 현상을 내면적 지구화internal globalization라 부르고, 그 장을 가로지르는 트랜스내셔널 기억transnational memory에 주목한다. 구체적으로 그는 터키계 독일인들이 아우슈비츠에서 아르메니아 학살을 떠올리고, 홀로코스트 생존자와 한국의 일본군 위안부 피해자들이 만나 서로의 상처를 보듬으며, 미국의 흑인 인권운동가가 바르샤바 게토에서 흑인 노예들의 아우성에 귀 기울이는 등 뜻밖의 장소에서 생면부지의 기억들이 만나 소통하고 연대하는 흐름을 추적한다. 그는 이러한 흐름이 기억구성체의 비판적 대화를 가능하게 하고, 지구적 기억공간을 경합하는 갈등적 기억의 장에서 연대와 소통의 장으로 변모시키는 계기가 될 것으로 전망한다. 뿐만 아니라 흩어져 있던 희생자 의식의 기억들이 서로 만나 얽히고 소통하는 과정이 희생자들의 억울함을 풀어 주고 역사적 비극을 되풀이하지 않을 수 있게 한다는 점에서 트랜스내셔널 기억의 의의를 찾는다.

나이거Motti Neiger와 그의 동료들도 '코스모폴리탄 기억cosmopolitan memory' 개념을 통해 개인·집단·국가·초국가 단위의 주체들에 의해 형성되는 다층적인 기억들이 교차하는 움직임에 주목했다. 이들이 차용

13 임지현, 《기억전쟁 – 가해자는 어떻게 희생자가 되었는가》, 휴머니스트, 2019; 임지현, 〈전지구적 기억공간과 희생자의식 – 홀로코스트, 식민주의 제노사이드, 스탈린주의 테러의 기억은 어떻게 만나는가?〉, 《대구사학》 125, 2016, 385~417쪽.

한 코스모폴리타니즘cosmopolitanism은 벡Ulrich Beck의 핵심 테제로, 국민국가의 틀을 벗어난 인류 보편적 가치의 추구, 세계시민적 시각과 그에 기초한 전 지구적 거버넌스 체계의 필요성을 강조하는 개념이다.[14] 이는 단순히 국경을 넘어서는 연계 및 접속의 증가만을 의미하지는 않으며, 국가 경계 안팎에서 이질적인 문화가 만나 형성하는 새로운 관계에 초점을 둠으로써 세계화론의 전환을 시도한다는 점에서 의의가 있다. 나이거와 동료들은 내집단과 외집단의 경계 넘기와 소통을 강조하는 코스모폴리탄 세계관이 민족국가의 오래된 정치적 상상을 해체했듯이, 기억문화 역시 국가의 경계를 수시로 넘나들며 다채로운 교합이 가능해졌다고 주장한다. 나아가 이들은 기억의 넘나듦은 다양한 물질적 기반과 미디어라는 수단이 필요하다는 점을 강조한다. 떠오름과 동시에 사라지는 기억이라는 무형의 이미지가 저장되고 기록되려면 미디어의 도움을 받아야 한다는 것이다. 이는 미디어를 통해 만들어지고 전승되는 기억에 주목한 아스만Aleida Assmann의 '문화적 기억cultural memory' 논의와도 연결되는 지점으로,[15] 이들은 언어를 비롯해 여러 가지 형태의 공문서와 사문서, 기념조형물, 라디오와 텔레비전에 이르기까지 인간의 기억이 다양한 미디어를 통해 저장되고 전 지구적으로 이동하는 과정을 추적한다.[16]

특히 디지털 매체의 일상화와 인터넷망을 통한 네트워크의 진화는

14 Beck, U., *The Cosmopolitan Vision*, Cambridge: Polity Press, 2006.

15 아스만, 알라이다Assmann, Aleida, 《기억의 공간Erinnerungsraume》, 변학수 · 채연숙 옮김, 그린비, 2011.

16 Neiger, M. Meyers, O. & Zandberg, E., "Localizing Collective Memory: Radio Broadcasts and the Construction of Regional Memory" In Neiger, M. Meyers, O. & Zandberg,

다층적 기억들을 전 지구적으로 실어 나르는 데 있어 거대한 영향력을 발휘하고 있다. 나이거와 같은 책에서 디지털 미디어가 매개하는 기억의 특이성을 분석한 리딩Anna Reading은 과거 특정 집단에 한정되던 기억이 디지털 미디어를 통해 좀 더 신속하게, 더 많은 대중에 의해 공유되고 있음에 주목하여 '전 지구적 디지털 기억공간globital memory field'이라는 개념을 사용한다.[17] 'global'과 'digital'의 합성어로 구성된 개념에서 유추할 수 있듯이, 그녀는 오늘날 기억에 대한 논의가 단순히 일국적 차원에서 제기하느냐 혹은 지구적 차원에서 제기하느냐의 차이가 아닌 21세기 지배적 미디어 환경이 된 디지털의 매체적 특성과 맞물려 설명되어야 한다고 주장한다.

리딩에 따르면, 기억이 디지털 공간에서 발현될 때의 특징은 다음 세 가지 차원에서 탐구될 수 있다. 첫째, 디지털 공간에서 기억은 매우 신속하고 광범위하게 유통된다. 물론 기억의 저장소이자 운반체로서 미디어의 역할은 익히 논의되어 온 주제이다. 그러나 디지털 미디어는 과거에 벌어진 굵직한 사건들과 우리 삶에 대한 기록을 데이터로 저장하며, 디지털 환경에서 무한대로 축적되는 기억의 조각들은 '항시' '즉각적'으로 꺼내 볼 수 있는 형태로 존재한다는 점에서 유통의 양과 속도가 기존 매체와는 확연한 차이가 있다. 둘째, 전 지구적 디지털 공간에서는 전통적 기억 주체인 국가와는 차별화되는 새로운 기억 주체가 등

E. (Eds.), *On media memory: collective memory in a new media age*, London: Palgrave Macmillan, 2011, pp. 153-173.

17 Reading, A., "Memory and Digital Media: Six Dynamics of the Globital Memory Field" In Neiger, M. Meyers, O. & Zandberg, E. (Eds.), *On media memory: collective memory in a new media age*, London: Palgrave Macmillan, 2011, pp. 241-252.

장한다. 인터넷과 컴퓨터 · 스마트폰 등 기억을 쉽게 전달·확산시킬 수 있는 매체 수단을 확보한 개인들은, 국가가 이식하려는 기억의 매트릭스를 허물고 스스로 기억들을 생산하고 직조하는 주체적 생산자로서 자리매김했다. 이때 온라인 네트워크로 연결된 개인들이 구성하는 기억은 국가적 기억과 나란히 가기도 하지만 그것과는 다른 기억에 초점을 맞추기도 하며, 심지어 국가 기억을 손상·약화시키는 경향도 나타난다. 마지막으로, 리딩은 다방향적이고 코스모폴리탄적이며 트랜스내셔널한 기억이 초국가적 연대를 기동할 수 있었던 것도 인터넷과 같은 정보통신기술의 발전이 있었기에 가능했다고 본다.

기억 연구의 방향을 쇄신하려는 최근의 이론적 흐름들은 한 집단 내 사람들이 공유하고 있는 기억이 '무엇'이냐에 대한 질문이 아니라, 기억이 '어떻게' 구성되며 다른 기억과 어떠한 관계를 형성하는지 그 과정에 주목한다. 집단기억이 구성되는 과정에서 다수의 기억들이 교차하고, 상호 참조하며 접합하는 구체적인 동학dynamics을 규명하는 것이 오늘날의 기억 연구가 주력하고 있는 지점이라 하겠다.

이 글은 '다방향 기억'의 관점에서 2019년 홍콩 시위를 들여다보고자 한다. 홍콩 시민들이 여러 기억들을 참조하고 그 기억을 자신의 것으로 전유하고 자신의 경험을 정의해 가는 과정을 관련 문헌과 언론 기사, 소셜미디어를 통해 터져 나오는 시위대의 절박한 목소리 속에서 면밀하게 추적할 것이다. 기억의 다방향적 접합에 주목하는 연구들은 전지구적 차원에서 기억이 서로 얽히고 상호 참조의 준거가 되는 새로운 현상을 설명하고, 국가주의적 기억의 틀에 도전하는 기억 주체들의 등장과 초국가적 연대의 가능성을 모색해 보려는 욕구에서 등장한 것으로 보인다. 홍콩에서 여러 기억이 접합되는 현상과 그 의미를 분석하는 이 글이 오늘날 기억의 지형을 이해하는 작은 단서가 되었으면 한다.

분석 방법과 분석 대상

이 글에서 적용할 분석 방법은 조지와 베넷Alexander L. George & Andrew Bennett이 제시한 '인과적 과정추적Causal Process Tracing'이다.[18] 인과적 과정추적법은 선택된 사례의 역사적 배경을 추적하고, 사건들이 어떤 과정과 결정을 거쳐 어떤 방식으로 전개되어 가는지를 상세하게 기술함으로써 선택된 사례가 가지는 함의를 이해하는 데 초점을 둔다. 이는 역사사회학자들을 중심으로 논의됐으나, 최근에는 사회과학 각 분야에서도 활발하게 논의되고 있다. 인과적 과정추적법이 연구자의 질문과 가설을 중심으로 특정 사례의 보편적 규칙성을 규명하는 실증주의적 접근의 한계를 극복하고, 현실 세계에서 일어나는 수많은 사건의 복잡한 상호작용과 인과적 힘, 발생 기제와 구조를 설명해 줄 수 있기 때문이다.[19]

실증주의적 법칙 탐구가 '무엇'을 찾는 데 노력했다면, 인과적 메커니즘을 기반으로 한 설명은 관찰된 현상이 '어떻게' 작동하는지 추론하는 것에 주안점을 둔다. 따라서 인과적 과정추적을 위해 중요한 것은 풍부한 질적 자료이며, 자료를 토대로 사건들의 연쇄를 발생시키는

18 George, A. & Bennett, A., *Case Studies and Theory Development in the Social Sciences*. Cambridge: The MIT Press, 2005.

19 김선희, 〈인과적 과정추적을 활용한 정책학 연구방법 고찰–이론적 함의를 중심으로〉, 《정책분석평가학회보》 27(4), 2017, 123~147쪽.

메커니즘의 작용을 설명하고 경험적으로 검증하는 과정이 진행된다.[20] 여기서, 이론적으로 정교화된 인과적 메커니즘이 실제 사례에 있어 설명 가능한 것인지를 사례 분석을 통해 확인하는 연역적 추론 방식을 따르고 있다는 점에서 종단적 사례 연구에 유용하며, 단일 사례 분석을 통해서도 인과 분석이 가능하다. 예를 들어, 영국의 역사학자 마틴Lisa Martin은 포클랜드전쟁이라는 단일 사례를 통해 제도가 국가 간 협력에 영향을 미친다는 점을 밝혔는데, 그 사례의 수가 한정적임에도 불구하고 사건이 전개되는 과정과 인과적 메커니즘을 충분히 도출해 냄으로써 방법론적 의의를 입증했다.[21]

인과적 과정추적을 홍콩 시위 현장에서 다양한 기억이 (재)구성되는 과정과 유비해 볼 때, 시위대가 전유하는 기억들이 어떠한 방식으로 동기화되고, 시위 전개 과정에 어떠한 영향을 미치며, 그것이 어떠한 결과로 나타나는지 통합적으로 분석하는 데 유용한 틀이 될 것이다. 위 방법론을 근거로, 이 글은 1997년 홍콩 반환 이후 2019년의 홍콩 시위까지 홍콩 사회에서 발생한 정치제도 개혁의 문제와 민주화시위의 내용을 파악하기 위해 홍콩 정치 상황에 대한 연구물과 신문 기사, 에세이 등을 살폈다.[22] 이번 시위에 다양한 사안들이 얽혀 있는 만큼 그 내

---

20 민병원, 〈국제관계 연구의 인식론: 웬트의 과학적 실재론에 대한 메타이론적 고찰〉, 《국제정치논총》 50(2), 2010, 7~33쪽.

21 Martin, L., "Institutions and Cooperation: Sanctions during the Falkland Islands Conflict," *International Security* 16(4), 1992, pp. 143-178; 민병원, 〈국제정치의 인과성과 메커니즘: 방법론적 고찰〉, 《한국정치연구》 24(2), 2015, 470쪽 재인용.

22 구정은, 〈중국의 홍콩 탄압, 그 배경엔 '광저우의 불안'〉, 《경향신문》 2019년 11월 20일자. URL: http://news.khan.co.kr/kh_news/khan_art_view.html?artid=201911201232001&code=970204; 김준영, 〈중국으로 반환된 홍콩, 20년이 지났지만…〉, 《프레시안》 2017년 6월 30일자. URL: pressian.com/m/m_article/?no=162139#08gq; 김진호, 〈홍콩 반환

재한 의미를 드러내기 위해서는 홍콩의 정치·사회·경제적 상황과 그 상황에 대한 홍콩인들의 인식과 태도가 근거로 해석되어야 하므로, 역사적 배경과 관련 기록에 대한 풍부한 조사가 필수적이기 때문이다.

이 글은 홍콩 시위 기저에 얽혀 있는 중국-홍콩 관계와 갈등의 역사를 파악한 뒤, 홍콩 시위대가 소환하는 기억들이 무엇이고, 이를 현재의 경험과 어떠한 방식으로 접합시켜 시위를 전개해 나가는지를 분석할 것이다. 분석 기간은 송환법 반대 최초 시위가 일어난 2019년 6월 9일부터 11월 24일 치러진 홍콩 구의원 선거까지로 정하였다. 구의회 선거는 홍콩 범민주 진영이 사상 최초 과반 의석—총 452석 가운데 388석(85.8퍼센트)—을 차지하며, 홍콩 시위가 홍콩 사회의 민주주의를 한 차원 끌어올렸음을 입증한 사건이다. 격렬하게 이어지던 홍콩 시위는, 선거에서 범민주 진영이 압승을 거둔 이후 시위 장기화에 따른 피로감 등과 맞물리면서 정부의 허가를 받은 2~3차례 대규모 집회를 제외하고는 산발적인 형태로 진행되었기 때문에 분석 기간을 위와 같이

10년 후 홍콩사회의 중국화 현상〉, 《중국연구》 40, 2007, 25~51쪽; 샹바오, 〈홍콩을 직면하다 – 대중운동의 민주화 요구와 정당정치〉, 《역사비평》 128, 2019, 384~404쪽; 이희옥 · 김지현, 〈중국과 홍콩 관계의 성격 변화: 후견주의, 조합주의, 직접지배로의 발전〉, 《현대중국연구》 18(1), 2016, 39~72쪽; 장정아, 〈홍콩 시위에서 확인한 얼굴의 힘〉, 《한겨레신문》 2019년 10월 12일자. URL: http://www.hani.co.kr/arti/society/society_general/912938.html; 조문영, 〈1997년 베이징, 2019년 홍콩〉, 《한겨레신문》 2019년 10월 23일자. URL: http://www.hani.co.kr/arti/opinion/column/914329.html; 홍명교, 〈홍콩과 영덕의 디아스포라〉, 《주간경향》 2019년 10월 1일. URL: http://weekly.khan.co.kr/khnm.html?mode=view&artid=201909271435151&code=124; 홍명교, 〈홍콩 항쟁에서의 미디어: 억압 장치 혹은 저항의 도구〉, 《ACT!》 2019년 12월 16일자. URL: https://actmediact.tistory.com/1427; 홍호평, 〈세 가지 시선, 홍콩의 과거, 현재 그리고 미래〉, 《레디앙》 2014년 11월 7일자. URL: http://www.redian.org/archive/80140; 황레이, 《1997년 이후 홍콩 영화의 내러티브 구조와 홍콩 정체성 구성에 대한 연구》, 중앙대학교 석사학위논문, 2017.

한정했다.

분석 대상으로는 트위터 계정 '홍콩을 도와주세요'[23]와 #SaveHongkong, #StandWithHongKong 해시태그로 검색되는 개별 포스트를 살펴보았다. 홍콩 시위대와 지지자들이 트위터를 중심으로 홍콩 시위를 실시간으로 알리고 집합적 여론을 형성하였기 때문에 이를 통해 시위의 전개 과정을 소상히 알 수 있다. 그러나 해시태그로 검색했을 경우 상당한 양의 포스트가 검색됐고, 이에 따라 특정 기간 동안 특정 계정의 포스트를 추려 검색할 수 있는 트위터 자체의 고급검색 기능을 사용하여 선별된 총 834건의 포스트를 분석 대상으로 사용했다. 그중 2019년 홍콩의 상황과 다른 역사적 사건들을 비교하는 포스트는 306건이었으며, 이를 중심으로 민주화운동의 기억과 홍콩 시위 간의 접점을 밝히고자 한다.

이와 함께 페이스북 페이지 홍콩 시위 한국 연대체 '국가폭력에 저항하는 아시아 공동 행동'[24]과 '홍콩의 진실을 알리는 학생모임'[25]의 포스트도 분석했다. 두 페이지가 한국-홍콩의 활동가들이 소통하며 홍콩의 현 상황을 알리는 연대행사를 진행하는 데 앞장서고 있기 때문이다. 게시글의 길이가 제한되어 있는 트위터와 달리, 페이스북은 장문의 글 작성이 가능하며 사진과 영상 등의 업로드가 용이하다는 점에서 홍콩 시위가 전개되는 과정과 관련 소식을 상세하게 파악하는 데 유용했다. 두 페이지에서도 과거 민주화운동과 홍콩 시위 사이의 관계를 발견할 수

23 홍콩을 도와주세요: https://twitter.com/PlzHelpHKers

24 국가폭력에 저항하는 아시아 공동 행동: https://www.facebook.com/ACABforHK/

25 홍콩의 진실을 알리는 학생모임: https://www.facebook.com/speakforHK.kr/

있는 포스트 182건을 선별하여 분석했다.

‘천안문사건’ 30주기, 기억을 지우려 하는 자와 지키려는 자의 투쟁

2019년 홍콩 시위에서 소환된 기억 중 하나는 중국 현대사의 비극인 1989년 천안문사건이다. 천안문사건은 중국 정부가 1989년 6월 4일 베이징 천안문광장에서 민주화를 요구하던 학생과 시민 1백만여 명을 무력으로 진압해 많은 사람이 목숨을 잃은 사건으로, 중국 내에서는 이 사건과 관련된 어떤 공개적인 언급이나 일당 체제에 의문을 표하는 것이 금기시되어 있다. 이와 함께 중국 정부는 디지털 공간에서 천안문사건에 대한 기억을 지우기 위한 전 방위적 총공세를 펼치고 있다. 검색엔진 중국어 구글에서 천안문사건에 대한 정보가 검색되지 않도록 통제하고, 6월 4일 전후로 이 사건을 언급하는 모든 게시물을 삭제하며 외신의 중국 내 인터넷 접속을 차단하는 등 인터넷 검열과 언론통제를 더욱 강화하였다.

천안문사건이 금기와 망각의 대상인 중국과 달리, 홍콩에서는 매년 6월 4일 촛불 추모행사가 대규모로 거행되며 ‘민주화운동’으로 기억되고 있다. 어떤 면에서 홍콩은 천안문사건의 트라우마가 가장 짙게 드리운 곳이기도 하다. 1989년 당시에도 세계 어떤 지역보다 가장 적극적으로 연대시위를 조직하여 1백만 명이 넘는 인파가 모여 천안문광장의 사람들을 지지하였으며, 당시 홍콩인들은 천안문시위 지지집회를 열고 모금운동을 벌여 2,200만 홍콩달러를 베이징으로 보냈다. 세계에서 유일하게 민간의 힘으로 천안문 기념관을 조성하고, 관련 자료집과 서적을 지속해서 출판하는 곳도 바로 홍콩이다. 홍콩인들이 적극적으로 천안문사건을 환기하는 이유는 중국으로 홍콩 반환이 결정된 이후 벌어진 천안문사건이 단순히 중국인에게만 해당되는 것이 아니라는, 자신들도 그 상황에 이를 수 있다는 공포와 불안을 느꼈기 때문이다. 실제로 천안문사건 이후 일국양제를 약속한 중국공산당에 신뢰를 잃어버리고 이민을 가 버린 홍콩인도 많았다. 홍콩인들에게 영국은 기댈 수 없는 대상, 중국은 믿을 수 없는 대상이었다. 홍콩 시민들은 공산당 정권에 저항하는 중국 인민을 운명공동체라 여기고 그들을 지지하고 동정하였다.

그리고 2019년, 홍콩 전역에서 일어난 광범위한 시위에 중국이 무장경찰을 투입해 다량의 최루탄을 쏘며 강경진압에 나서면서 시위 현장에서는 천안문의 트라우마가 되살아났다. 2019년 천안문사건 30주기를 맞아, 홍콩 시민들은 베이징에서 지워진 기억을 지금의 시제로 현재화하기 시작했다. 6월 4일 촛불집회가 열린 빅토리아공원 곳곳에는 '6·4 천안문사건을 재평가하라平反六四', '중국으로 보내는 것을 반대한다反送中'라는 슬로건이 적힌 플래카드가 내걸렸다. 천안문사건의 진상을 밝히려는 뜨거운 열기가 송환법 반대와 맞물리면서 1백만 명이 넘는 시민이 참여하는 대대적인 시위로 폭발한 것이다. 중국 국경절 70주년을 맞은 10월 1일, 중국 베이징에서는 대규모 열병식이 거행되며 축제 분위기로 가득 찬 반면, 홍콩에서는 검은 옷을 입고 천안문시위 희생자를 기리는 애도 시위가 벌어졌다. 지난 70년간 천안문시위 유혈진압 희생자들을 비롯해 중국에서 인권운동을 하다가 투옥돼 사망한 노벨평화상 수상자 류샤오보劉曉波 등 수많은 사람들이 희생됐으므로 중국의 국경절은 홍콩 시민들에게 '애도의 날'일 수밖에 없다는 것이었다.

한편 홍콩 몽콕 지역의 낡은 건물 10층에 자리한 6·4 기념박물관도 재개관하였다. 30평 남짓한 이 공간은 2012년 '애국민주운동 지지 홍콩시민연합'이 본격적으로 건립을 추진하여 2014년에 개관했다. 그러나 낯선 이들이 이유 모를 항의 시위를 했고, 건물주는 계약 때와 용도가 다르다며 소송을 걸었다. 결국 2016년 7월 첫 번째 박물관은 문을 닫았고, 2년 가까운 노력 끝에 시민연합은 2019년 천안문사건 30주기에 맞춰 새 박물관을 개관했다. 이에 따라 홍콩 시위대는 트위터를 통해 6·4 기념박물관 소식을 알리며, 천안문사건의 기억을 매개하는 각종 푸티지footage들을 디지털 기억공간으로 소환했다. 천안문시위 과정 중 무력진압으로 숨진 학생들의 유품, 사망통지서 사본이 '트윗'과 '리트윗'을 통해 빠르게 공유되고 당시 천안문광장에 걸렸던 플래카드 문구 '인민들은 절대 잊지 않을 것이다人民不會忘記'를 활용한 해시태그 운동을 이어 가는 등, 천안문사건을 기억의 장으로 끌어오려는 노력을 이어갔다. 6·4 기념박물관 개관일, 홍콩 시위를 주도한 조슈아 웡黃之鋒은 자신의 트위터에 유혈진압으로 끝난 천안문의 비극을 상징하는 시대의 한 컷인 '탱크맨'—천안문광장으로 향하는 탱크를 맨몸으로 막아선 남자—의 사진을 게시했고, 이 사진 역시 리트윗을 타고 순식간에 수천 명에게 전달됐다. 미국 언론인 림Louisa Lim은 천안문사건에 대한 중국 사회의 집단 망각을 추적한 책 《기억상실인민공화국: 천안문사건 재고The People's Republic of Amnesia: Tiananmen Revisited》[26]에서 이 사진을 소개하며,

26 Louisa, L., *The People's Republic of Amnesia: Tiananmen Revisited*, New York: Oxford University Press, 2014.

중국에선 이를 알아보지 못하는 이들이 대다수이며 더러는 알고도 고개를 돌린다고 비판한 바 있다. 중국이 30년째 기억을 지우고 있는 가운데 홍콩에서 이 사진이 소환된 것이다.

베이징과는 2,400킬로미터 떨어져 있고 천안문사건과는 30여 년의 시간적 간극을 둔 홍콩 시위 현장에서 천안문의 비극이 수면 위로 떠오를 수 있었던 것은, 탈중심화되고 유동적인 기술적 편성 속에 기억을 물질적으로 확산시키는 미디어 환경이 갖춰졌기에 가능했다. 디지털 환경은 천안문사건의 기억을 담아내고 보전하는 물리적 저장고 역할을 했고, 초고속 인터넷망은 기억의 유통 가능성을 열어 주었다. 1989년에 발발한 천안문사건이 시간성과 공간성, 즉 지금과 여기에 국한되지 않고 '저장'과 '검색'의 형태로 무한한 활성 가능성에 놓일 수 있게 된 것이다. 이에 따라 기억을 지우려 하는 자와 지키려는 자의 투쟁도 더욱 격렬하게 전개됐다. 홍콩 시민들이 공식적 기록에서 서서히 지워져 가는 천안문사건을 지켜 내기 위해 디지털 공간 전역에 기억의 닻을 내리고 그 기억을 운반하는 한편, 중국 정부는 이를 통제하고 제어하며 기억의 자유로운 이동을 반복적으로 무너뜨렸다.

여기서 주목할 만한 디지털 기억공간의 특징은 그동안 제한적이었던 기억 행위의 주체가 달라진다는 것이다. 집단기억(또는 집단망각)은 국가를 중심으로 형성되어 왔고, 그 기억은 한 국가의 구조와 제도 · 질서를 유지하기 위한 수단이 되어 왔다. 특히 중국은 이러한 현상이 더욱 강하게 나타나는 국가 중 하나이다. 지난 30년 동안 천안문사건에 대한 의심과 도전은 가혹한 법적 규제와 물리적 탄압의 대상이 된다는 두려움에 의해 일종의 성역처럼 유지되었고, 중국공산당의 꾸준한 노력 덕분에 천안문사건에 대한 기억은 국민의 뇌리에서 사라져 갔다. 중국 관영 언론들이 이 사건에 대해 일제히 함구하고 국민들도 침묵으로 일관하는 모습은 국가가 벌여 온 기억(망각)의 정치가 그만큼 성공적이었음을 보여 준다. 그러나 홍콩 시민은 중국 정부가 생산하고 유통시키는 기억의 수동적 수용자에 머무르지 않고, 천안문의 기억의 조각들을 망각의 심연에서 건져 올려 국가의 기억 독점을 제어하는 힘을 추동해 냈다. 인터넷과 컴퓨터, 스마트폰 등 기억을 쉽게 전달·확산시킬 수 있는 매체 수단을 확보한 홍콩 시민들은 디지털 공간에 저장된 천안문사건의 기억들을 복원하고 소셜미디어를 통해 실어 나르며 저항운동을 펼쳐 나갔다. 홍콩 시민들은 컴퓨터 네트워크로 구성된 기억의 장에서 천안문사건을 반복적으로 환기함으로써 그들이 기억하고자 하는 것을 공적 영역에 머물게 하려는 노력들을 이어 갔다. 이는 새로운 기억 주체로 부상한 시민들이 국가가 특정 방향으로 틀 짓는 공식 기억과 경쟁하며 봉인된 기억을 사회사적 기록으로 기입하려 한 정치적 실천이라고 볼 수 있다.

물론 1989년 천안문사건과 2019년에 벌어진 홍콩 시위는 지역적으로나 역사적으로나 내용과 목적성이 다르다. 천안문사건은 민주화와 정치개혁을 쟁취하기 위해 중국 대학생과 시민들이 벌인 반정부 민주화시위다. 반면 홍콩 시위는 홍콩의 중국화를 막고 홍콩의 민주주의와 자유를 지키려는 반중국 민주화시위로 볼 수 있다. 그러나 또한 두 사건은 중국 정부가 초기부터 민주화 시위대를 '폭도'로 몰아세우고, 외부 세력의 개입에 의해 체제 전복을 노리는 '색깔혁명color revolution'으로 규정했다는 점에서 유사하다. 1989년 당시에도 중국공산당은 학생들의 민주화시위를 미국 등 서방 세력이 중국의 사회주의체제를 흔들려는 전복으로 봤다. 홍콩 시위에 대해 중국공산당과 관영 매체가 미국과 영국 등의 '검은 손'이 개입한 색깔혁명으로 보는 것과 같은 구조다. 여기에 국가의 안정적인 발전을 위해 유혈진압이 불가피하다는 중국의 대응은 두 사건의 공통분모를 만들어 주었다. 따라서 홍콩 시민들이 국경을 넘어 천안문사건의 기억을 현재로 가져와 새롭게 조명하는 것은, 민주화를 요구하던 시민들을 무자비하게 유혈진압했던 국가폭력의 기억과 자신들의 상황을 연결함으로써 내향적인 집중성을 결집시키고, 홍콩 바깥에서 외향적인 확장성을 추구하며 의미를 획득해 나가는 과정이라 할 수 있다.

홍콩 시위대가 천안문사건의 기억으로부터 자신들의 이슈와 의제를 설정하는 작업은 국제적인 관심을 높이는 데 성공했다. 미국 외교전문지 《포린 어페어Foreign Affairs》 등에서 홍콩 시위와 천안문사건을 연관시키는 논설이 다수 등장했고,[27] 홍콩 정국이 유사한 결말이 될 것이라는 우려를 표현했다. 백악관 국가안보보좌관 볼턴John R. Bolton 역시 《보이스 오브 아메리카Voice of America》 인터뷰에서 "(중국 당국이) 홍콩에서 천안문광장과 같은 기억을 반복하면 커다란 실수를 하는 것"이라며 "미국은 줄지어 선 탱크 앞에 선 남성의 사진, 자유와 민주주의를 요구하던

27 Blanchette, J., "How Close Is Hong Kong to a Second Tiananmen?," *Foreignpolicy*, 2019. 8. 14., URL: https://foreignpolicy.com/2019/08/14/how-close-is-hong-kong-to-a-second-tiananmen/; Schell, O., "Tiananmen in Hong Kong-The Alarming Echoes of 1989," *Foreign Affairs*, 2019. 8. 19. URL: https://www.foreignaffairs.com/articles/china/2019-08-19/tiananmen-hong-kong; DemDigest, "Another Tiananmen? Alarming echoes of 1989 in Hong Kong protests," *Democracy Digest*, 2019. 8. 19., URL: https://www.demdigest.org/another-tiananmen-alarming-echoes-of-1989-in-hong-kong-protests/; Alexander, G., "Opinion: Another Tiananmen Square in Hong Kong?," *Deutsche Welle*, 2019. 8. 22. URL: https://www.dw.com/en/opinion-another-tiananmen-square-in-hong-kong/a-50116602

중국인들의 목소리, 1989년 중국 정부의 탄압을 기억한다"고 말했다.[28]

이에 중국 당국이 역사의 트라우마를 환기시키는 모든 행위를 좌시하지 않겠다고 강경한 자세를 취하자, 미국 대통령 트럼프도 직접 나서서 중국에 경고를 보냈다. 홍콩에서 벌어지고 있는 송환법 반대 시위가 1989년 천안문사건처럼 진압될 경우 미·중 무역협상이 어려워질 것이라고 말한 것이다. 홍콩 시위가 발생한 이후 트럼프 대통령이 중국 지도부가 민감해하는 천안문사건을 언급한 것은 처음이었다. 아울러, 홍콩 시위를 주도하는 그룹과 직접 대화하는 등 인도적인 방법으로 해결할 것을 촉구했다.[29] 홍콩 시위에 전 세계의 관심이 집중되자, 예견되어 있던 중국의 군사적 강제진압이 무효화되고 홍콩 정부는 송환법 완전 철회를 약속했다.

"우리가 돌아왔다", 홍콩으로 소환된 '우산혁명'의 흔적들

2019년 홍콩 시위에서 회자되는 또 다른 기억은 홍콩의 대표적인 민주화운동으로 꼽히는 2014년 우산혁명이다. 우산혁명은 2017년에 예정된 홍콩 행정장관 선거의 후보자 추천 방식에 대한 갈등으로 시발되었다. 2014년 9월 28일, 홍콩 시위대는 비폭력 평화집회를 천명하고 거

28 Susteren, V., "VOA Interview: John Bolton's Take on World's Hotspots," *Voanews*, 2019. 8. 14. URL: https://www.voanews.com/usa/voa-interview-john-boltons-take-worlds-hotspots

29 이승호, 〈中금기어 꺼낸 트럼프 "홍콩, 제2 천안문되면 무역협상 어렵다"〉, 《중앙일보》 2019년 8월 19일자. URL: https://news.joins.com/article/23555417

리에서 노래를 부르고, 식사를 하고, 모여 앉아 이야기를 나누는 등의 방법으로 그들의 정치적 의사를 표명하기 시작하였다. 그러던 중 한 시민이 홍콩 경찰이 쏜 최루탄을 우산으로 막아 내는 사진이 전 세계적으로 보도되며 우산은 비폭력 저항의 상징이 되었다. 우산혁명은 홍콩이 중국에 편승해 이익만을 추구하는 경제도시가 아닌 민주주의를 발현하는 정치도시임을 세계에 알리는 전환점이 됐다.[30]

'독재 중국에 대한 저항과 민주주의 실현'이라는 틀이 2019년 홍콩 시위의 구체적인 요구에 녹아 들어가 있는 상황에서, 그 전사前史라고 할 수 있는 2014년 홍콩 우산혁명의 기억을 가져오는 것은 필연적인 결과였다. 홍콩 시민들은 9월 28일 우산혁명 5주년을 맞아 다시 거리로 모여 민주화 확대를 요구하는 대규모 집회를 열었다. 집회 당일 시위대는 트위터를 통해 '우리가 돌아왔다We are back'라는 문구가 적힌 포스터를 게시했고, 시위 지지자들은 이를 리트윗하며 집회 참여를 독려했다.

2014년 홍콩 민주화시위 때 처음 만들어진 '레논벽Lennon Wall'도 2019년으로 소환되었다. 레논벽은 홍콩 정부청사 외벽에 시위대가 민주 직선제를 요구하는 메모지를 잔뜩 붙여 놓으며 민주화운동의 역사를 나타내는 상징물이자 명소가 됐다. 2019년 시위대는 레논벽에 송환법 반대 시위를 지지하는 색색의 메모지와 포스트잇을 붙였다. 5년 전과 다른 점이 있다면, 정부청사 외벽에만 설치되어 있던 레논벽이 홍콩 전역으로 퍼져 나갔다는 것이다. 시위대는 레논벽이 가진 상징성에서 영감을 얻어 고가도로 기둥, 도로 난간, 지하도 등 장소를 가리지 않고 자유

30 김진용, 〈우산혁명은 왜 지속되지 못했는가?: 홍콩 시위의 발발과 파급력, 그리고 한계〉, 《동아연구》 71, 2016, 189~225쪽.

와 민주주의를 열망하는 포스트잇을 붙였다. 동시에 레논벽은 홍콩의 민주화를 요구하다 투신한 사람들, 홍콩 경찰에 의해 다치고 숨지거나 의문사 당한 시민들의 이름을 적는 등 추모의 장소 역할을 하고 있다.

상기한 이유로 레논벽은 홍콩 정부와 홍콩 경찰, 친중파 및 중국 정부에게는 눈엣가시일 수밖에 없었다. 홍콩 정부는 직접 저항과 추모의 메시지로 가득하던 레논벽의 포스트잇·전단지를 모두 제거했으며, 도심 벽면마다 '낙서 금지', '포스트잇 부착 금지' 현판을 달고 레논벽을 조성하려는 시민의 의지를 사전에 차단했다. 최초의 레논벽이 있는 중앙청사 입구에는 중무장한 전투경찰 병력이 배치돼 5인 1개 조로 순찰을 하게 했다. 손바닥보다 작은 포스트잇 한 장에 적힌 작은 저항의 메시지를 막으려고 전투경찰까지 동원했다는 것은, 홍콩 정부 스스로에게 그것이 치명적인 기억이라는 사실을 반증한다. 또한 이는 홍콩 시민이 열망하는 민주화의 흔적을 한 조각도 남기지 않겠다는 홍콩 정부의 기억과 기록의 말살 행태를 여실히 보여 준다.

홍콩 시위에서 우산혁명의 기억이 교차하는 지점을 명확하게 보여주는 것은 단연 '우산'이었다. 2014년 최루가스를 막는 데 우연히 사용되어 국가폭력을 향한 투쟁의 상징이 된 노란 우산은, 2019년 시위 현장에서 다시금 펼쳐져 홍콩 시민이 재응집할 수 있는 계기를 마련했다. 2014년 노란 우산은 홍콩 민주주의의 상징으로 자리 잡았고, 우산의 상징성은 2019년 시위대 사이에서도 일종의 공공의례public ritual 역할을 했다. 우산을 든 채 대규모 거리행진을 벌이고 도심을 점거한 행위는 공유된 기억을 산출할 수 있는 일종의 의례라 할 수 있다. 공공의례로서 우산은, 우산혁명이라는 공유된 기억을 떠올리게 하는 정보원이 되어 더 많은 홍콩인들이 시위에 동참하게끔 이끌었다. 우산은 홍콩인들에게 그 의미를 전달할 뿐 아니라 그들을 더욱 응집시켰으며, 잠재적 시위 참여자들에게도 스스로 시위대의 일부라고 여기도록 묶어 주는 역할을 했다. 뿐만 아니라 주변국에 2019년 홍콩에서 벌어지고 있는 시위가 '폭동'이 아닌 우산혁명의 연장선상에서 홍콩 민주화를 위한 투쟁임을 전달하는 데 중요한 역할을 했다.

2014년 홍콩 시위에서 우산혁명의 학습효과는 위와 같은 승리의 기억만은 아니었다. 우산혁명은 홍콩 민주화 역사에 큰 획을 그은 사건임은 분명하지만, 민주화 요구가 관철되지 못한 채 75일 만에 소강되어 홍콩 역사상 가장 '슬픈 시위'로 기억되고 있다.[31] 시위 경험이 없는 젊은 학생들이 최루가스와 물대포를 발사하는 경찰을 비폭력적인 방법으로 대응하는 것은 쉽지 않았다. 뿐만 아니라 노동자와 지식인 간 연계 결여, 기득권층의 시위 지지 거부, 약한 리더십과 응집력 부재 등으로 우산혁명은 실패로 끝났으며, 이는 홍콩인들에게 자괴감을 안겨 주었다. 그리하여 2019년 홍콩 시위는 평화롭지만 결국 아무것도 얻지 못한 우산혁명의 실패를 반면교사라도 삼은 듯 다른 행보를 보였다. 특히 우산혁명 당시 시위대의 요구 사항이 수시로 바뀌면서 야권이 분열돼 실패했던 기억을 떠올리며, 좀 더 효율적인 시위 방법을 고안해 나갔다. 그 예로 저항의 움직임이 오합지졸 같은 모습으로 끝나지 않도록 5대 요구 사항을 정리해 일관되게 주장했으며, 과거 진압의 표적이 됐던 시위 지도부를 드러내지 않은 채 소셜미디어를 이용한 산발적 집회를 이어 갔다. 우산혁명의 실패 경험을 매뉴얼 삼아 지도부 없는 항쟁

31 류영하, 《홍콩산책》, 산지니, 2019.

으로서 나름의 조직화 루트를 찾은 셈이다. 시위 참여자들은 안전모와 고글, 마스크로 얼굴과 감싼 채 일사불란하게 경찰 진압에 대비했고, 공권력 앞에 맥없이 무너진 비폭력 저항의 전철을 밟지 않기 위해 저항의 강도를 높여 나갔다.

1989년 천안문사건과 2004년 우산혁명의 기억이 홍콩 시위 현장으로 합류되는 현상에서, 시공간을 달리하는 기억들의 만남은 그저 선별되어 나란히 놓이는 '병치'가 아니라 이전의 경험과 현재를 바라보는 새로운 인식을 낳는다는 점에서 '접합'에 가깝다고 할 수 있다. 이러한 기억의 접합은 중국의 국가폭력을 이해하기 위한 중요한 비교 항으로 작용하고, 정부와 언론이 홍콩 시위에 관한 초기의 기억을 '폭동'으로 주입하려는 시도를 막아 내는 민주적 잠재력을 발휘했다. 홍콩 시위 참여자들은 중국의 언론탄압에 맞서 자율적이고 탈위계적인 방법으로 홍콩 시위를 기록하고, 흩어져 있는 기억들과 자신들의 경험 사이에 접점을 찾음으로써 스스로의 경험을 재정의해 나갔다. 또한, 디지털 미디어 환경과 전 지구적으로 연결되어 있는 인터넷망을 통해 서로 다른 기억들을 홍콩 시위 현장으로 실어 나름으로써 국가주의적 기억의 틀에 도전할 수 있는 새로운 공론장을 형성해 갔다.

물론 소셜미디어가 국가권력에 저항하는 무기이자 억압받는 공중의 정치 참여 가능성을 높이고 민주주의의 새로운 장으로서 잠재력을 보여 준다는 발견은 낯선 것이 아니다. 2010년 '아랍의 봄'으로 알려진 북아프리카와 중동 지역의 민주화시위가 대표적인 사례이다. 당시 트위터와 페이스북에 올려진 시위 관련 글과 동영상은 시위자들을 서로 연결해 줄 뿐 아니라, 기성 언론의 무능력함과 국가권력의 결탁을 들추고 시민들이 직접적으로 사회문제에 개입할 수 있는 대안 공론장의 역할을 했다.[32] 그러나 이 글이 주목하는 것은 소셜미디어의 등장과 네트워크의 진화가 단순히 정보의 흐름과 공유를 확장시키고 대안 공론장을 구축할 수 있었다는 것이 아니라, 특정한 시공간에 고정되어 있던 기억들이 다른 기억들과 만나며 보다 적극적으로 소통하고 결합할 가능성을 열었다는 데 있다. 뉴미디어의 혁신적 발달은 전 세계를 넘나들며 국지적 사건에 머물러 있던 기억들, 상이한 역사에 대한 기억들이 더 이상 국가적인 맥락에 머물지 않고 다방향적인 기억공간을 형성하는 데 기여했다. 이러한 미디어 환경은 근대기 동안 억압되어 온 트라우마적 사건이나 금기시된 사회정치적 이슈들을 가시화하는 기억의 장으로 기능했다. 홍콩 시민들이 효과적으로 자신들의 메시지를 전달하기 위해 사용한 미디어는 소셜미디어뿐만이 아니었다. 레논벽, 노란 우산 등도 기억을 매개하는 미디어이자 기억의 터이다. 홍콩 시민들은 다양한 미디어를 통해 자국의 비극적인 상황이 잊히지 않도록 공유하고 있는 기억들을 서로 연결하고 참조하며 비슷한 점뿐 아니라 다른 요소들도 조명하면서 기억을 유동적이고 다양하게 해석해 나갔다.

시위가 진행되는 동안 각종 소셜미디어는 '#我係香港人'(나는 홍콩인이다), '#香港是我家'(홍콩은 나의 집이다) 해시태그와 "홍콩은 중국이 아니다香港不是中国", "나는 홍콩인이다, 그래서 나는 시위한다我来自香港, 所以我抗议"라는 구호로 채워졌다. 시위대는 '홍콩인'의 사전적 정의가 적혀 있는 티셔츠를 입고 시위에 참여하고, 관광객들에게 티셔츠를

32 백욱인, 〈모바일 소셜 네트워크 서비스와 사회운동의 변화: 대안 공론장과 네트워크 포퓰리즘〉, 《동향과 전망》 84, 2012, 130~159쪽; 설진아, 〈이집트 민주화 혁명에서 SNS와 소셜 저널리즘〉, 《한국언론정보학보》 58, 2012, 7~30쪽.

나눠 주며 지지를 호소하는 등 중국 정부가 밀어붙이는 '하나의 중국' 정책에 맞서 홍콩의 정체성을 지키겠다는 의지를 압축적으로 표현했다. 영국도 중국도 아닌 스스로를 '홍콩'과 '홍콩인'으로 주체화하려는 시도들이 진행된 것이다.[33]

공유된 기억이 집단 정체성 형성에 밀접하게 관여한다는 점을 상기할 때, 민주화를 요구하던 우산혁명에 대한 기억의 소환은 홍콩 시민들이 '홍콩은 무엇이며 홍콩인은 누구인가'라는 스스로의 정체성을 모색하려는 시도와 맞닿아 있다. '하나의 중국'을 관철하려는 중국에 대항하여 그들과는 다른 '민주시민'이라는 정체성을 형성하기 위해 민주화투쟁의 기억을 강조하고 구성원들의 정신적 바탕을 만들어 나가고 있는 것이다. 행정장관 완전 직선제를 요구하며 홍콩에서 처음 대규모 민주화시위가 벌어진 2014년의 처절한 투쟁의 기억은, 2019년 홍콩 시민들이 민주주의를 갈망하는 심층을 지속적으로 형성하는 원천이 됐다. 중국이 홍콩 시민들에게 애국과 민족을 강조하면서 국가 통합을 명분으로 절대적인 무력을 행사할 때마다 무장경찰과 대치하며 민주화 구호를 외치던 시민들, 레논벽과 노란 우산 등 우산혁명의 기억이 더욱 선명하게 떠오르는 현상이 이를 입증한다. 홍콩 시민들은 민주화운동의 기억을 반복해서 환기시키고, 그 기억을 밑거름으로 삼아 민주시민으

33 시위가 한창 격렬해진 2019년 7월 홍콩대학이 홍콩 거주자를 대상으로 진행한 국적 인식에 대한 설문조사는 이 같은 현상을 구체적 데이터로 증명했다. 설문조사 결과 18~29세 응답자 중 69.7퍼센트가, 30세 이상 응답자 중 49퍼센트가 자신의 정체성을 중국인이 아닌 '홍콩인'으로 인식한다고 답했다. 자신을 중국인으로 여긴다고 답한 사람은 8.8퍼센트에 불과했다. 박세준, 〈끝나지 않은 홍콩 시위의 미래〉, 《동서중국》 2019년 8월 1일자. URL: http://dsuchina.kr/user/0006/nd73311.do?menuCode=kor&zineInfoNo=0006&pubYear=2019&pubMonth=08

로서 홍콩인이라는 정체성을 부여하고 있는 것이다.

홍콩 시위에서 울려 퍼진 한국의 민중가요 〈임을 위한 행진곡〉

홍콩 시위 현장에서 소환된 기억은 국지적으로 공유된 기억에만 국한되지 않는다. 1980년대 한국 민주화운동의 기억들도 2019년 홍콩 시위에 참조점이 되었다. 홍콩 시위대는 1980년 5 · 18 광주민주화운동을 상징하는 민중가요 〈임을 위한 행진곡〉을 번안해서 불렀다. 시위 현장에서는 한국의 민주화운동을 모티브로 만들어진 한국영화 〈택시운전사〉, 〈화려한 휴가〉, 〈26년〉, 〈1987〉 등이 상영되기도 했다. 홍콩 시위대가 한국의 1987년 6월항쟁을 모델로 삼고 있다는 것도 알려진 사실이다.

홍콩 시민들은 한국의 민주화운동사를 소상히 알 수 없기에 인터넷에서 광범위하게 회자되는 자료에 의존해야 했다. 특히 광주민주화운동 시기에는 해외 방송국들이 광주의 참상을 알리기 위해 보급한 비디오물을 시작으로 시 · 노래 · 판화 등 예술적이고 직관적인 텍스트들이 다수 생산되었는데, 그 이유는 당시 국가권력이 언론 검열을 통해 사건의 진실이 알려지는 것을 차단했고, 이에 대항하여 항쟁 참여자들이 5월의 진실을 기록하고 다른 사람들에게 알리기 위한 기억투쟁을 적극적으로 전개했기 때문이다.[34] 광주민주화운동 직후 발표된 김준태의 시

34 정근식, 《항쟁의 기억과 문화적 재현》, 선인, 2006.

〈아, 광주여 무등산이여〉나 1982년 만들어진 〈임을 위한 행진곡〉은 공동체적 기억과 감성을 전국적으로 확산시킨 상징적 텍스트였다. 1984년에는 홍성담을 비롯하여 민중미술가들이 항쟁을 재현하는 판화를 제작하여 보급했으며, 시간이 흐르면서 많은 이들이 소설 · 연극 · 영상 다큐멘터리 등의 형태로 재생산하며 민주화운동의 기억을 재생산하려고 노력했다. 이런 재현의 미디어들은 사건의 가장 극적이고 집합적인 장면을 선별하고 사건을 감성적으로 각인시키는 효과를 발휘하였다.[35]

인터넷망을 통해 유통되는 한국의 민주화운동에 대한 무수한 기록들은 홍콩 시위의 유용한 참조원이 됐다. 그리고 1980년대 광주에서 보였던 격렬한 에너지는 2019년 홍콩에서 재연되었다. 고故 힌츠페터 Jürgen Hinzpeter 기자가 80년 광주의 진실을 처음 세계에 알림으로써 국제사회가 한국 군부독재 세력의 폭력에 비판의 목소리를 키웠듯, 홍콩 시위대도 가장 필요한 것은 국제사회의 관심이라 판단했다. 이에 8월 12일 검은 옷을 입은 시위대 1천여 명이 홍콩 국제공항에서 시위를 벌였다. 이들은 공항 입국장에서 외국인 관광객들에게 홍콩 경찰의 유혈진압을 고발하는 내용의 전단을 나눠 주고, 홍콩에서는 시민들의 폭동이 아니라 정부의 폭정이 벌어지고 있다고 외쳤다. 홍콩 공항에서 각국의 언어로 '홍콩 해방', '행정장관 사퇴' 등 구호가 적힌 손팻말을 들고 있는 시위대의 모습이 트위터 · 페이스북 · 유튜브를 통해 전파되었는데, 그 장면은 한국인들에게 어떤 기시감을 불러일으켰다. 영화 〈택시운전사〉에도 등장하는 장면으로, 취재를 하기 위해 광주에 도착한 외신 기

35 나간채 · 정근식 · 강창일, 《기억 투쟁과 문화운동의 전개》, 역사비평사, 2004.

자들에게 시민들이 전단을 나눠 주고 병원 등으로 안내하며 광주의 참상을 외부로 알려 달라 부탁했던 모습과 닮아 있었던 것이다.

이에 따라 한국 각지의 시민사회단체와 활동가들이 홍콩 시위에 연대를 보내며 본격적인 연대체를 준비하기 시작했다. 그렇게 탄생한 연대체가 '국가폭력에 저항하는 아시아 공동 행동'(이하 아시아 공동 행동)이다. 7월 1일 홍콩 시위에 참여한 활동가 상현은 아시아 공동 행동이 필요한 이유로, "우리는 모두 연결돼 있고 한 국가, 한 지역의 일들은 나비의 날갯짓처럼 우리 모두에게 직·간접적인 영향을 미치고 있다"라고 말하며, "80년 광주가 그랬듯, 민중의 도도한 저항과 국경을 넘은 연대가 이 폭력의 연쇄고리를 끊을 하나의 방법이며 아시아를 뒤흔들고 있는 역사의 역동 속에서 살아가는 우리들이 단지 목격자로서가 아니라 함께 싸우는 존재가 될 수 있도록"[36] 서로 연결되어야 한다고 밝혔다.

아시아 공동 행동 발족 후 한국의 활동가들은 홍콩의 활동가들과 소통하며 홍콩의 현 상황을 알리는 연대 행사를 계속 진행했다. 아시아 공동 행동 페이스북과 트위터 타임라인은 5·18 광주민주화운동의 진압 풍경과 2019년 홍콩의 진압 풍경이 나란히 붙은 사진들로 채워졌다. 도상적 유사성을 가진 두 사건의 사진들은 광주의 기억과 홍콩을 연결시키는 장치로 작동했다. 영화나 텔레비전 이미지와 달리 정지된 순간을 포착해 내는 사진은 기억을 가장 효과적으로 구축하는 미디어이다. 영화 이미지가 시간의 흐름에 따라 변화해 가는 반면, 사진은 정

36 상현, 〈한국에 사는 한국인이 홍콩을 위해 할 수 있는 일〉, 《프레시안》 2019년 10월 27일자. URL: http://www.pressian.com/m/m_article/?no=262820#08gq

지된 한 순간을 포착해 강렬한 인상을 남기기 때문이다.[37] 우리는 한 사건을 기억할 때 하나의 시각적인 장면으로 기억한다. 같은 원리로 비극적 순간을 포착한 사진이 뇌리에서 기억 프레임으로 작용하게 되는 것이다. 이런 점에서 1980년 5·18 민주화운동과 2019년 홍콩 시위의 비극의 순간을 병렬한 사진은, 각 사진이 촬영된 순간의 아픔의 정서가 하나의 이미지 속에 응축된 채 전시되어 어떤 영상보다도 강렬한 인상으로 각인되었다.

사진이 매개한 두 기억 간의 공명이 인터넷을 통해 확산되면서, 한국과 홍콩 사이에 국경을 초월한 정감적 연대가 형성되었다. 언론통제와 탄압으로 목소리를 빼앗긴 홍콩 시민들은 자신의 트윗을 한국어로 번역하여 현지 상황을 알렸다. 홍콩 시민들은 한국 민주화투쟁의 기억들을 자신들의 상황에 접합하고 재구성하는 과정을 통해, 당신들의 어제가 우리에겐 오늘이고 당신들이 걸어온 길을 우리 또한 걸어갈 수 있도록 연대적 공감을 보내 달라고 요청하고 있는 것이다. 한국인들 역시 홍콩을 보며 1980년 광주를 떠올렸다. 트위터에는 지금 홍콩의 모습은 교과서에서 많이 봤던 5월의 광주와 비슷하다는 한국인들의 트윗이 타래로 이어졌다.

이런 가운데 11월 4일 시위 도중 경찰이 쏜 최루탄을 피하려다 주차장에서 추락한 것으로 알려진 홍콩과기대 학생 차우츠록周梓樂이 끝내 숨을 거두었다. 차우츠록의 죽음에 1987년 6월항쟁 때 경찰이 쏜 최루탄에 맞아 숨진 고故 이한열 열사가 겹쳐졌고, 이는 한국인 대학생들 사

37 Zelizer, B., “Photography, Journalism, and Trauma. Journalism,” In Zelizer, B., & Allan, S. (Eds.), *After September* 11, London & New York: Routledge, 2002, pp. 55-74.

트위터와 페이스북에 나란히 게시된 1980년 광주(왼쪽)와 2019년 홍콩(오른쪽) 시위 사진들. 도상적 유사성을 가진 두 사건의 사진들은 광주의 기억과 홍콩 시위를 연결시키는 장치로 작동했다.

이에 연대의 정서를 불러일으켰다. 이에 따라 11월 18일, '홍콩을 지지하는 연세대학교 한국인 대학생들' 학생모임이 결성되었으며, 학생들은 "홍콩 시위는 우리나라의 4·19혁명과 6월 민주항쟁, 민주주의를 위해 몸바쳐 싸운 이한열 열사를 떠올리게 한다", "이한열 선배를 둔 연세대 학생으로서 홍콩 시민들을 외면할 수 없다"[38]고 말했다. 학생들은 이한열 열사가 쓰러졌던 연세대학교 정문을 비롯해 한국의 민주화를 상징하는 공간을 거점으로 'Free H.K'라는 글귀가 적힌 시위대의 고글을 놓고, 대자보와 현수막을 게시하는 등 홍콩 시민들을 지지하는 목소리를 집결하기 시작했다. 그러나 홍콩의 레논벽이 친중파와 홍콩 경찰에 의해 감시당하고 지워졌던 것처럼, 한국 대학 내 홍콩 시위를 지지하는 대자보 역시 중국 유학생들에 의해 훼손과 보수가 반복됐다. 중국인 학생들은 '한국은 중국 내정에 간섭 말라'는 내용의 맞불 대자보를 붙이기도 했는데, 이에 한국인 학생단체들은 언론을 통해 홍콩 시위에 대한 지지는 중국 정부에 대한 내정 간섭이 아니라 민주주의와 인류의 보편적 가치인 인권에 대한 연대임을 밝혔다.[39] 이한열 열사의 어머니인 배은심 씨도 홍콩 민주화시위에 나선 학생들에게 지지와 격려의 메시지를 전했다.[40]

1980년 광주에서의 기억과 홍콩 시위와의 공명은 비단 2019년 홍콩

38 노유정, 〈홍콩 민주화 시위 지지…연세대생들 '침묵 행진'〉, 《한국경제》 2019년 11월 19일자. URL: https://www.hankyung.com/society/article/201911185342i

39 이상원, 〈대학가 대자보 찢는 '중국산 민주주의'〉, 《시사IN》 2019년 12월 3일자. URL: https://www.sisain.co.kr/news/articleView.html?idxno=40741

40 강재구, 〈이한열 어머니 "홍콩시위대 다치지 않길, 그리고 승리하길"〉, 《한겨레신문》 2019년 12월 4일자. URL: http://www.hani.co.kr/arti/society/society_general/919572.html

에만 영향을 미치는 것이 아니다. 5·18 광주민주화운동에 대한 재해석과 함께, 광주민주화운동을 어떻게 기억해야 하는가에도 큰 영향을 미쳤다. 그동안 광주민주화운동의 기억이 갖는 한계는 광주를 넘어 모든 지역에서 '우리'의 고통과 상처로서 공감하지 못하고 '그들'의 불편한 진실로 남아 있다는 것이었다. 5·18의 고통과 상처, 직접적인 희생자는 외상 당사자인 광주 지역민들로 한정되고, 오히려 민주화의 성지라는 지역의 자부심이 5·18을 향한 국민적 관심을 약화시킨다는 느낌마저 든다는 지적도 지속되어 왔다.[41] 그러나 국경을 초월한 홍콩 시위와 광주의 기억의 접합은 양쪽 모두에게 자유와 인권, 민주화 등의 인류 보편적 가치를 성취할 수 있는 계기를 마련했다. 따라서 홍콩 시위에서 한국의 민주화운동과 민중가요들이 기억되는 현상에 대해 홍콩인들이 한국으로부터 배우고 있다며 자부심에 취하기보다는, 서로 유사점이 있고 공감대를 형성할 수 있으니 서로의 운동에 연대해야 한다는 것에 주목해야 할 것이다. 홍콩 시민들이 요구하는 민주화의 내용과 저항 방식은 한국의 또 다른 사회운동에 시사점을 줄 수 있을 것이다.

한국과 홍콩이라는 지리적 공간을 중심으로 분절되어 있던 기억들은 다양한 방식으로 만남과 대화를 이어 가고 있다. 2019년 11월 14~16일 서울 마포구 갤러리 위안에서는 주류 언론에서 보도되지 않은 홍콩의 잔혹한 현실을 사진과 그림으로 표현한 전시 〈신문이 보지 못하는 전인후과〉가 열렸다.[42] 이 전시는 재한 홍콩유학생과 한국의 대학생들

41 박선웅 · 김수련, 〈5 · 18 민주화운동의 서사적 재현과 문화적 외상의 한계〉, 《문화와 사회》 25, 2017, 117~160쪽; 유경남, 〈광주5월 항쟁 시기 광주의 표상과 광주민주시민의 형성〉, 《역사학연구》 35, 2009, 141~176쪽.

42 현지용, 〈홍콩 시위 전시회, "알아주는 것만으로도 나비효과 된다"〉, 《시사주간》 2019년

이 기획한 것으로, 한국에서 전시회를 개최함으로써 홍콩인들뿐 아니라 한국인에게 홍콩 시위를 광주의 비극과 고통의 기억으로 연결시키며 공감과 연대의 정서를 불러일으켰다. 민주화운동이라는 역사적 공감대와 예술이 갖는 호소력의 결합은 연대의식을 더욱 고취하기에 충분했다. 이어서 2020년 4월에는 광주 출신 만화가 17명이 홍콩 시위를 주제로 그림을 그려 〈홍콩, 봄〉 온라인 전시[43]를 개최했고, 같은 해 12월에는 한·홍민주동행이 결성되어 온라인 아카이브 〈동행同行〉[44]를 구축하고 홍콩 시위를 지지하는 국내외 디자이너들이 만든 포스터와 대자보 · 현수막 등을 전시했다. 초국가적 기억 주체들은 경계 지어져 있던 기억을 다양한 방식으로 엮고, 탈시간적·탈공간적으로 전유하면서 기억의 공동체를 확장해 가는 중이다.

일각에서는 홍콩 시위와 직접적 접촉이 없는 광주의 기억을 비교하는 작업이 각 사건의 역사적 특수성을 희석시키고 역사적 맥락을 무화시킨다고 우려한다.[45] 그러나 홍콩을 중심으로 형성되는 초국가적 연대 네트워크는 각 사건들의 동일한 운동적 정체성을 통해서 결성되는 것이 아니다. 연대란 기본적으로 다양한 특수성을 지닌 참여자들이 자신과는 다른 상황에 처한 이들을 위해 행동하려는 마음을 의미한다.[46] 연대는

11월 16일자. URL: http://www.sisaweekly.com/news/articleView.html?idxno=22292

43 초단편 만화 온라인 전시회 〈홍콩, 봄〉: https://tumblbug.com/springhk?ref=discover

44 홍콩 민주화운동 아카이브 〈동행同行〉: https://hkdarch.org/

45 권기식, 〈홍콩 사태, '광주'가 아니다!〉, 《인민망한국어판》 2019년 11월 25일자. URL: http://kr.people.com.cn/n3/2019/1125/c203282-9635274.html; 김정호, 〈홍콩 사태와 광주항쟁의 차이 3가지〉, 《다른백년》 2019년 11월 19일자. URL: http://thetomorrow.kr/archives/10873

46 Gould, C., "Transnational Solidarities," *Journal of Social Philosophy* 38(1), 2007, pp. 148-164.

차이에 대한 이해가 있을 때 비로소 가능한 것이다. 기억의 다방향적 접합이 가진 의미 역시, 개별 기억 간 차이에도 불구하고 다채로운 교합을 통해 공동의 연대와 정감적 결속을 가져올 수 있다는 데 있다.

홍콩에서 벌어지는 기억의 비교와 접합은 서로 다른 사건들을 동일시하는 것이 아니다. 오히려 각 사건을 더 잘 이해하게 해 주는 데 도움을 준다. 비교를 통해 유사성을 인식하는 것뿐만 아니라 차이점을 발견하고 개별 사건의 특수성을 더 잘 이해하게 되는 것이다. 기억들이 국가를 가로질러 전 지구적 규모로 접합되는 현상에 대한 이해는 비교를 위한 기억의 병치보다는 상호텍스트적 성격에 주목해야하며, 이러한 접합을 통해 과거의 현재적 의미를 재구성하는 것이 중요하다. 오히려 개별적 기억의 차이는 과거에 대한 비판적 성찰을 가능하게 하고 서로를 포용하고 공생하는 관계로 나아갈 수 있는 방향을 제시할 것이다.

기억의 다방향적 접합과 홍콩 시위

이 글은 2019년 세계의 이목을 집중시켰던 홍콩의 대규모 시위에서 서로 다른 국가폭력과 민주화운동의 기억들이 조우하는 양상에 주목하여 그 기억들을 통해 홍콩 시위가 어떠한 방식으로 전개되는지 추적하고, 다양한 기억의 접합이 가져오는 효과와 의미를 분석했다. 집단기억이 한 집단의 전유물로 남지 않고, 좀 더 적극적으로 다른 기억들과 연결되고 소통할 수 있는 가능성을 타진해 보려는 시도다. 특히 기억의 트랜스내셔널한 만남과 접속을 가능하게 한 디지털 미디어에 주목하여 논의를 전개했다. 디지털 미디어가 기억의 대규모 확산을 가능하게 하는 도구로서만 기능하는 것이 아니라, 대중을 기억 행위와 유통의 주체로 거듭나게 하고 국경과 민족 등의 지리적 공간을 뛰어넘는 정감적 결속을 추동한다는 점에서 존재론적으로도 매우 중요한 역할을 하고 있음을 논증하고자 했다.

이러한 시도는 국경으로 구획된 집단기억을 주 연구 대상으로 삼았던 전통적 서술과 차별점을 갖는다. 집단 내부의 기억에 대한 분석을 기초로 하는 연구는 기억이 공동체 내에서 일정한 의미를 획득하고, 기억이 집단 정체성으로 귀결되는 과정에 집중했다. 이때 기억은 동일한 공간적·시간적 경험이 있는 집단, 주로 국가나 민족과 같은 큰 단위의 집단과 긴밀히 연결되어 구성원 개개인을 공통의 기억이라는 틀 안으로 통합시키는 장치로 이해되어 왔다. 즉, 기억에 관한 대부분의 논의는 집단 내부의 동질성 · 고유성을 강조하는 반면, 집단 외부에 대해서는 배타성을 전제하는 방식으로 전개되어 왔다. 하지만 전통적인 기억 연구 모델은 시공간을 뛰어넘어 다양한 문화적 기억들이 연결되는 오늘날의 현상을 설명하기에는 놓치는 지점이 많다. 전 지구화 시대의 기억은 원原집단을 떠나 초국적으로 유영할 뿐만 아니라, 상호 침투하며 서로를 참조해 끊임없이 재구성되는 양상을 보인다. 다른 집단의 기억을 자신의 것으로 전유하면서 국가가 주도하는 집단기억의 틀에 도전하는 새로운 기억공간을 만들며, 탈중심적인 네트워크를 형성하기도 한다.

홍콩 시위와 다양한 시공간의 기억이 연결되는 모습은 다수의 기억들이 배타적인 관계에만 놓여 있는 것이 아니라 서로 교류하고 결합하는 다방향적인 관계에 놓여 있음을 보여 준다. 홍콩 사회 내에서 중국과의 관계에 무게를 두는 친중 세력과 중국으로부터 홍콩의 자율성을 확보하려는 민주 진영 사이의 정치적 대립과 갈등은 지속적으로 발생해 왔으나, 어디까지나 그것은 홍콩 내의 문제로 치부되었다. 그러나 홍콩 시위의 격렬한 운동이 우산혁명의 기억과 연결되고, 국경을 넘어 베이징 천안문의 기억과 한국 광주의 기억과 만나면서, 홍콩의 문제는 동아시아를 느슨하게 연결하는 국가폭력의 문제, 인권 문제 등 국가의 이해관계를 넘어서는 공동 이슈로 떠올랐다. 이로써 홍콩 시위는 단순히 반중反中시위가 아닌 자유와 민주화의 정체성을 띠게 되면서 보편 기억으로 나아가는 첫걸음을 뗄 수 있었다.

일국적이고 지역적인 테두리 안에 고립되어 있던 기억들은 디지털 미디어와 지구적 컴퓨터 통신망을 통해 급속히 확산되고 연결될 수 있었다. 그러나 디지털 기억공간은 단순히 기억의 시공간적 확장만을 가져오는 것은 아니다. 디지털 미디어 환경은 기억의 구성 주체의 변화에도 영향을 미쳤다. 홍콩 시민들이 베이징에서 지워진 1989년 천안문의 기억을 인터넷 공간에서 발굴하여 중국 정부의 탄압에 맞서는 모습에서 이를 확인할 수 있다. 홍콩 시민들은 공식 기억에서는 벗어나거나 가려진 것들, 즉 망각 속에 파묻혀 있던 천안문사건의 흔적들을 찾아 현재의 시공간에 등장시킴으로써 희생자들을 공식화된 역사에서 지우려는 국가적 움직임에 대해 윤리적 물음을 제기해 갔다. 새로운 기억 주체의 등장은 공식 기억을 재구성하는 힘을 발휘하고 기억의 민주화를 가능케 했다는 점에서 의미를 갖는다.

디지털 미디어를 통해 소환, 공유, 확산되는 기억의 양적, 질적 변화는 국가의 경계를 넘는 지구적 연대를 생성하는 힘으로 작용했다. 소셜 미디어가 홍콩에서 벌어지고 있는 일들을 실시간으로 확산시키는 기능을 하고, 이에 대한 반응 또한 실시간으로 이루어지면서 홍콩 시민들은 영토 바깥으로 그들의 투쟁을 확대하고 순환시킬 뿐 아니라, 국제적인 지지를 끌어내는 구심력을 형성했다. 그 예로, 이 글은 한국의 5·18 민주화운동의 기억이 2019년 홍콩에 접합되고 재구성되는 과정을 살펴보았고, 이를 통해 시공간을 뛰어넘은 기억들의 공명이 엄청난 집합적 교감과 정감적 연대를 가져올 수 있음을 확인하였다. 그리고 여기서 다방향 기억 이론이 가진 함의를 도출할 수 있다. 기억공간으로 모이는 개별 기억들은 상호 경쟁하며 객관적 사실을 가리는 배타적 관계에 있는 것이 아니라, 그동안 몰랐던 서로의 아픔을 어루만지고 용기를 북돋우며 변화를 추동하는 관계를 형성한다. 뿐만 아니라, 기억을 매개로 이루어지는 초국가적 연대는 타자의 과거 경험과 기억을 현재화하여 '지금 여기'의 시공간에 놓여 있는 자신의 상황을 비판적으로 성찰하는 방향키가 되어 준다.

한편, 홍콩 시민들은 중국에 대항하는 방법으로 과거의 민주화 경험 공산에서 비롯된 기억들을 선취하고 현재의 홍콩에 접합하는 작업을 이어 가고 있다. 동시에, 시민들은 거침없이 시위 현장을 누비며 스마트폰으로 시위 현장을 글과 영상·사진 등으로 기록하며 국가 중심의 공식 기억에 대항하는 기억들을 생산하는 데 고투하고 있다. 교수, 학생, 청소년, 미술인, 음악인 등 다양한 계층의 사람들이 자발적인 동기를 갖고 동참하면서 자신이 할 수 있는 최선의 방식으로 홍콩 시위를 기록하는 중이다. 오늘날 홍콩 시민들이 대항기억을 기록으로 남기려는 실천들은 중국 당국과 언론이 생산하는 특정 지배기억의 독주를 제어하는 역할을 수행할 뿐만 아니라, 그들의 경험과 기억을 미래 세대에 남기기 위한 아카이빙 작업이라는 점에서 의의를 가진다.

홍콩 시민들이 2019년 홍콩 시위와 서로 다른 세 사건들(천안문사건,

우산혁명, 한국의 민주화운동)을 접합하고, 대항기억을 기록하는 작업이 의미 있는 것은 단순히 비극적 사건을 애도하기 때문이 아니다. 주류 미디어가 다루지 않는 공백 지대를 메워 주는 역할에 그치는 것도 아니다. 중요한 시대적 증언으로서의 2019년 홍콩의 기억에 새로운 정치적·윤리적 차원의 의미를 부과하고 있다는 점에서 그 가치와 의의를 찾을 수 있다. 홍콩 시민들은 결코 망각되어서는 안 되는 기억, 인류의 미래에 절대적인 흔적을 남겨야만 하는 기억을 스스로 기록하면서 홍콩다움의 정체성을 강화시킬 수 있는 미래상을 제시하고 있는 것이다.

이러한 기억 소환과 아카이브 작업이 이후 홍콩에서 어떤 역할을 하며, 그 기억들이 어떤 식으로 다시 환기되고 동원될지 지켜봐야 할 것이다. 중국과 구별되는 집단기억의 공간을 형성할 수도 있고, 아니면 더 이상 생생한 기억을 환기하지 못할 수도 있다. 기억의 궤도는 복잡하며 기억은 반드시 의도대로 결과를 만들어 내지 않기 때문이다. 앞으로의 홍콩 시위와 중국-홍콩 간의 정치제도 개혁의 추이를 지켜보아야 할 이유가 바로 여기에 있다.

참고문헌

나간채 · 정근식 · 강창일, 《기억 투쟁과 문화운동의 전개》, 역사비평사, 2004.
류영하, 《홍콩산책》, 산지니, 2019.
아스만, 알라이다, 《기억의 공간》, 변학수 · 채연숙 옮김, 그린비, 2011.
임지현, 《기억전쟁 – 가해자는 어떻게 희생자가 되었는가》, 휴머니스트, 2019.
정근식, 《항쟁의 기억과 문화적 재현》, 선인, 2006.

권윤경, 〈기억의 경쟁에서 기억의 연대로? 홀로코스트와 프랑스 탈식민화 기억의 다방향적 접합〉, 《역사비평》 113, 2015, 370~397쪽.
김선희, 〈인과적 과정추적을 활용한 정책학 연구방법 고찰 – 이론적 함의를 중심으로〉, 《정책분석평가학회보》 27(4), 2017, 123~147쪽.
김진용, 〈우산혁명은 왜 지속되지 못했는가?: 홍콩 시위의 발발과 파급력, 그리고 한계〉, 《동아연구》 71, 2016, 189~225쪽.
김진호, 〈홍콩 반환 10년 후 홍콩사회의 중국화 현상〉, 《중국연구》 40, 2007, 25~51쪽.
민병원, 〈국제관계 연구의 인식론: 웬트의 과학적 실재론에 대한 메타이론적 고찰〉, 《국제정치논총》 50(2), 2010, 7~33쪽.
민병원, 〈국제정치의 인과성과 메커니즘: 방법론적 고찰〉, 《한국정치연구》 24(2), 2015, 451~476쪽.
박선웅 · 김수련, 〈5 · 18 민주화운동의 서사적 재현과 문화적 외상의 한계〉, 《문화와 사회》 25, 2017, 117~160쪽.
백욱인, 〈모바일 소셜 네트워크 서비스와 사회운동의 변화: 대안 공론장과 네트워크 포퓰리즘〉, 《동향과 전망》 84, 2012, 130~159쪽.
샹바오, 〈홍콩을 직면하다 – 대중운동의 민주화 요구와 정당정치〉, 《역사비평》 128, 2019, 384~404쪽.
설진아, 〈이집트 민주화 혁명에서 SNS와 소셜 저널리즘〉, 《한국언론정보학보》 58, 2012, 7~30쪽.
유경남, 〈광주5월 항쟁 시기 광주의 표상과 광주민주시민의 형성〉, 《역사학연구》 35, 2009, 141~176쪽.

이희옥 · 김지현, 〈중국과 홍콩 관계의 성격 변화: 후견주의, 조합주의, 직접지배로의 발전〉, 《현대중국연구》 18(1), 2016, 39~72쪽.
임지현, 〈전지구적 기억공간과 희생자의식 – 홀로코스트, 식민주의 제노사이드, 스탈린주의 테러의 기억은 어떻게 만나는가?〉, 《대구사학》 125, 2016, 385~417쪽.
황레이, 《1997년 이후 홍콩 영화의 내러티브 구조와 홍콩 정체성 구성에 대한 연구》, 중앙대학교 석사학위 논문, 2017.

강재구, 〈이한열 어머니 "홍콩시위대 다치지 않길, 그리고 승리하길"〉, 《한겨레신문》 2019년 12월 4일자. URL: http://www.hani.co.kr/arti/society/society_general/919572.html
구정은, 〈중국의 홍콩 탄압, 그 배경엔 '광저우의 불안'〉, 《경향신문》 2019년 11월 20일자. URL: http://news.khan.co.kr/kh_news/khan_art_view.html?artid=201911201232001&code=970204
권기식, 〈홍콩 사태, '광주'가 아니다!〉, 《인민망한국어판》 2019년 11월 25일자. URL: http://kr.people.com.cn/n3/2019/1125/c203282-9635274.html
김이삭, 〈中 환구시보 "홍콩 시위대 IS 닮아가〉, 《한국일보》 2019년 11월 16일자. URL: https://www.hankookilbo.com/News/Read/201911161236360878
김정호, 〈홍콩 사태와 광주항쟁의 차이 3가지〉, 《다른백년》 2019년 11월 19일자. URL: http://thetomorrow.kr/archives/10873
김준영, 〈중국으로 반환된 홍콩, 20년이 지났지만…〉, 《프레시안》 2017년 6월 30일자. URL: pressian.com/m/m_article/?no=162139#08gq
노유정, 〈홍콩 민주화 시위 지지…연세대생들 '침묵 행진'〉, 《한국경제》 2019년 11월 19일자. URL: https://www.hankyung.com/society/article/201911185342i
박세준, 〈끝나지 않은 홍콩 시위의 미래〉, 《동서중국》 2019년 8월 1일자. URL: http://dsuchina.kr/user/0006/nd73311.do?menuCode=kor&zineInfoNo=0006&pubYear=2019&pubMonth=08
상 현, 〈한국에 사는 한국인이 홍콩을 위해 할 수 있는 일〉, 《프레시안》 2019년 10월 27일자. URL: http://www.pressian.com/m/m_article/?no=262820#08gq
안승섭, 〈홍콩 시위대, SNS로 모금해 한국 등 세계 언론에 광고 게재〉, 《연합뉴스》 2019년 8월 20일자. URL: https://www.yna.co.kr/view/AKR20190820 156300074
안승섭, 〈홍콩 경찰, 시위 현장 취재마저 막아…취재기자 7시간 구금〉, 《연합뉴스》 2019년 10월 29일자. URL: https://www.yna.co.kr/view/AKR20191029094300074

이상원, 〈대학가 대자보 찢는 '중국산 민주주의'〉, 《시사IN》 2019년 12월 3일자. URL: https://www.sisain.co.kr/news/articleView.html?idxno=40741

이승호, 〈中금기어 꺼낸 트럼프 "홍콩, 제2 천안문되면 무역협상 어렵다"〉, 《중앙일보》 2019년 8월 19일자. URL: https://news.joins.com/article/23555417

장정아, 〈홍콩 시위에서 확인한 얼굴의 힘〉, 《한겨레신문》 2019년 10월 12일자. URL: http://www.hani.co.kr/arti/society/society_general/912938.html

조문영, 〈1997년 베이징, 2019년 홍콩〉, 《한겨레신문》 2019년 10월 23일자. URL: http://www.hani.co.kr/arti/opinion/column/914329.html

현지용, 〈홍콩 시위 전시회, "알아주는 것만으로도 나비효과 된다"〉, 《시사주간》 2019년 11월 16일자. URL: http://www.sisaweekly.com/news/articleView.html?idxno=22292

홍명교, 〈홍콩과 영덕의 디아스포라〉, 《주간경향》 2019년 10월 1일자. URL: http://weekly.khan.co.kr/khnm.html?mode=view&artid=201909271435151&code=124

홍명교, 〈홍콩 항쟁에서의 미디어: 억압 장치 혹은 저항의 도구〉, 《ACT!》 2019년 12월 16일자. URL: https://actmediact.tistory.com/1427

홍호평, 〈세 가지 시선, 홍콩의 과거, 현재 그리고 미래〉, 《레디앙》 2014년 11월 7일자. URL: http://www.redian.org/archive/80140

Beck, U., *The Cosmopolitan Vision*, Cambridge: Polity Press, 2006.

George, A. & Bennett, A., *Case Studies and Theory Development in the Social Sciences*. Cambridge: The MIT Press, 2005.

Halbwachs, M., *On Collective Memory*. (Lewis, A. C., Trans.). Chicago, IL: The University of Chicago Press, 1992.

Louisa, L., *The People's Republic of Amnesia: Tiananmen Revisited*, New York: Oxford University Press, 2014.

Neiger, M. Meyers, O. & Zandberg, E., "Localizing Collective Memory: Radio Broadcasts and the Construction of Regional Memory," In Neiger, M. Meyers, O. & Zandberg, E. (Eds.), *On media memory: collective memory in a new media age*, London: Palgrave Macmillan, 2011, pp.153-173.

Reading, A., "Memory and Digital Media: Six Dynamics of the Globital Memory Field," In Neiger, M. Meyers, O. & Zandberg, E. (Eds.), *On media memory: collective memory in a new media age*, London: Palgrave Macmillan, 2011, pp. 241-252.

Rothberg, M., *Multidirectional Memory: Remembering the Holocaust in the Age of Decolonization*. Redwood City, California: Stanford University Press, 2009.

Wang, Z., *Collective Memory and National Identity In Memory Politics, Identity and Conflict*, London: Palgrave Macmillan, 2017, pp. 11-25.

Zelizer, B., "Photography, Journalism, and Trauma. Journalism," In Zelizer, B., & Allan, S. (Eds.), *After September* 11, London & New York: Routledge, 2002, pp. 55-74.

Gould, C., "Transnational Solidarities," *Journal of Social Philosophy* 38(1), 2007, pp. 148-164.

Huyssen. A., "Present pasts: Media, politics, amnesia," *Public Culture* 12(1), 2000, pp. 21-38.

Martin, L., "Institutions and Cooperation: Sanctions during the Falkland Islands Conflict," *International Security* 16(4), 1992, pp. 143-178

Nora, P., "Between Memory and History: Les Lieux de Mémoire," *Representation* 26, 1989, pp. 7-24.

Alexander, G., "Opinion: Another Tiananmen Square in Hong Kong?," *Deutsche Welle*, 2019. 8. 22. URL: https://www.dw.com/en/opinion-another-tiananmen-square-in-hong-kong/a-50116602

Blanchette, J., "How Close Is Hong Kong to a Second Tiananmen?," *Foreignpolicy*, 2019. 8. 14. URL: https://foreignpolicy.com/2019/08/14/how-close-is-hong-kong-to-a-second-tiananmen/

Cheng, K., "Hong Kong police used crowd control weapons 30,000 times since June; over 6,000 arrested," *Foreignpolicy*, 2019. 12. 19. URL: https://hongkongfp.com/2019/12/10/hong-kong-police-used-crowd-control-weapons-30000-times-since-june-6000-arrests

DemDigest, "Another Tiananmen? Alarming echoes of 1989 in Hong Kong protests," *Democracy Digest*, 2019. 8. 19., URL: https://www.demdigest.org/another-tiananmen-alarming-echoes-of-1989-in-hong-kong-protests/

Schell, O., "Tiananmen in Hong Kong-The Alarming Echoes of 1989," *Foreign Affairs*, 2019. 8. 19. URL: https://www.foreignaffairs.com/articles/china/2019-08-19/tiananmen-hong-kong

Sudworth, J., "Hong Kong march: Thousands join largest pro-democracy rally in months," *BBC*, 2019. 12. 8. URL: https://www.bbc.com/news/world-asia-china-50704137

Susteren, V., "VOA Interview: John Bolton's Take on World's Hotspots," *Voanews*, 2019. 8. 14. URL: https://www.voanews.com/usa/voa-interview-john-boltons-take-worlds-hotspots

국가폭력에 저항하는 아시아 공동 행동: https://www.facebook.com/ACABforHK/
홍콩 민주화운동 아카이브 〈동행同行〉: https://hkdarch.org/
초단편 만화 온라인 전시회 〈홍콩, 봄〉: https://tumblbug.com/springhk?ref=discover
홍콩을 도와주세요: https://twitter.com/PlzHelpHKers
홍콩의 진실을 알리는 학생모임: https://www.facebook.com/speakforHK.kr/

2부

탈식민 시기, 이동하는 문화

복수複數의 경계를 넘어

: 북한 민족음악의 남한 이동

김희선

이 글은 《이화음악논집》 제24집 제2호(2020.6)에 게재된 원고를 수정 및 보완하여 재수록한 것이다.

복수複數의 경계를 넘은 북한음악

세계화 이후 국경과 경계를 넘나드는 초국적 문화 흐름은 다양한 대중문화 생산물의 글로벌 생산과 소비를 만들어 냈으며 로컬의 문화 생산과 소비 행위 방식에도 많은 변화를 불러일으켰다. 이러한 초국적 문화 흐름과 관련한 기존 연구는 매개자로서의 프런티어, 문화접경지, 접경지 매개자들에 주목하였고 시간 · 공간 · 상호작용 · 이주 · 이동 · 디아스포라 · 코즈모폴리터니즘 등의 문제의식을 드러냈다. 이 글은 다양한 초국적 경로를 통해 이념, 국경, 문화 등 복수複數의 경계를 넘어 남한으로 이동한 북한음악을 고찰한다.

1945년 해방 이후 한반도는 이념으로 나뉘는 혼란의 시기를 거쳐 1950~1953년의 한국전쟁 이후 분단국가가 되었다. 1948년 각기 다른 이념을 지향하는 남북한 정부가 수립된 이래 왕래와 교류가 차단되고 분단이 고착되어 정치 · 사회뿐 아니라 전통예술도 각기 다른 방향으로 전개되었다. 민주주의에 기반한 민족국가 수립을 최우선 과제로 삼았던 남한은 전통예술의 보존과 전승을 위한 제도화를 구축한 반면, 북한에서는 사회주의를 바탕으로 민족주의를 결합한 북한식 주체예술의 자장 안으로 민족예술을 통합하였다. 분단 이후 남북한의 첫 교류는 1971년 이산가족 상봉을 위한 남북적십자회담이었고, 1980년 후반 들어서 한국 사회의 민주화운동에 힘입은 7 · 7특별선언 이후 남북교류가 시작되었다. 남북교류의 시작은 남북 음악축전과 남북 예술공연단의 교류 연주였다. 1988년 서울올림픽을 전후로 대북 문화정책의 변화가 시작되고 1991년 납 · 월북 예술가들에 대한 해금 조치가 시행되었다. 이후에도 남북관계의 흐름과 정치적 필요에 따라 공적 차원의 예술교류가 이어졌다.

분단 이후 남한에서 북한을 대하는 태도는 「반공법」(1960년 제정 1980년 폐지, 이후 「국가보안법」(1948년 제정, 2016년 13차 개정)으로 통합)에 기반한 적대적 반공주의였으며, 북한 문화는 낯설고 이질적인 것으로 여겨졌다. 한국전쟁 전후 월북한 예술가들의 이름의 사용은 금기시되었으며, 집체예술로 표상되는 북한예술은 프로파간다적 스펙터클로, 호기심의 대상으로 여겨져 왔다. 남한의 전통예술계에서는 북한 민족음악의 전승과 변용에는 관심이 있었으나, 공식적 차원을 넘는 민간 차원의 민족예술 상호교류는 현재도 요원한 상황이다. 이러한 가운데 1990년대 후반부터 지난 20여 년에 걸쳐 광범위하게 진행되어 온 북한음악의 남한 이동은 국가 기반 남북교류의 흐름과 상이한, 공적 차원 외부에서 벌어진 문화의 흐름이자 생각보다 광범위하게 남한의 전통음악계에 수렴되고 있다는 점에서 매우 흥미로운 현상이다.

이 글은 북한음악의 남한 이동이 가능했던 아시아 내 정치·문화예술사적 부침의 맥락과 이를 배경으로 한 다층적인 초국적 문화 흐름, 디아스포라 이주 예술가와 남한 예술가 등 다층적 매개자들의 개입, 악기·악곡·연주자의 유입 등 북한음악 이동의 구체적 양상, 복수複數의 경계를 넘어온 북한음악의 남한음악계 수용에 수반된 재맥락화의 문화 번역 과정과 정치학을 논의하려 한다.

북한음악 이동의 정치·문화예술사적 맥락

북한음악의 남한 이동은 아시아를 가로지르는 초국적 이동이었으며, 여기에는 식민 지배, 이념 갈등, 이주, 전쟁, 수교 등 수십 년에 걸친 아시아의 정치·사회·문화사적 부침이 맥락적 배경으로 작용하였다. 먼저 북한음악의 남한 이동의 배경이 된 자이니치 총련계와 연변 조선족 디아스포라의 북한음악 전승, 한-중수교와 연변 조선족의 남한 귀환, 한-일수교와 일-북관계의 변화와 재일교포 귀환을 살펴보고자 한다.

자이니치의 정치적 부침과 북한 민족음악

자이니치는 재일在日한국인을 지칭하는 명사이다. 자이니치의 민족음악문화 전승과 남북 민족예술의 가교 역할은 선행 연구를 통해 고찰된 바 있다.[1] 일제강점기 강제징용 등의 방식으로 일본에 건너간 조선인은 한국전쟁이 끝날 무렵 230여만 명이었고, 이 가운데 일본에 잔류한 60만 명이 자이니치 1세대이다. 이들은 한반도에 대한민국과 조선민주주의인민공화국 정부가 수립되면서 일본국적을 잃고 두 개의 조국 중 하나를 국적으로 선택해야 했다. 이후 남북분단과 한국전쟁으로 한반도에 혼란이 고착되면서 동포사회도 남 혹은 북을 지지하는 기반에 따라 갈라서기 시작하여 재일본대한민국거류민단(이하 민단), 재일본조선인총연합회(이하 총련), 그리고 어느 쪽도 선택하지 않은 무국적으로 나뉘었다. 그러나 실제로 이들은 법적으로는 모두 무국적 이방인이었

1 유영민, 〈남과 북의 가교: 재외동포의 남북한 음악전승〉, 《동양음악》 30, 2008, 181~198쪽; 유영민, 〈디아스포라 음악과 정체성: 재일조선인 음악을 중심으로〉, 《낭만음악》 21(4), 2009, 59~79쪽; 유영민, 〈경계를 넘나드는 디아스포라 정체성과 음악: 자이니치 코리안의 음악을 중심으로〉, 《음·악·학》 10-1, 2011, 7~36쪽; 박순아, 〈금강산 가극단: 재외동포가 해외에서 유지한 한국전통음악문화〉, 《음악과 문화》 25, 2011, 57~90쪽; Sun-hee Koo, "Zainichi Korean Identity and Performing North Korean Music in Japan," *Korean Studies* 41, 2019, pp. 169~195; 국악방송, 〈자이니치 공존의 아리랑〉, 다큐멘터리 2013년 1월 28~29일 방송.

다. 북한은 국제정치에서 우위를 점하면서 동시에 노동력 확보를 위해 자이니치를 대상으로 귀국사업을 벌였고, 일본 정부의 협력으로 1959년 12월부터 1962년까지 3년 사이에 9만 명이 북송사업(귀국사업)으로 북송선(귀국선)을 통해 "지상낙원" 북한으로 건너갔다.[2]

제2차 세계대전 패망부터 1960년대 초반까지 일본은 남북한 어느 측과도 교류 관계를 맺지 않았다. 1965년 한일국교정상화 이후 협정영주자격이 부여되면서 한국국적을 선택한 자이니치에게 영주권이 주어졌고 한-일 간 이동도 자유로워졌다. 그러나 북한과의 협정은 없어 남한을 선택하지 않은 총련계 24만여 명의 북한 방문은 불가능하였다. 이후 1979년 국제인권협약에 가입하고 1980년 일본 정부가 무국적 이방인에게도 재입국 허가를 내주면서 총련계에게 북한 방문의 길이 열리게 되었다. 그러나 남한이 고향이어도 국적이 없는 자이니치의 남한 방문은 불가능하였다. 1981년에는 유엔난민협약에 가입하여 자국민과 외국인을 동등하게 대우할 법적 근거를 갖추게 되자, 자이니치는 일본 영주권 취득 자격을 갖고 해외여행도 가능하게 되어 이들에게도 남한 방문의 길이 열렸으며,[3] 북한국적 혹은 일본국적을 이탈하여 남한의 국적을 취득한 자이니치의 남한 귀환이 시작되었다.

조국을 떠나 이방인으로 일본 사회에 거주했던 자이니치에게 민족정신은 무엇보다 중요했다. 자이니치는 학교교육을 통해 민족교육을

2 1959년 12월부터 1984년 8월까지 자이니치의 집단이동인 '북송北送'사업은 북의 입장에서 '귀국사업'이라 불리웠다. 이 대규모 인구 이동은 1960년 4만 9천 명 이상이 참여했고 전 기간에 걸쳐 총 9만 3,340명이 북송되었다. 오태영, 〈월경의 욕망, 상실된 조국 – 탈북 재일조선인의 귀국사업에 관한 기록과 증언을 중심으로〉, 《구보학보》 19, 2018, 205~206쪽.

3 유영민, 〈남과 북의 가교: 재외동포의 남북한 음악전승〉, 189쪽.

시작하였고 이를 위해 1946년 도쿄에 조선중학교를 창립하였다. 1949년 일본 정부가 재일본조선인련맹(조련)을 해체하고 민족학교 폐쇄령을 내리면서 민족교육이 잠시 주춤했으나, 1955년 총련의 조직과 함께 민족교육도 재개되어 전국에 민족학교를 운영하기 시작했으며, 총련과 함께 재일조선중앙예술단(이후 '금강산가극단')을 조직하여 민족예술을 연마하였다. 남북한 어디와도 교류하지 못했던 1960년대 초반 자이니치의 민족예술교육은 북한을 통해서 이루어졌다. 북한은 악보 · 민족악기 · 음악가를 제공했고 재일조선중앙예술단 단원들은 북송선인 만경봉호 선상에서 민족음악을 전승받았다.[4] 같은 시기 북한에서 각급 민족학교에도 가야금 · 아쟁 · 피리 · 비파 · 양금 · 해금 · 대금 등 22종 97점의 민족악기를 보내어 민족음악교육이 시작되었다. 재일조선중앙예술단의 사용 악기가 점차 민족악기로 전환되면서 북한의 음악과 춤으로 재조직한 공연을 시작했다. 1970년대부터는 일본 정부가 총련의 지도급에게 북한 여행 허가를 내주었고 총련 산하 재일조선중앙예술단의 북한 방문도 가능해졌다. 재일조선중앙예술단은 1974년 평양을 방문하여 김일성 앞에서 공연을 펼친 뒤 북한의 5대 혁명가극의 하나인 〈금강산의 노래〉를 전수받았다. 이를 계기로 '금강산가극단'으로 개명하고 1975년까지 일본에서 여러 차례 〈금강산의 노래〉를 공연하였다. 금강산가극단은 총련 소속이면서 한편으로는 북측 유일의 국립해외예술단

4 유영민, 〈디아스포라 음악과 정체성: 재일조선인 음악을 중심으로〉, 《낭만음악》 21, 2009, 59~79쪽. 이에 대한 기억은 당시 이에 참여하여 이후 일본에서 조선예술을 전승한 예술가들에게 중요하게 각인되어 있다. 장광열, 〈최승희 춤 보급 20년 재일무용가 백홍천, 최승희 춤 문화유산 남북교류로 더 많이 공유해야〉, 《춤웹진》 78, 2016년 2월호 및 《재외동포원로예술가 구술채록 일본편》, 국립국악원, 2019.

이 된 것이다. 금강산가극단의 단원들은 민족학교에서 민족예술을 교육받은 학생들이었는데, 이들 중 일부는 통신수강이라는 명칭으로 북한을 방문하여 장 · 단기 교육을 받을 기회를 갖게 되었다. 김일성종합예술대학(평양음악무용대학, 현 김원균명칭음악종합대학)에서 교육을 받고 돌아온 이들 중 일부는 금강산가극단 단원으로 선발되어 활동하였다. 즉, 금강산가극단은 북한 유일의 해외예술단이자 자이니치 사회의 유일한 민족예술 전문단체이기 때문에 자이니치 예술은 오랫동안 기본적으로 북한 민족예술과 동일시된 것이었다.[5]

이러한 자이니치 사회에 남한의 음악이 소개된 것은 1980년대 전 세계적인 선풍을 일으킨 사물놀이를 통해서이다. 금강산가극단과 조선학교에서도 사물놀이 강습이 시작되고 1990년대에는 사물놀이를 배우려 한국을 찾는 자이니치도 증가하였다.[6] 자이니치 음악인들 사이에서 북한 민족음악뿐 아니라 남한의 전통음악에 대한 관심이 증가하면서 한국으로 유학을 오거나 국적을 바꾸는 귀화 자이니치 음악인이 등장한 것이다. 남북관계가 호전되고 남북 예술교류가 적극적으로 시작되던 2000년 6 · 15남북공동선언 이후 금강산가극단은 창단 45년 만에 최초로 서울에서 공연하였으며, 2002년에는 부산 · 전주 공연이 진행되었다. 2007년에는 2차 남북정상회담 및 6 · 15남북공동선언 7돌을 기념하는

5 국립국악원, 《재외동포원로예술가 구술채록 일본편》, 국립국악원, 2019; 유영민, 〈남과 북의 가교: 재외동포의 남북한 음악전승〉, 181~198쪽; 유영민, 〈디아스포라 음악과 정체성: 재일조선인 음악을 중심으로〉, 7~36쪽; 김채원, 〈재일조선인 무용 연구 – 금강산가극단을 중심으로〉, 《대한무용학회》 53, 2007, 39~54쪽; 김채원, 〈북한춤의 해외전파: 일본과 중국을 중심으로〉, 《공연문화연구》 22, 2011, 185~221쪽; 박순아, 〈금강산 가극단: 재외동포가 해외에서 유지한 한국전통음악문화〉, 67~69쪽.

6 유영민, 〈디아스포라 음악과 정체성: 재일조선인 음악을 중심으로〉, 72쪽.

〈조선무용 50년 북녘의 명무〉 내한공연이 진행되어 북한음악을 전승한 이들 단체와 예술가에 의해 북한음악이 남한에 소개되기 시작했다.

연변 조선족의 남북교류와 민족음악

북한음악 유입의 또 다른 경로는 중국 연변자치구의 조선족 디아스포라이다. 조선족은 러시아와 한반도를 국경으로 하고 있는 중국 길림성吉林省 연변延邊자치구 지역에 거주하는 디아스포라 한인을 지칭한다. 시기적으로는 1860년경 가난을 피해 이주한 자들로 시작하여 이후 일제강점기를 거치면서 중국에서의 독립운동과 만주의 일본 산업체에서 일하기 위해 이주한 조선인들이었다. 1949년 중국 인민정치협상회부터 1952년 연변조선족자치주 성립 시기에 조선족 공동체가 형성되면서 '조선족'의 개념도 확립되었으며 법적으로 중국 소수민족의 일원이다. 이들은 연변 경내의 8개 시(연길시 · 도문시 · 훈춘시 · 용정시 · 화룡시 · 돈화시)와 현(안도현 · 왕청현)에 거주하고 있다. 사회주의체제라는 동질성으로 조선족 사회는 북한과 친연성을 유지해 왔다. 조선족 사회의 남-북한 사회와의 관계 변화는 1992년 한-중수교에 기반한다. 수교 이후 조선족 사회에서는 전례 없는 초국적 이주가 벌어지기 시작하는데, 특히 1997년에 발효된 한인귀환정책Overseas Korean Act이 이를 더욱 가속화하였다. 오랫동안 교류가 없었으나 과계민족科契民族이라는 민족 친연성을 바탕으로 경제적으로 우위에 있었던 남한으로 친척 방문, 노무 송출, 국제결혼, 유학 등 다양한 목적과 경로를 통해 이주하게 된 것이다.[7]

7 박경화 · 박금해, 〈민족과 국민사이: 조선족의 초국가적 이동과 민족정체성의 갈등〉, 《한국학연구》 39, 2015, 450~456쪽.

앞서 자이니치와 마찬가지로 연변 조선족 사회에서도 민족정체성은 매우 중요한 존립 근거였고, 민족예술의 전승과 교육을 통해 정체성을 유지하고자 하였다. 연변의 전통음악문화는 19세기 중엽부터 전승된 한민족의 음악문화 위에 새로운 사회체제의 한족 및 기타 여러 소수민족 문화와 상호 교류하며 이루어진 음악문화이다. 연변 조선족 음악문화는 크게 1949년 사회주의체제 이전, 1949~1976년 중국의 사회주의 혁명 시기, 1976년 문화대혁명 이후 시기의 세 시기로 나뉜다. 1949년 이전에는 조선족의 이주와 함께 정착한 음악으로 민요 · 신민요 · 판소리 · 가야금 · 해금 · 단소 · 피리 · 대금 · 태평소 · 통소 등이 명맥을 이어 왔다. 1946년 연변가무단도 설립되어 민족예술을 전승 · 유지하고자 하였다. 1949년 중국의 사회주의혁명 이후에는 사회주의 문예방침과 리얼리즘 노선을 따르는 음악을 발전시키면서 농악이 농악무로 창작되는 등 민속놀이에서 무대 공연화의 길로 변화한다. 1957년 연길시에 조선족 유일의 예술학교인 연변예술학교가 설립되었다. 이후 연변예술학교는 길림예술학원 연변분원, 연변대학예술학원으로 명칭이 변경되었다. 남북 분단 이후 연변 조선족은 정치적으로 같은 체제를 가진 북한 전통음악의 일방적인 영향을 받게 된다. 이 시기 북한의 전폭적 지원을 받고 있던 월북 무용가 최승희 무용이 조선족 사회에 본격적으로 소개되고,[8] 지속적으로 북한과의 친연성을 유지하게 되었다. 민요 가운데 신앙의식요인 불교의식요, 무속의식요 등은 비판의 대상이 되어 부르는 것이 금지되고 민요의 수집 정리에서도 제외되었다.

8 김채원, 〈북한춤의 해외전파: 일본과 중국을 중심으로〉, 207쪽.

1966~1976년 문화대혁명 시기에는 중국 내 문화예술과 마찬가지로 조선족의 민속예술 전체가 부정되면서 민요 전승이 단절되었다. 그러나 1976년 천안문사건으로 문화대혁명이 막을 내리자 문화예술 복권이 이루어졌다. 이후 연변의 민족음악계는 본격적으로 북한과 교류를 시작하였는데, 대표적인 사례는 1980년대 후반 연변대학예술학원에서 여러 차례에 걸쳐 북한에 유학생을 파견한 일이다. 이들은 북한에서 북한식 주체발성법, 개량악기, 음악이론을 학습한 후 연변으로 돌아와 이를 교육하였다. 연변대학예술학원 교수였던 김진(1926~2007)은 북한에서 안기옥 가야금산조를 학습하였으며 1987년에도 박춘희(민족성악), 김동설(개량젓대), 김영일(장새납), 김호윤(장새납), 신호(음악이론), 남희철(음악이론), 김수현(개량가야금) 등이 평양 유학을 통해 북한의 민족음악을 학습하고 돌아왔다. 또한 북한의 '양강도예술단', '양강도소년예술단', '함경북도예술단', '함경북도청년예술단'이 연길 · 장춘 · 하얼빈 등에서 순회 방문공연을 가졌고 북의 대표적인 연주단체인 '만수대예술단'은 심양에서 공연을 갖기도 했다.[9]

남한의 전통음악계는 중국과의 수교를 전후로 연변 조선족의 민족음악계에 관심을 갖고 교류를 시작하였다. 수교 직전인 1991년부터 서한범을 단장으로 한 16인의 국악공연단, 대표적인 원로 정악단체인 '정농악회', 국립기관인 국립국악원이 연변을 방문하였다. 1992년 한-중수

9 이훈, 〈중국 조선족 음악과 전통의 문제 - 타민족과 다른 지역의 영향을 중심으로〉, 《동양예술》, 2004, 432~470쪽; Sun-hee Koo, "Sound of the Border: Music, Identity, and Politics of the Korean Minority Nationality in the People's Republic of China," Ph.D. Diss. University of Hawaii. 2007; Sun-hee Koo, "Instrumentalizing Tradition?: Three Kayagŭm Musicians in the People's Republic of China and the Construction of Diasporic Korean Music," *Asian Music* 46-1, 2015, pp. 78~109.

교 이후 연변 조선족 민족음악계와 남한 국악계의 교류는 더욱 활발해졌다. 연변 민족예술단의 한국 초청공연(1993년 무용극 춘향전, 1998년 배합관현악단, 2000년 무용 공연, 2019년 '연변가무단' 무용 부문 국내 첫 단독공연 〈해란강의 여령들—그 70년의 여정〉)이 진행되었다. 또한 남한과 연변의 연주자와 연구자들은 공연 · 교육 · 학술교류 행사를 지속해 왔고 연변대학과 연변예술단을 중심으로 남한 대학으로 전통음악 학습과 학위 취득을 위한 예술가들의 유학 이주가 증가하였다.

북한음악 남한 이동의 경로와 과정

앞서 살펴보았듯 남북한을 중심으로 전개된 20세기 동북아시아의 정치·문화예술사는 북한음악의 남한 이동을 직접 매개한 간間-아시아 Inter-Asia 인적 이동의 조건이었다. 특히 북한음악을 전승한 일본과 연변의 디아스포라 한인과 이들의 본국 귀환, 남한 전통음악계와 디아스포라 민족음악계의 교류는 북한음악 이동의 주요 매개가 되었다.

사회주의 정권 수립 이후 북한 민족음악의 변용과 전개는 남한 연구자들의 관심사였으나 폐쇄적인 북한 사회의 특성상 북한음악계의 정보와 자료를 구하기 어려웠고 법적 허용 범위도 제한적이었다. 남북교류 이후에도 민간의 직접교류는 불가능하였기 때문에 남한에서 북한음악에 대한 정보와 자료를 구할 수 있는 경로는 북한음악을 전승한 디아스포라 사회를 통해서였다. 연변 민족음악계와의 교류는 한-중수교 직전이에 관심을 가진 남한 전통예술가들로부터 시작되었다. 앞서 잠시 언급한 대로 가장 앞선 시기의 교류는 1991년 서한범(1945년생, 피리 전공, 당시 단국대학교 교수 및 충남국악관현악단 상임지휘자)을 단장으로 한 국악공연단 16인의 연길 방문공연이었다. 당시 연변대학예술학원의 교수이자 민족성악가인 전화자가 1990년 남한 전승 경서도 소리를 학습하러 서울의 국립국악원에 방문 체류 중이었다. 전화자 교수를 통해 연변 조선족 민족음악의 상황, 안기옥에게 산조를 배운 김진 선생의 존재, 안기옥-김진을 통한 북한의 가야금 산조의 존재 등을 알게 된 서한범은 연변 민족음악계와의 교류를 결심하고 당시 연변대학예술학원 부학장이었던 정준갑(1941~1995)과 서신을 왕래하며 연변 공연을 준비하였다. 1991년 7월, 서한범을 단장으로 황득주(거문고), 조주우(해금), 홍도후(대금), 김금숙(경기소리), 김명숙(춤) 등 남한의 전통예술가 16인이 국악공연단을 구성하여 연변대학예술학원(당시 길림예술학원 연변분원)의 초청장을 받아 방문하여 공연하였다.[10] 이들은 공연뿐 아니라 음반, 악보, 논문집, 저서, 교육자료 등을 교환하고 수업 참관, 시범연주, 공개강습, 교류공연 등을 진행한 후 지속적인 교류를 기약하고 돌아왔다.[11] 같은 해 남한 국악계의 원로로 구성된 '정농악회'(당시 정재국, 김정자, 김선한, 강사준, 박용호, 김종식, 황규일, 박문규 등 참여)도 연변대학예술학원에서 해외동포 국악 실기교육 및 공연을 시작하였다.[12] 가야금 연주자 양승희(1948년생)도 같은 해 연변을 방문하여 월북 국악인 안기옥(1894~1974)의 제자인 김진(연변대학예술학원 교수)을 만나 안기옥 가야금산조 악보를

10 〈서한범 교수의 우리음악 이야기〉 시리즈, 《우리문화신문》

11 그러나 예상과 달리 정준갑 교수의 갑작스런 병사로 교류는 지속되지 못했다.

12 정농악회는 1976년 설립되었다. 정농악회의 교류도 고 정준갑 교수를 통해 이루어졌는데, 중국과 정식 교류 이전이어서 친지 초청, 친지 방문 등의 방식으로 연변을 방문할 수 있었다(김승근 면담). 한국 전통음악의 공연과 교육을 목표로 1990년 이후 북경, 길

입수했다.[13] 국립국악원도 1991~1996년 해외교포 국악강좌(해금 · 거문고 · 대금 · 거문고 · 가야금병창 · 피리 · 사물놀이 · 무용 · 민요)를 진행하여 연변 조선족 사회에 남한에서 전승·보존한 전통음악을 교육하기 시작하였다. 초기의 이러한 교류를 통해 구축된 인적 네트워크는 중국과의 수교 이후 연변 지역 연주자들이 남한으로 유학 이주하는 매우 중요한 통로가 되었다.

한편 거문고 연주단체 '금율악회'를 창단한 이세환(1952~2020)은 1994년부터 자이니치 음악인들과 교류를 시작하며 일본의 전통음악과 무용을 거문고 음악에 접목시키며 한국에 소개하는 작업을 시작하였다. 1998년에는 일본에 거문고 음악동호회 '거문고회'를 결성하는 데 기여하는 등 자이니치 민족음악계와 교류하였다.

남한 국악계에서 디아스포라 민족음악계에 관심을 갖게 된 또 다른 중요한 맥락은 국악의 현대화 담론으로, 이는 국악기 개량改良의 현실과 논란 사이에 놓여 있기도 하다. 남한의 악기 개량에서 실제로 소기의 성과를 거둔 악기는 가야금이었다. 1995년 국립국악관현악단의 개량사업의 결과물인 22현 가야금으로 시작하여 2000년에 등장한 25현 개량가야금은 7음 음계로 조율함으로써 5음 음계인 12현의 전통가야금이나 1990년대에 개량된 5음 음계 바탕의 17 · 18 · 21현 가야금과

림시, 심양시, 요녕성 등 교류 지역을 다변화하여 2006년까지 교류를 지속하였다. 정농학회 창립 30주년 기념 전통음악연주회 프로그램(2008. 3. 28, 국립국악원 우면당)

13 양승희는 이후 《안기옥 가야금산조연구 1》(은하출판사, 2003), 《산조연구》(가야금산조현창사업추진위원회, 2011), 《김창조와 가야금 산조, 악성 김창조 선생》(영암군, 2012) 등을 출판했다.

는 근본적 차이가 있었다.[14] 7음계로 조현된 25현 가야금은 새로운 연주법을 필요로 했기에, 자연스럽게 시기적으로 앞서 개량을 진행한 북한과 연변의 개량가야금에 관심을 갖게 되었다. 이 과정에서 가야금 연주자들은 연변예술대학의 가야금 전공 교수로서 북한에서도 학습한 바 있는 김성삼(1955년생, 김진 제자, 중국 비물질 문화재 보유자)과 연변가무단의 박미화를 초청하여 비공식적 워크숍 형태의 학습을 진행하기도 하였다. 이후 다시 언급하겠지만 국악계에서 25현 가야금의 등장은 일본과 연변의 가야금 연주자들이 남한의 국악 제도권 안으로 진입하는 계기를 제공하였다.

남한에서 국악기 개량에 대한 논의와 필요성은 1960년대 이후 국악의 현대적 제도화의 성립과 연동되어 제기된 국악 현대화 담론과 함께 등장하였다. 국악 현대화와 함께 1959년 최초로 국악과를 설립한 서울대학교에서는 국악 작곡가 양성을 시작했다. 민속악계의 국악기개량사업은 국악예술학교와 민속악인들이 주축이 된 국악연구소 부설 국악기개량연구회를 통해 1961년부터 시작되었고, 국가기관으로 1951년 개원한 국립국악원의 악기개량사업도 1964년부터 공식적으로 시작되었다.[15] 현대적 방식으로 창작된 당시 '신국악' 연주를 위해 국악기 개량은 필수적이었으며, 1965년 등장한 국악관현악단(서울시립국악관현악단)

14 김희선, 〈쟁 · 고토 · 가야금 개량의 역사적 전개〉, 《한국음악사학보》 40, 2008, 61~105쪽.

15 국립국악원 악기개량사업은 1964년부터 1989년까지 총 4차례 추진되었다. 김성국 · 김석순, 〈악기 개량과 국악창작의 활성화〉, 《국립전통예술중고등학교 60년사 1960~2020》, 국립전통예술중고등학교, 2020, 290~299쪽; 국립국악원, 《국립국악원 악기연구소 세계를 향한 이 시대의 악기조성청》, 국립국악원, 2006; 서인화, 〈남과 북의 악기개량〉, 《동양음악》 30, 2008, 45쪽.

은 새로운 현대적 연행으로, 국악관현악을 위한 창작곡의 필요성만큼이나 악기 개량의 필요성을 인식하게 하였다.

그러나 한편 국악계에서 악기 개량은 '정통성'의 차원과 국악 범주의 보수성에서 논란의 대상이 되었는데, 이는 1964년 공표된 「문화재보호법」과도 관련이 있다. 식민지를 거치며 변질되거나 주변화되었던 국악이 보존 · 전승되어야 할 국가의 당위적 보호 대상이 되면서 "원형"을 지켜야 한다는 본질주의적 관점이 내면화하기 시작한 것이다. 같은 시기 고등학교와 대학 국악과 등 고등 전문가 양성 교육의 현대적 제도화를 이루었던 국악계에서 '보존 · 전승'과 '현대적 계승'은 성취해야 할 시대적 과제였으나 동시에 모순적이기도 했다. 국악의 현대화 담론은 현실에서 신국악 창작곡, 악기 개량과 동일시되었지만 개량악기는 기본적으로 '원형'의 '정통성'을 가질 수 없었기에 '무국적' 악기라는 비판적 평가를 받는 등 모순적 태도를 견지하게 됨으로써, 남한에서 악기 개량 작업은 국가적으로 표준 개량악기를 구축하는 등의 진전을 보지 못한 채 민간의 영역으로 남겨졌다.

1993년 박범훈(1948년생)을 중심으로 결성된 '오케스트라아시아Orchestra ASIA'를 통한 간-아시아 전통음악 연대는 동시대 동북아시아 지역의 전통 민족음악의 현대화 수준을 체감하고 동시에 국악계에 국악 현대화와 국악기 개량의 의제를 확인시켜 준 계기가 되었다. 오케스트라아시아는 한·중·일 3국의 전통음악계가 연대한 결과물이었는데 한국에서는 1987년 설립된 중앙국악관현악단이 주축이 되었고 일본의 일본음악집단日本音樂集團과 중국의 중앙민족악단中央民族樂團이 참여하였다. 오케스트라아시아의 참여는 국악계에 국악 현대화를 위한 악기

개량의 필요성을 더욱 실감하게 해 준 계기가 되었다.[16] 범 아시아적 구상을 주도했던 박범훈은 이후 1995년 문화체육관광부 소속기관인 국립극장에 국립국악관현악단을 창단하면서 국악기 개량을 사회적 어젠다로 등장시켰다. 수준 높은 앙상블을 통한 국악의 동시대적 사운드 완성을 목표로 했던 국립국악관현악단은 그간 남한에서 부진했던 악기개량사업에 관심을 갖고 첫 사업으로 개량악기 시연회를 개최하였으며 22현 가야금 · 대금 · 10현 대아쟁 · 10현 소아쟁 · 편종 · 운라 · 모듬북 등의 개량악기를 개발 · 발표하였다.[17]

무엇보다 북한음악 월경의 중요한 매개는 디아스포라 연주자들이었다. 연변과 일본에서 남한으로 이주하거나 남한 국악계와 교류하게 된 민족악기 연주자들은 1990년대부터 다양한 방식으로 남한음악계 안으로 수렴되기 시작했다. 1990년대 이후 벌어진 이러한 담론적 배경과 실천을 통해 북한의 악기 · 악곡 · 연주자들이 남한음악계의 소리 지형 안에 자리 잡게 되었다.

북한 민족개량악기의 남한 이동

앞서 언급한 바와 같이, 북한 악기의 남한 이동은 남한에서 논쟁의 중심에 있었던 악기 개량과 관련이 깊다. 여기서 북한 악기는 남한과는

16 김희선, 〈Asia and the Rest: 동시대 아시아 전통음악의 연대모색과 실천〉, 《음악과 문화》 34, 2011, 105~135쪽; 김태희, 〈단원에게 듣는 오케스트라 아시아의 기억: 하나를 위한 열정〉, 《미르》 328, 2017년 5월호, 16~18쪽.

17 임혜정, 〈국립국악관현악단사〉, 《국립극장 70년사》, 국립극장, 2020, 362쪽; 〈개량악기, 국악의 새 지평 열린다: 정상회담 계기로 전통악기개량사업 햇빛…과학적 연구 선행되야〉, 《한겨레 21》 2000년 6월 29일자. 국립국악관현악단의 개량악기는 시연회 이후 극단적으로는 "중국악기의 모방, 도용"이라는 비판을 받았다.

달리 분단 이후 북한에서 체계적으로 진행된 민족악기 개량의 결과인 개량민족악기를 지칭한다. 북한의 악기개량사업은 1947년 전후 설치된 고전악연구소를 통해 시작되었다. 1949년 평양에 국립음악대학이 설립되고 초대 학장으로 최승희(1911~1969)의 남편인 안막(1910~?)이 부임하면서 민악과에서 관현악을 할 수 있도록 악기를 개조하였는데 최승희가 그 배후에 있었다고 알려진다. 북한이 추구하는 민족음악의 대중화를 위한 공식적인 악기개량사업은 1956년 조선노동당 제3차 대회를 전후로 추진되었다. 1961년에는 조선노동당 제4차 대회를 계기로 국립악기연구소와 각 도의 악기연구소, 음악무용대학 민족기악과, 악기공장을 중심으로 '민족악기복구정비사업'을 전면적으로 시행하여 60여 종에 달하는 민족악기를 개량하였으며 1960년대 후반까지 활발히 진행하였다. 특히 중국의 전통악기 개량, 연변 조선족의 민족악기 개량과 서로 영향을 주고받으며 진행되다가 1980년대에 완성되었다. 북한의 악기 개량은 기본적으로 현대적 미감을 가진 주체음악의 완성을 목표로, 악기 재료와 악기 주법과 형태의 개량, 저음부를 보강하는 방식으로 진행되었다. 이 과정에서 가야금 · 해금 · 저대 · 단소 · 피리 · 태평소 등의 악기가 개량되었으며 개량이 어려웠던 거문고 · 아쟁 · 퉁소 등은 개량 대상에서 제외되었다.[18] 1960년대에는 서양 관현악 악기와 민족악기를 함께 배치한 배합관현악에 개량민족악기가 편성되었으며, 이후 1970년대 초 피바다식 혁명가극이 등장하자 가극 반주에도 편성

18 배인교, 〈1950-60년대 북한의 민족악기개량과 민족관현악 편성〉, 《국악원논문집》 40, 2019, 158~179쪽; 서인화, 〈남과 북의 악기개량〉, 《동양음악》 30, 2008, 46쪽; 이진원, 〈중국악기개량의 궤적 및 북한악기개량과의 관련성〉, 《북한의 민족기악》, 국립국악원, 2014.

되었다. 남한에서 북한의 개량악기를 인지한 것은 남북 문화교류의 일환으로 평양과 서울을 오가며 연주한 1990년 〈범민족 통일음악회〉(평양, 위원장 윤이상)와 〈'90 송년통일전통음악회〉(서울 예술의 전당 · 국립극장, 남북 음악인 합동공연)를 통해서였다. 이후 1991년 정부는 '월북 음악인들의 분단 이전 행보와 작품에 대한 해금' 조치를 실행했다.

현재 남한으로 이동한 북한 개량악기는 대피리 · 저피리 · 장새납 · 옥류금 · 소해금 등이다. 시기적으로 가장 먼저 남한에 소개된 북한 악기는 퉁소 · 개량단소 · 개량대금 등의 관악기였다. 1993년 연변에서 남한으로 이주한 신용춘(1937년생)이 소개한 악기들로, 초기에는 남한의 제도권 음악계 안에 안착되지 못하였으나 국악기 개량 차원에서 미디어의 관심을 받았다. 신용춘 이후 연변의 단소 연주자이자 연변대 교수 장익선이 2002년 한양대학교에 유학을 왔으며, 연변가무단 장새납 연주자 김호윤은 2003년 남원시립국악단에 교환연주자로 방문하여 북한 퉁소 · 단소 · 대피리를 소개하였다. 이후 연변에서 유학 이주한 최민(1981년생)도 북한-연변의 퉁소와 대금으로 한국에서 활발한 활동을 하고 있다.

북한의 개량대피리는 일반적으로 연주자들 사이에서 북한대피리로 지칭되는데, 북한 악기 중 남한에서 가장 널리 활용되고 있다. 앞서 언급했듯, 북한에서는 배합관현악과 현대적 미감을 위해 관악기 개량이 매우 중요했으며 고음단소 · 중음저대 · 저음저대 · 고음저대 · 대피리 · 저피리 · 새납의 개량이 진행되었다. 악기 규격화를 위해 관대를 대나무에서 목재로 바꾸고 음색을 부드럽게 하였으며 저 · 중 · 고음을 낼 수 있도록 관대의 길이를 조정하고 키key를 달아 빠른 반음계의 연주와 이조移調와 전조轉調, 정확한 음정 연주가 가능하도록 개량하였다. 풍부한 음량, 부드러운 음색, 넓은 음역을 가진 북한대피리는 저음부 연주를 위한 악기로, 사이즈가 크고 키를 달아 안정적인 운지법運指法으로 정확한 음정과 빠른 연주가 용이하며, 무엇보다 12음계 악기로 조 변화가 가능하다. 북한대피리는 앞서 김호윤을 통해 소개된 바 있었지만 본격적으로 국악계에 알려진 계기는 2003년 국립극장에서 기획한 〈겨레의 노래뎐〉을 통해서였다. 이 공연을 위해 일본 자이니치 금강산가극단 연주자들과 교류를 시작하게 된 국립국악관현악단 단원들은 초기에는 자이니치 연주자, 이후에는 연변의 연주자들에게 대피리를 학습하고 국악공연에서 연주하기 시작하였다. 이후 비공식적으로 국립국악관현악단 단원들을 통해 개인적으로 대피리와 장새납을 학습한 연주자들은 연변이나 일본에 가서 직접 사사를 받기도 하였다. 현재 이들 악기는 국립국악관현악단뿐 아니라 서울시국악관현악단, 경기도립국악단, 안산시립국악단, 성남시립국악단, 전북도립국악단, 전남도립국악단, 청주시립국악단, 부산시립국악단 등 국악관현악단에서 파트 악기로 활용되고 있다.[19]

장새납은 태평소의 개량악기로 종래의 새납보다 두 배로 긴 관대에 키를 부착하여 연주가 용이하며 섬세한 음량 조절이 가능하도록 보완되었다. 5음 음계를 12음계로 확대하여 음역이 넓을 뿐만 아니라 음량이 크고 표현력이 풍부하며 화려한 기교의 연주가 가능하여 독주악기 뿐 아니라 배합관현악과 기악합주에서도 선율을 담당한다. 장새납이 처음

19 권경숙, 《북한 대피리의 주법연구 – 이정면 작곡 〈대피리 협주곡 1번〉의 대피리 선율을 중심으로》, 중앙대학교 석사학위논문, 2018, 3쪽; 강승호, 《북한 저피리의 주법연구: 정치근 편곡 〈저피리 협주곡 아 백두산〉의 저피리 선율을 중심으로》, 한국예술종합학교 석사학위논문, 2019, 19쪽.

남한에서 연주된 것은 2000년 조선국립교향악단의 방남공연(KBS홀)에서였다. 이때 관현악 작품 〈청산벌에 풍년이 왔네〉에서 장새납 독주가 처음 소개되었고, 본격적으로 남한음악계에 소개된 것은 대피리와 마찬가지로 2003년 〈겨레의 노래뎐〉을 통해서였다. 이 공연에서 금강산가극단의 장새납 연주자 최영덕(1974년생)이 장새납 협연곡 〈해당화〉를 연주하였다.[20] 이후 국립국악관현악단 단원들과 이영훈을 비롯한 중앙대학교 학생들이 일본에 가서 최영덕에게 장새납을 학습하기 시작하였다. 이후 이들 남한 연주자를 통한 장새납 학습이 가능해지자 대다수 국악관현악단에서 피리 연주자들에게 장새납 연주를 필수로 요청할 정도로 남한 국악계에 정착한 악기가 되었다.

옥류금玉流琴은 13현 와공후臥箜篌를 가야금처럼 눕혀 연주할 수 있도록 개량한 탄현악기彈絃樂器로, 1973년 민족악기개량사업의 완성 단계에서 개량되었다. 옥류금은 분산화음을 비롯한 화려한 양손주법에 하프harp와 같은 "옥구슬이 굴러가는" 음향의 화성악기로 탄생되었다. 북한에서만 볼 수 있는 독특한 악기로 해외공연에서 인기 있는 독주악기이며 관현악 반주악기에도 활용된다.[21] 개량 후 구조 개선을 통해 음역을 넓혀 나갔고 음색 조절을 위해 변음을 위한 페달로 반음 전조와 이조가 가능한 악기가 되었다. 옥류금은 1990년 〈송년통일전통음악회〉에서 선보인 북한 민족악기 11종 중 하나로, 평양민족음악단 소속 김길화의 연주로 옥류금 독주곡 〈황금산의 백도라지〉가 연주되며 처음 소

20 김용일, 〈장새납 농음연주 지도법: 독주곡 〈풍년맞이 기쁨〉을 중심으로〉, 《국악교육》 32, 2011, 25~35쪽; 최영덕 면담.

21 박미정 · 김현정, 〈북한 옥류금 연구〉, 《북한연구학회보》 22(2), 2018, 231쪽; 김영화, 〈옥류금 연구 – 도라지를 중심으로〉, 중앙대학교 석사학위논문. 2003, 2쪽.

개되었다. 이후 연길시 예술단 소속의 박미화가 2003년과 2005년 두 차례에 걸쳐 한국에 초청되어 옥류금을 연주하기도 했다.[22] 옥류금의 본격적인 이동은 2001년 남한으로 이주한 연길 출신 가야금 연주자 김계옥(1957년생)에 의해서이다. 연변대학예술학원을 졸업한 김계옥은 김진 선생의 제자로 북한에서 전승받은 가야금산조를 학습하다가 남한의 산조를 학습할 목적으로 이주하였다. 그러나 실제 남한 이주 후 김계옥의 활동은 산조보다는 개량가야금을 중심으로 펼쳐졌다. 당시 남한에서는 25현 개량가야금이 제도권 안에 안착하면서 개량가야금의 연주주법 등에서 앞서 있는 북한과 연변의 개량가야금 주법에 관심을 갖게 되었고, 김계옥은 부산대학교의 초청으로 부산을 중심으로 전국에서 개량가야금을 가르치다 중앙대학교 초빙교수로 정착하게 된다. 김계옥은 대학을 중심으로 25현 가야금을 가르치던 제자들에게 옥류금을 함께 소개하였다. 연변에서 널리 연주되던 옥류금은 가야금과 연주법이 유사하여 김계옥은 독학으로 학습하였다. 한국 이주 이후 김계옥은 학생들의 옥류금 구입을 도와주기도 하였는데, 평양에서 생산된 악기를 연변을 통해 정식 절차를 거쳐 구입하였다. 이외에도 개인적 관심으로 연변가무단에 머무르거나, 연변가무단의 박미화가 한국을 방문할 때 개별적으로 옥류금을 학습한 사례도 있다. 이들은 주로 남한의 가야금 연주자들로 옥류금 연주를 병행한다. 옥류금은 독주 · 합주 · 국악관현악단과의 협연 등으로 연주되고 있지만, 아직 대학에서 교육하거나 악단에서 공식적으로 활용하는 사례는 발견되지 않는다.

22 김현정 〈옥류금 독주곡 분석연구 – 〈꽃피는 이 봄날에〉 〈눈이 내린다〉을 중심으로 – 〉, 중앙대학교 석사학위논문, 2019, 1쪽.

소해금은 해금의 개량악기로 전통 해금에서 줄과 줄 사이에 놓여 있던 활을 개방시키고 짚음판을 설치하였으며 명주현明紬絃을 철현鐵絃으로 대체한 악기이다. 기존 2현을 3현 · 4현으로 줄 수를 늘려 바이올린과 유사한 악기가 되었으며 소해금 · 중해금 · 대해금 · 저해금의 각기 다른 크기로 개발하여 고음부터 저음을 담당하도록 개량되었다. 소해금은 이 중 4현으로 개량된 것으로 해금의 좌우 줄감개 2개 대신 좌우 4개의 줄감개가 있고, 바이올린과 해금의 특징을 동시에 가지고 있으며 배합관현악과 합창, 성악 반주 등에 활용된다.[23] 한국에서 소해금은 국악계보다 대중문화를 통해 먼저 소개되었다. 드라마 〈동이〉(2010)의 주제곡 〈부용화〉를 연주한 북한이탈주민 박성진이 미디어를 통해 널리 알려지게 되었고, 이후 남한의 해금 연주자들에 의해 연주되기도 한다.

이들 북한 악기들은 제도화 국악계의 정규 커리큘럼 안에서 가르치는 것이 아니기 때문에 악기 구입과 학습은 사적私的인 관계에 의존한다. 면담에 의하면 대피리와 장새납의 경우 초기에는 일본에 가서 금강산가극단 단원들에게 배우거나 연변을 통해 연주자를 초청하여 학습하였고, 이후엔 이들에게 학습하거나 유학한 국악계 연주자들을 통해 학습한다.[24] 대피리 · 저피리 · 저대 · 장새납 · 옥류금 등은 북한에서도 소규모로 생산되고 북한 내부에서도 폐쇄적으로 유통되기 때문에 악기는 대개 선생님을 통해 구입하는데, 연변의 악기상 혹은 중개인을 통해 평양에서 제작한 악기를 연변이나 일본을 통해 들여오고 있다.

23 서인화, 〈남과 북의 악기개량〉, 47쪽.

24 장새납과 대피리 학습을 위해 연변가무단의 장새납과 북한 대피리 연주자 김호윤을 초청하여 마스터 클래스를 갖기도 하였다.

북한 악곡의 남한 이동

북한에서는 1950년대부터 지속적으로 민요곡집 · 민요자료집 · 기악 및 성악교본과 교측본 · 민족기악곡집 등을 출판하였다. 앞서 소개한 북한 개량악기들과 함께 북한의 민족음악 악곡도 남한 전통음악계에 소개되었다. 남한에서 연주된 북한 악곡들은《조선민요곡집 1~8집》(1954~1956),《조선민족기악곡집》,《조선민족음악전집》 등에서 발췌하여 연주한 곡들인데 초기에는 디아스포라 사회를 통하여 낱장 악보를 확보하여 연주되었다. 때로 남한에서 출시된 음원에 소개된 곡을 개인적 네트워크를 통해 악보를 구하여 연주된 곡들도 있다.

1990년 〈송년통일전통음악회〉 북한 공연에서 소개된 악곡은 실제로 남한에 가장 먼저 소개된 북한음악으로, 민요 · 신민요 · 단소산조 · 옥류금 등 민족음악이 주로 연주되었다. 북의 대표적인 연주자인 김길화 · 김진명 · 김관보 등이 출연하여 여성5중창 민요연곡, 단소독주 〈중모리〉 · 〈안땅〉, 여성민요독창 〈능수버들〉 · 〈양산도〉, 여성민요3중창 〈신고산타령〉, 남성민요독창 〈산천가〉, 혼성민요5중창 〈회양닐리리〉, 여성독창 〈평복녕변가〉 · 〈바다의 노래〉 · 〈해당화〉, 옥류금독주 〈도라지〉, 여성저음독창 〈통일의 길〉, 가야금독주와 병창 〈옹헤야〉, 민요독창 〈배따라기〉, 혼성민요제창 〈정방산성가〉 · 〈자진난봉가〉, 소합창곡 〈우리의 소원은 통일〉을 연주하였다. 남한에 '공식적'으로 소개된 이 악곡들은 이후 남한의 북한 공연 레퍼토리 구성의 전형으로 제시되었다.

국립극장 국악관현악단에서 2000년 기획한 〈겨레의 노래뎐〉은 2020년까지 아홉 차례(〈겨레의 노래뎐〉 2002~2009, 2020, 2018년 〈다시 만난 아리랑-엇갈린 운명 새로운 시작〉)의 공연을 통해 북한 악곡의 남한 이동에 중요한 창구 역할을 했다. 〈겨레의 노래뎐〉은 세 번째 공연인 2002

표 1 국립극장 〈겨레의 노래뎐〉 소개된 북한 악곡

연도	북한 악곡
2002	관현악곡 〈아리랑 환상곡〉·〈해당화〉 장새납 협주곡〈룡강기나리〉·〈봄〉
2003	소해금 협주곡 〈봄맞이〉 저대 협주곡 〈노한 파도〉 대피리 협주곡 〈새날의 기쁨〉 민족가극 '춘향전' 중 〈꽃노래〉·〈해당화〉·〈룡강기나리〉
2004	대중가요 〈휘파람〉 〈박연폭포〉·〈금강산타령〉·〈바다의 노래〉·〈그네 뛰는 처녀〉·〈다시 만나요〉 '춘향전' 중 〈사랑 사랑 내사랑〉·〈광한루로 어서 가자〉
2005	관현악곡 〈아리랑〉 신민요 〈압록강 2천리〉 저대 협주곡 〈노한 파도〉 가야금 협주곡 〈도라지〉
2006	관현악과 무용 〈새봄〉 주제 살풀이 가곡 〈그네〉·〈진달래꽃〉·〈우리는 하나〉 〈노한파도〉·〈도라지〉·〈통일의 길〉
2007	관현악곡 〈아리랑 환상곡〉 거문고 협주곡 〈춤〉 단소와 가야금을 위한 협주곡 〈초소의 봄〉 관현악곡 〈청산벌에 풍년이 왔네〉
2009	〈통일의 길〉
2018	바이올린 협주곡 〈옹헤야〉 단소 협주곡 〈긴 아리랑〉 관현악곡 〈경축〉
2020	대중가요 〈휘파람〉 바이올린 협주곡 〈옹헤야〉

년부터 북한음악을 무대에 올리기 시작했는데, 이를 통해 북한 악곡이 대거 소개되었다. 〈표 1〉은 2002년부터 2020년까지 국립극장 주최 〈겨레의 노래뎐〉에 소개된 북한 악곡을 정리한 것이다.[25]

〈표 1〉을 통해 2008년에는 〈겨레의 노래뎐〉이 공연되지 못하였고

25 연주된 악곡의 상세한 분석과 소개는 김희선 〈월경음악의 문화번역: 동시대 남한 전통음악계의 북한음악〉《이화음악논집》 22-2, 2020, 200~208쪽 참조. 2018년에는 〈겨레

2009년에는 황병기 작곡의 〈통일의 길〉 한 곡만 연주된 것을 볼 수 있는데, 이는 2007년부터 시작된 남북관계 경색에 따른 것이었다. 2009년 이후 〈겨레의 노래뎐〉은 2020년까지 10년간 개최되지 못하였다. 2018년에 열린 〈다시 만난 아리랑 – 엇갈린 운명, 새로운 시작〉은 2018년 남북교류 재개와 함께 특별히 기획된 공연이었다.

북한음악을 중심으로 학술 연구를 진행하고 있는 국립국악원도 2014년부터 학술세미나와 함께 북한음악연주회를 선보이고 있는데 북한음악연주회를 통해서도 북한 악곡들이 남한에 소개되었다. 〈표 2〉는 국립국악원에서 소개된 북한 악곡을 정리한 것이다.[26]

국립국악원에서 진행한 2014~2015년 북한음악연주회는 민족기악 · 민족성악이라는 학술대회의 특정 주제에 맞춘 공연이었으며, 연변예술학원 측에서 준비하여 소개한 악곡들로 연변에 전해진 북한 악곡 혹은 연변의 민족음악이었으나 '북한음악'으로 소개되었다. 2020년의 두 공연은 국립국악원 국악박물관 내에 조성된 〈북한음악자료실〉의 개실과 국악박물관 개관 25주년을 기념하여 마련된 북한음악전시 〈모란봉이요 대동강이로다〉(2020년 8월 7일~2021년 3월 26일)와 함께 준비된 공연이었다. 두 공연 모두 북한음악자료실에 수집된 악보, 음원 등 자료를 바탕으로 국립국악원의 창작악단과 민속악단이 각각 특별공연을 준비하였다.

의 노래뎐〉 대신 〈다시 만난 아리랑 – 엇갈린 운명, 새로운 시작〉을 타이틀로 공연하였다. 2020년은 국립극장 70주년 기념으로 〈겨레의 노래뎐〉을 타이틀로 공연하였다.

26 제1회 북한음악연주회 및 학술회의 〈북한의 민족기악〉(2014. 11. 6. 국립국악원 우면당); 제2회 북한음악연주회 및 학술회의 〈북한의 민족성악〉(2015. 9. 24, 국립국악원 우면당); 김희선, 〈민족의 미래 자산 평양음악의 유산: 국립악원 북한음악자료의 수집 · 공개 · 활용을 중심으로〉, 《서울학연구》 84, 2021, 204~205쪽.

표 2 국립국악원 북한음악연주회 소개 북한 악곡

연도	공연 제목 및 일시 / 북한 악곡
2014	〈북한의 민족기악〉(11월 10일) 목관 4중주(저음저대 · 중음저대 · 고음저대 · 단소) 〈새봄과 종다리〉 대피리 독주 〈룡강타령〉, 양금 독주 〈아리랑〉, 장새납 독주 〈풍년 든 금강마을〉 저대 독주 〈은하수와 봉황새〉, 소해금 2중주 〈능수버들〉, 21현 가야금 독주 〈바다의 노래〉 기악합주 〈도라지〉
2015	〈북한의 민족성악〉(9월 24일) 〈우리의 동해는 좋기도 하지〉, 민요 〈회양닐리리〉 · 〈영천아리랑〉 · 〈바다의 노래〉 · 〈모란봉〉(조령출 작사 · 김관보 편곡), 〈산천가〉(주영섭 작사 · 김진명 작곡), 〈소방울 소리〉(김광현 작사 · 김제선 작곡), 〈우리 장단이 좋아〉(정은옥 작사 · 박정식 작곡), 〈풍년 새가 날아든다〉(한천보 작사 · 리동준 작곡), **《황금산 타령》**(김상호 작사 · 김준도 작곡)
2019	〈북한음악이론〉(6월 26일) 북한음악상영회 민족가극 〈춘향전〉 영상 국내 최초 상영회
2020	〈한민족음악회: 기록과 상상〉(8월 7일, 국립국악원 창작악단) 〈모란봉〉(김연구 작곡 · 김준호 편곡), 〈칼춤〉(최옥삼 작곡 · 김준호 편곡) 가야금 협주곡 〈평양의 봄〉(정남희 작곡 · 조은영 편곡 · 박세연 협연) 합주곡 〈도라지〉(강기창 편곡 · 김창환 편곡) 최승희 무용작 〈풍랑을 뚫고〉 중 〈법성포 맷노래〉(리건우 편곡 · 장현숙 편곡) 독창과 관현악 〈자장가 1, 2, 3〉(김순남 작곡 · 조은영 편곡), 〈동백꽃〉(리건우 작곡 · 조은영 편곡) 〈Krammer Sinformia No. 1〉(윤이상 작곡 · 계성원 편곡) 〈민요련곡〉(신영철 편곡 · 장현숙 편곡)
2020	〈북녘의 우리소리〉(8월 11일, 국립국악원 민속악단) 기악합주 〈사나우〉 · 〈박예섭 거문고 산조〉, 기악곡 〈새봄〉(안기옥 작곡) 서도민요 〈기성팔경〉 · 〈온정맞이〉 · 〈절구질 소리〉

남한에서 북한음악 선곡의 가장 중요한 기준은 이념성, 사상성의 유무이다. 실제로 〈겨레의 노래뎐〉 선곡에서도 이념성은 중요한 문제였다. 실례로 2회 공연에서 처음에는 북한가극 〈꽃파는 처녀〉 중 〈꽃사시오〉와 〈아리랑〉을 고려했다가 〈꽃파는 처녀〉의 정치적 색채로 인해 북한 현대민요 〈압록강〉(조기천 시, 김옥성 작곡)으로 교체되었다.[27] 2014년 국립국악원 개최 북한음악연주회 및 학술회의에서도 북한음악의 선

27 임혜정, 〈국립국악관현악단사〉, 371~372쪽.

곡은 "정치색이 없는 곡들을 민족악기로 감상할 수" 있는 곡으로 선정하였다. 「국가보안법」이 존재하는 한 한국에서는 북한 악곡 선정에 매우 신중하게 접근할 수밖에 없으며, 연주자들도 유사하게 증언한다. 그런 점에서 이념성이 배제된 민요곡 · 민요 편곡 등이 가장 적절한 악곡으로 선택되고, 성악곡보다 가사가 없는 기악곡이 남한에서 연주하기에 유리하다. 또한 기악곡의 경우 사상성에 기반한다 하더라도 악곡의 제목에서 드러나지 않는다면 민족음악 차원에서 크게 문제가 되지 않는 것으로 판단하기도 한다.

옥류금의 주요 악곡으로는 대표 독주곡인 〈황금산의 백도라지〉를 꼽을 수 있다. 이 곡은 민요 〈도라지〉의 편곡으로 가장 빈번하게 연주되고 있다. 그 외에도 〈눈이 내린다〉, 〈꽃피는 이 봄날에〉, 〈달빛 밝은 이 밤에〉, 옥류금3중주 〈옹헤야〉 등도 연주된다. 한국에서 이 작품들은 옥류금 이외에도 25현 가야금과 해금으로도 재편곡되어 연주되고 있다.

남한에서 가장 널리 연주되는 북한 악곡은 거문고 창작곡 〈출강〉이다. 그렇다면 북한 거문고 독주곡인 〈출강〉은 어떠한 경로로 남한 국악계에 유입된 것일까? 〈출강〉은 북한에서 거문고 음악 발전에 가장 크게 기여한 김용실(1940~생존 추정)이 1964년 작곡한 곡이며, 〈염원〉 등도 작곡한 것으로 알려져 있다.[28] 〈출강〉은 1967년 북한을 방문한 재일조선중앙예술단 단원 일부가 북한의 김용실에게 직접 사사받아 전수되었

28 〈출강〉은 홍남제련소에서 일하는 사람들의 모습을 담은 곡으로 사회주의 리얼리즘에 입각한 작품이다. 김용실이 이 작품을 쓰기 위해 홍남제련소에서 노동자들과 함께 생활하였다는 일화가 전한다. 김용실은 서울 출생으로 평양음악무용대학 창작실장을 맡았으며 안기옥에게 거문고를 배웠다고 알려져 있다. 윤중강, 〈북한의 거문고는 정말 사라졌을까? – 김용실 작곡 '출강'을 듣다〉, 《국악이 바뀌고 있다》, 민속원, 2004, 346~352쪽; 윤중강, 〈자존심 강한 악기 '거문고의 자존심 세우기'〉, 《문화예술》, 1998년 11월호, 11쪽.

고, 이후 예술단의 일본 전국순회공연에서 거문고4중주(하준홍, 윤하영, 리병조, 김준성)로 초연되었다고 알려진다. 〈출강〉을 남한에 소개한 연주자는 '금율악회' 회장 이세환이다. 이세환은 1994년 자이니치 민족음악계와 교류하기 위해 일본을 방문하였고, 당시 금강산가극단의 가야금과 피리 연주자 하준홍을 통해 〈출강〉을 알게 되었다. 하준홍은 1960년대 북송선 만경봉호에서 열린 공연을 통해 북한의 거문고 창작곡을 접하고 이에 자극을 받아 독학으로 거문고를 학습한 아마추어 거문고 애호가로서 북한음악 자료를 수집하였다. 하준홍은 남한의 거문고에도 관심이 많아 이세환이 일본을 방문했을 때 그에게 남한의 거문고산조를 학습했으며, 이세환은 하준홍에게 〈출강〉 악보를 얻었다. 〈출강〉은 1995년 금율학회 정기연주회에서 남한음악계에 처음 소개되었다. 이세환은 이후에도 북한 거문고 작품에 관심을 갖고 금강산가극단 소속의 하영수(하준홍의 자제)를 통해 북한음악 자료와 악보를 입수하기도 하였다. 북한 출입이 자유로웠던 하영수가 이세환에게 받은 거문고와 거문고보를 북한의 음악가들에게 전해 주었다는 일화도 있다. 2003년 금율악회가 개최한 〈남북 거문고 창작곡의 밤〉(국립국악원 우면당, 2003년 10월 1일)에서는 이러한 과정을 거쳐 입수한 악보를 통해 〈출강〉 외에도 〈안땅〉 · 〈염원〉(김용실 작곡) · 〈첫 봉화〉(박예섭(1937~생존 여부 미확인) 작곡)까지 네 곡의 북한 거문고 창작곡이 초연되었다. 〈출강〉은 거문고 독주곡 외에도 일본과 한국에서 가야금과 이중주[29]로 연주되기도 하고 협연곡으로 연주되기도 한다.

29 〈국립국악원 토요정담〉(2015. 7. 4. 국립국악원 우면당)

1990년대 이후에는 이들 디아스포라 연주단의 공연과 이들을 통해 입수된 북한음악 음반이 발매되어 대중적 관심도 높아졌다. 대표적인 음반으로 2004년 서울음반과 MBC에서 출반한 〈북녘 땅 우리소리 1-4집 북한민요선집〉은 평안도 평양시 · 남포시 · 황해도 · 함경도 · 자강도 · 양강도 · 강원도 · 경기도 현지에서 1960년대 후반 수집한 민요 음원을 복각한 음반이다. 2005년과 2006년 신나라음반에서 출반한 〈민요삼천리〉 · 〈민요삼천리 II〉에는 북한 국립심포니와 윤이상오케스트라가 연주하는 배합관현악 〈도라지〉 · 〈풍년가〉 · 〈룡강기나리〉가 수록되어 있다. 2000년 6 · 15남북공동선언 발표 이후 금강산가극단의 첫 한국 공연이 성사되었다. 2006년 서울과 수원에서 열린 6 · 15남북공동선언 6주년 기념 특별공연까지 4차례에 걸쳐 금강산가극단의 내한공연이 개최되었고, 서울음반과 PMG네트웍스가 기획한 〈금강산 가극단 음반 시리즈〉도 발매되었다[30] 북한 음원의 공식적인 음반 출반과 유통은 당대 남한음악계의 북한음악에 대한 관심을 반영하는 지표였으며 동시에 북한음악에 대한 친근감을 높이고 대중적 관심을 환기시키는 데 매우 효과적이었다.

디아스포라 민족음악 연주자의 남한 이주

북한 악기 및 북한 악곡과 함께 남한음악계에 이질적인 배경의 연주자들이 등장하기 시작했는데, 주로 연변과 일본 출신의 디아스포라 민족악기 연주자들이었다. 앞에서 언급했듯 사물놀이를 비롯하여 남한

30 〈장새납 소리 들어보셨나요?〉, 《한겨레》 2007년 5월 1일자.

전승의 산조 등이 연변과 일본 민족음악계에 소개되면서 한인 디아스포라 사회는 기존에 전승한 북한 민족음악뿐 아니라 남한 전통음악에도 관심을 가지게 되었다. 특히 디아스포라 민족예술인 중에서 남한 국악 제도권의 학위제도와 사승제도 안으로 편입된 연주자들이 등장하게 되는데, 이들의 주요 이주 목적은 학위 취득을 위한 유학이었다.

가장 먼저 연변에서 남한으로 이주해 온 민족예술인은 신용춘(1937년생)이었다. 1959년부터 1972년까지 15년간 연변가무단에서 활동하고 1972년 연변예술대학교 교수를 역임한 신용춘은 1992년 중국과 수교를 맺은 직후인 1994년 남한으로 이주하였다. 남한의 전통음악계에 퉁소 · 단소 · 대금 · 개량저대 등을 소개하고 악기 개량과 교육에 관심을 갖고 전통음악계와 관계를 맺기 시작하였고 "연변 퉁소의 아버지" 등의 별칭으로 미디어에 소개되었다.[31] 초기 신용춘의 활동은 제도권 안에서 큰 주목을 받지는 못하였으나 현재까지 지속적으로 악기 개량 · 공연 · 교육 활동을 진행하고 있다.

국립국악관현악단을 통해 장새납과 대피리를 소개한 최영덕(1974년생)은 한국과 일본을 오가며 활동하고 있다. 자이니치 3세인 최영덕은 당시 북한 국적자[32]로, 도쿄의 조선대학교를 졸업하고 이후 1987년에서 1992년까지 1년에 한 달씩 통신수강을 통해 평양음악무용대학에서 김명철, 주근용, 최명천에게 학습한 바 있는데 본격적인 장새납 학습은 북한에서 시작하였다고 한다. 북한 최고예술인 경연대회인 2 · 16 예

31 〈퉁소음악의 대가, 중국동포 음악가 신용춘 선생, 그는 말한다〉, 《세계한인신문》 2013년 5월 6일자.

32 최영덕은 한국에서의 활동을 위해 한국 국적을 취득하였다(최영덕 면담 2015년 4월 18일).

술상 민족기악 부분에서 입상하였고, 김일성 주석 앞에서도 연주한 경력이 있다. 북한 국적자였던 최영덕은 통일부 사업허가를 받아 2007년 남한에서 첫 장새납 독주음반 〈열풍〉(서울레코드, PMG네트웍스)을 공식 출반하고 국립극장의 〈겨레의 노래뎐〉과 2007년 금강산가극단 내한공연에서 장새납 연주자로 국내에 소개되었다.

디아스포라 연주자로 이미 남한의 국악 제도권 안에서 가장 활발하게 연주와 교육 활동을 진행 중인 세 명의 가야금 연주자도 주목할 필요가 있다.[33] 가장 먼저 제도권 안에 등장한 연주자는 앞서 소개한 연길 출신의 김계옥이다. 연변대학예술학원 가야금 전공 학사 출신인 김계옥은 김진의 제자로 안기옥 산조를 전수받았다. 평양시립연수로 3개월간 머물며 평양음악무용대학의 김영실에게 가야금 학습을 받았고 연변가무단 관현악단에서 독주연주자로 활동하였으며 중국음악가협회 회원이자 중국 국가 2급 연주자이다. 1991년 김진-양승희 교류 시 함께 연주한 일을 계기로 산조 학습을 지속하고자 1990년 말부터 한국을 "왔다 갔다" 하게 되었다. 1995~1996년경 부산대학교 국악과 가야금 전공 교수인 백혜숙의 초청으로 부산대학교를 중심으로 부산에서 활동을 시작하였다. 2001년 중앙대학교 국악대학 설립과 함께 외국인 대우교수로 계약하고 25현 가야금을 가르치기 시작했다. 작품발표회를 비롯하여 유수의 국악관현악단과 협연을 진행하였으며 '김계옥 가야금연주단'을 구성하고 현재는 중앙대학교 이외에 숙명여자대학교 초대교수

---

33 Sun-hee Koo는 "More than two Koreas: Cultural Intersection and Chinese Korean Musicians in Contemporary South Korean Music Scenes," *Yearbook for Traditional Music* 46, 2014에서 남한에서 활동하는 연변조선족 연주자로 박위철(작곡), 김계옥(가야금), 김은희(민족성악)를 소개하였다.

로 가야금을 강의하는 등 연주자와 교육자로 활발히 활동 중이다.[34]

자이니치 가야금 연주자인 문양숙(1974년생)은 북한 국적의 재일 3세로, 앞서 장새납 연주자 최영덕과 조선학교 동창이다. 10세에 조선학교에서 19현 가야금을 처음 배웠으며 1990년 일본 재일 조선인학교 1학년 시절 조총련 영재유학프로그램에 선발되어 평양음악무용대학 전문부 과정에서 2년간 수학하였다. 일본 귀국 후 희망했던 금강산가극단 입단이 어려워지자 남한으로 유학을 결심하고 중앙대학교에 입학하였다. 산조, 정악 가야금을 학습하고자 한국에 유학왔지만 스승 박범훈의 주선으로 중앙국악관현악단 · 중앙대학교 · 국립국악관현악단에서 개량가야금을 지도하게 되었다. 1998년 국립국악관현악단 단원으로 선발되어 협주자 및 독주자로서도 활발한 활동을 펴치고 있다.[35] 오케스트라아시아를 통해 한국에서도 25현 가야금으로 널리 연주되고 있는 일본 작곡가 미키 미노루三木稔의 고토箏 창작곡 〈소나무(松)〉의 협연자로 널리 알려져 25현 개량가야금의 대표 주자로 활동하고 있다.

금강산가극단의 단원으로 활동한 박순아(1968년생)도 유학 이주 후 남한에서 활발히 활동하는 가야금 연주자이다. 오사카 출신의 재일교포 3세로 조선학교에서 10세부터 가야금을 학습하였다. 재일본 조선대학교 음악과를 졸업한 후 1985년 평양음악무용대학(현 김원균명칭음악종합대학)에서 통신수강을 병행하며 4년제를 수료하였다. 1995년까지 통신수강과 방학을 이용하여 평양에 한 달씩 체류하며 가야금을 학습하였

34 김계옥 면담(2020년 5월 13일, 6월 5일).

35 문양숙 면담(2017년 5월 4일); 〈이 남자, 이 여자 없는 국악? 글쎄요~ 이제야 만나게 되는 두 차세대 명인의 연주회 〈이용구 · 문양숙의 수작(秀作)〉〉, 《국립극장》 2013년 11월 27일자.

다. 평양에서 개최된 2·16 경연대회에서 입상한 바 있으며 졸업 이후 금강산가극단의 단원으로 활동하였다. 2005년 가야금산조를 학습하고자 유학 이주하여 한국 국적을 취득하고 한국예술종합학교 전문사 과정에 입학한다. 한국에 이주한 뒤 가야금산조를 배웠으나, 한국에서의 경력은 주로 25현 가야금 연주와 교육에 집중되어 있다. 독주자와 앙상블 단원으로 활동해 왔는데 2018년에는 작가적 안무가 안은미가 구성하여 화제가 된 〈북한춤〉 공연에 출연하고 유럽 순회공연에도 참여하였다. 2019년에는 북한 가야금 레퍼토리를 재해석한 작품을 중심으로 구성한 공연 〈노쓰코리아 가야금〉이 재공연까지 이어지는 호평을 받으며 같은 타이틀의 음반을 출시하였다. 현재는 한예종과 서울대학교 강사로 25현 가야금을 주로 가르치고 있다.[36]

그 외에도 남한에 유학 이주한 연변 출신 연주자들은 2000년대 이후 눈에 띄게 증가하고 있다. 연변대학 출신 연주자들이 국악과 석·박사 학위과정이 설치된 서울대 · 이화여대 · 한양대 · 단국대 · 한국학중앙연구원 · 한국예술종합학교 · 부산대 · 중앙대 등에서 학위를 마치고 연변으로 돌아가거나 한국에 남아 활동을 지속하고 있다. 이들은 남한 전통음악 제도권 안에서 독주자, 협주자, 지휘자, 작·편곡자로 활동하고, 때로 악단의 정식 단원이 되거나 연주단체를 구성하여 남북과 아시아를 매개하는 다양한 활동을 펼치고 있다. 대표적인 연주자로 퉁소 연주자 최민은 연변예술대학 학생 신분으로 한국예술종합학교의 아마AMA: Art Major Asian 장학생으로 입학한 이후 남한 전통음악계의 다양한 무대

36 박순아 면담(2011년 8월 20일, 2020년 5월 5일); 〈남과 북 오가며 울린 가야금…음악엔 경계가 없었죠〉, 《조선일보》 2020년 3월 6일자.

에서 퉁소와 대금으로 활발한 활동을 하고 있다. 특히 최민은 직접 개량한 대금을 '통일대금'이라 명명하고 양금 연주자 윤은화 등 연변 출신 민족악기 연주자들과 '통일앙상블'을 결성하여 남북교류와 통일을 화두로 활동 중이다. 통일앙상블 결성 전에 최민은 남한 전통음악 연주자들, 그리고 당시 아마 장학생 출신의 아시아 전통음악 연주자들과 함께 아시아를 표방하는 '아시아 뮤직 앙상블AME: Asian Music Ensemble'을 결성하여 중국-연변-북한-한국-동남아시아를 오가는 초국적 '아시아' 연주자가 되었다.[37] 또한 개량양금으로 활발히 활동하는 윤은화(1983년생)도 연변에서 아코디언과 양금을 전공하고 2002년 한국으로 유학 이주하여 서울대학교를 거쳐 중앙대학교에서 박사과정을 수료하였다. 북한에서 들어온 양금을 연변에서 배웠고 이후 한국에서 추가로 개량하여 특허등록을 하면서 적극적으로 개량양금을 소개하고 있으며 '통일앙상블' 음악감독, 국악 록밴드 '동양고주파', 러시아 사할린 아리랑제 총음악감독, 문경세계아리랑제 총예술감독, 한국양금앙상블 대표를 비롯하여 여러 대학에 출강하는 등 연주자와 교육자로, 초국적 '아시아' 연주자이자 월드뮤직 연주자로 활동 중이다.

연주자는 아니지만 다양한 매개의 역할을 맡은 자이니치 출신의 지휘자 김홍재(1954년생)[38]와 박태영(1963년생),[39] 연변 출신 작곡가 박위철의

---

37 아시아 전통음악가들의 인터-아시아 초국적 활동은 김희선, 〈Asia and the Rest: 동시대 아시아 전통음악의 연대모색과 실천〉, 《음악과 문화》 34, 2016, 105~135쪽 참조.

38 지휘자 김홍재는 일본 효고현 출생의 조선적 무국적 난민으로 오자와 세이지, 아키야마 가즈요시, 모리 타다시에게 지휘를 사사하였고 1989년부터 베를린에서 윤이상을 사사하였다. 김홍재의 생애는 자서전 《나는 운명을 지휘한다》(김영사, 2000)에 상세히 소개되어 있다.

39 지휘자 박태영은 일본 총련 출신으로 도쿄예술대학에서 작곡을 전공하여 1984년부터

남한에서의 음악 행보도 관심을 끈다.[40]

북한이탈주민 출신 연주자로는 소해금 연주자인 박성진, 방달화, 최리나 등과 북한춤으로 최신아 등이 활동하고 있다. 2003년 탈북, 2006년 남한에 정착한 박성진(1971년생)은 평양예술대학에서 소해금을 학습하고 선전대 단원으로 활동하였다. 한국에서 가수 장윤정의 〈첫사랑〉 녹음에 참여하면서 대중음악 가수들의 녹음 세션과 공연 출연, 방송활동을 시작하게 되었다. 2010년에 단독음반 〈마음을 울리는 선율, 천상의 악기, 소해금 명곡집〉(서울음반)을 출반하였다.[41]

남한 수용의 문화번역

북한음악의 남한 이동 경로는 앞서 살폈듯 일본과 연변의 민족음악계를 통해서였는데, 그러한 이동이 가능했던 것은 남한음악계의 요구와 이후 수용 과정에서 재맥락화되며 재생산 구조가 구축되었기 때문이다. 1960년대 국악 제도화 수립기부터 문화재 제도를 통해 민족적

5년간 평양에서 통신교육과 현지 연수를 병행하여 평양음악무용대학에서 오일룡과 김병화로부터 지휘를 학습하였다. 1991년 러시아 모스크바 차이코프스키음악원에 유학하였고 유학 중 대한민국 국적을 취득하였다. 현재 수원음대 교수로 국내 유수의 교향악단의 객원 및 상임지휘자로 활동 중이다.

40 박위철은 1998년부터 이주하여 부산대와 부산 중심으로 작곡가로서의 활동을 시작하였고 이후에도 편곡과 작곡 활동을 활발히 펼쳤다(Sun-hee Koo, "More than Two Koreas: Cultural Intersection and Chinese Korean Musicians in Contemporary South Korean Music Scenes").

41 박성진의 행보는 여러 매체에 소개되었다. 〈[통일로 미래로] 탈북 10년, 소해금 연주자의 홀로서기〉, 《KBS 뉴스》 2016년 2월 20일자.

'원전성'의 가치를 획득하고, 전통을 보존하고 고수하려는 전통음악계의 지향과 국악 현대화를 국악의 미래로 바라보면서 진행한 국악기개량사업, 국악관현악단, 창작곡 등의 연행은 상호 모순적이어서 끊임없이 대립과 반목을 일으켰다. 또한 북한음악의 남한 수용에서는 정치적 남북관계와 보수 성향의 사회적 분위기, 「국가보안법」, 「정보통신망법」 등도 현실적 조건으로 작용했다. 이동한 북한음악의 남한 수용 과정은 이러한 딜레마를 잘 보여 주는 하나의 텍스트가 된다.

흥미롭게도 남한 전통음악계 내부의 모순적 딜레마는 북한음악이 수용될 수 있는 조건이 되었다. 북한의 개량악기는 남한 보수적 악기의 대체제代替製로, 국악관현악의 보완재補完財로 활용되기 시작하다가 일정 시간이 흐른 후 보편적 연행의 형태로 자리 잡게 되었다. 북한 악곡은 국악 제도권에 등장한 새로운 악곡이자 남북교류 시대 민족공동체의 상상을 돕는 상징성을 획득하여 민족 전통음악의 확장으로 여겨지기 시작하였다. 디아스포라 연주자들은 초기에는 개량악기 연주의 수월성과 제도권에서 요청되는 개량악기의 연주수법 등의 우위와 선행 연행의 경험으로 제도권 안에 안착할 수 있었다. 또한 현대화와 대중화에 주목하여 전통음악보다는 대안적 연행에 관심을 가진 진취적 남한 연주자들, 새로운 소리에 반응한 청중/시장을 통해 북한음악은 남한의 음악 풍경 안에 빠르게 흡수되었다.

그렇다면 남한의 음악 주체들에게 북한음악은 어떤 방식으로 이해되고 보수적인 남한 전통음악계의 저항은 어떤 방식으로 드러났을까? 남한 전통음악 주체와의 경합과 개입을 통한 협상은 남한 국악계에 어떠한 결과를 가져왔는가? 여기서는 월경한 북한음악의 생산과 소비, 위치, 협상된 정체성의 정치학을 논의하고자 한다.

남한 전통음악계에서 북한 악기가 수용된 데에는, 일차적으로 이를 적극적으로 도입한 국립국악관현악단의 역할이 있었지만, 그 배경에는 전통음악의 현대화 담론에도 불구하고 기본적으로 견지해 온 남한 전통음악계의 보수성과 악기 개량 성과의 부진에도 이유가 있다. 악기 개량 성과의 부진은 "과거지향적 전통관과 개량 후에 권위를 상실하게 됨을 염려하는 기득권자들의 이해", "일제강점기에 서양음악을 주체적으로 소화해 내지 못한 상태에서 전통음악을 발굴하고 보존하는 것이 우선적인 문제였다는 점과 50년대 이후 조국의 분단 상태에서 이데올로기의 피해는 우리 사회에서 보수는 좋은 것이고 진보는 나쁜 것이라는 선입견을 주어서 과거지향적인 전통관을 고수하려는 시대사조"[42]와 무관하지 않으며 "과학적이고 조직적인 악기 제작 과정의 결여" 등으로 설명되어 왔다.[43] 국악기 개량은 여러 차원에서 국악관현악의 존립과 연계하여 논의의 중심에 서기도 했으나, 북한이나 중국에 비해 악기 개량 인프라와 강력한 중심체를 갖추지 못하면서 뚜렷한 성과를 내지 못하였다. 그런 가운데 1995년 창단된 국립국악관현악단의 시도는 해묵은 논쟁을 다시 끄집어내며 국악계의 보수성과 경합하게 된다. 박범훈과 국립국악관현악단의 시각은 처음부터 명확했다. 그간 국악관현악에서 지적되어 온 저음부를 보강하고 평균율에 입각한 정확한 음고를 연주할 수 있으며 연주가 용이하여 관현악의 '미학'을 완성해 줄 수 있는 악기군의 도입으로 국악관현악의 음악적 수준을 높이고자 한 것이다.

42 백대웅, 〈전통음악의 시대적 변화와 국악기 개량〉, 《한국음악사학보》 16, 1996, 102~104쪽; 한만영, 〈국악기 개량의 기본방향〉, 《국악기개량종합보고서》, 1989, 60쪽.

43 이소영, 〈국악기 개량 및 그 논의의 현황과 이후 전망〉, 《한국음악사학보》 15, 1996, 193쪽.

그러나 북한 개량악기의 도입을 둘러싼 논쟁은 이 악기가 과연 전통을 계승한 한국적이며 민족적인 원전성을 획득할 수 있는가의 문제로 곧장 환원되었다. 그러면서도 국악계 일각에서는 보수적 태도에 기반하여 '전통적 음색을 잃지 않으면서도 현대적인' 악기 개량에 힘을 쏟는 대신 같은 민족인 북한의 개량악기를 들여다 쓰는 것이 효율적이라는, '범민족성을 명분 삼은 실용적' 목소리도 등장하였다. 흥미로운 지점은 여전히 국악계는 보수적 태도를 '공식적으로' 폐기하지 않은 가운데 지난 20년간 진행된 북한음악의 이동이 가져온 균열로 인해 개량악기와 관련된 민족적 원전성 논쟁이 더 이상 큰 힘을 발휘하지 못하게 되었다는 점이다. 현재 남한에서는 국립국악원 창작악단을 제외한 대부분의 국악관현악단에서 북한의 대피리 · 장새납 · 저피리 등을 배치하고[44] 있으며, 남한의 음악 풍경의 일부가 되었다는 점이 이를 방증한다.

남한 국악계에서 북한음악의 생산과 소비는 국악관현악의 차원에서만 벌어진 일은 아니었다. 디아스포라 음악인을 통해 북한음악을 학습한 남한 연주자들이 대안적으로 북한 악기를 주력 분야로 삼아 협연자 및 독주자로 활동하면서 북한 악곡이 각종 연주회의 레퍼토리로 정착되고 교육을 통해 재생산 구조가 확립되었기 때문이다. 대표적인 사례는 2011년 북한 대피리 연주자들을 중심으로 창단된 '한음윈드오케스트라'[45]의 등장이다. 한음윈드오케스트라는 초기 최영덕에게 북한 대피

44 연주자들은 면담에서 북한의 개량관악기는 이제 국악관현악단 선발 시에도 오디션을 보는 경우가 많아 학교에서는 배우지 않아도 따로 개인 레슨을 통해 학습해야 한다고 전한다.

45 〈피리연주자 김기재, 국악 윈드오케스트라로 새로운 장르 열어〉, 《뉴스쉐어》 2012년 7월 3일자.

리를 학습하고 연주했던 국립국악관현악단 단원이 중심 역할을 했는데, 이후에도 국립국악관현악단 단원들은 개인 활동을 통해 활발히 북한의 개량악기로 북한음악을 연주하고 있다. 이상준과 문양숙을 비롯한 국립국악관현악단의 단원들은 제도권 안에서 북한음악 연행의 중심 역할을 하고 있다.

그런데 국악기와 국악관현악으로 북한 악곡을 연주하려면 반드시 국악기를 위한 편곡 작업이 수반되어야 한다. 북한 악곡은 북한 개량악기와 북한식 배합관현악으로 작곡되어 있기 때문이다. 북한 악곡의 편곡은 초기에는 연변 출신 작곡가 박위철로부터 시작하여 이후에는 남한의 대표 국악 작곡가인 박범훈 · 김대성 · 이인원 · 김성국 · 이용탁 · 조원행 · 김만석 등이 참여하였다. 또한 남한 작곡가들이 작곡한 옥류금 · 대피리 · 저피리 · 장새납을 위한 독주곡 · 합주곡 · 협주곡 등 창작곡도 점차 증가하고 있다. 이들 작품은 실제로 연주자들의 위촉을 통해 작곡되는 사례가 많은데, 한 사례로 대피리 연주자 권경숙은 "북한 대피리의 2옥타브 반이라는 넓은 음역대를 적극 활용하고 리듬 선율 등 향피리 전통 연주기법을 적극 반영하고 개량악기의 특징인 현대적 기법을 조화롭게 표현"할 수 있도록 대피리 협주곡을 위촉하였다고 밝힌 바 있다.[46]

북한 악곡을 연주하기 위해서는 편곡뿐 아니라 남한 연주자들의 '번역' 과정도 중요하다. 일례로 단기로 옥류금을 학습한 바 있는 가야금 연주자 이슬기는 2006년 KBS 국악관현악단 정기연주회 〈악기의 재발

46 권경숙, 〈북한 대피리의 주법연구 – 이정면 작곡 〈대피리 협주곡 1번〉의 대피리 선율을 중심으로〉, 중앙대학교 석사학위논문, 2003, 32쪽.

견 II〉 공연을 위해 〈황금산의 백도라지〉를 선정하고 연변을 방문하여 작품을 재학습한 후 협연을 위해 본인이 카덴차를 구성하였다. 이슬기는 "중간에 페달로 반음을 올릴 수 있는 게 옥류금의 큰 장점이라 생각되어 그걸 강조한 2~3분짜리 짧은 카덴차를 짜서 넣었다"고 언급하였다.[47] 북한음악이 남한음악계 안에서 생산·소비될 때 경합하게 되는 이질적인 음악적 감성과 주법의 문제가 어떤 방식으로 협상되는지를 잘 보여 주는 사례이다.

개량악기와 창작곡 못지않게 남한 연주자들이 관심을 보이는 장르는 '전통음악'이자 월북인들에 의해 남겨진 북한 전승 산조이다. 특히 90년대 중반 이후 연변을 통해 월북 음악가들의 미발표 산조나 단절 이후 북한 전승 음악에 대한 관심이 증가하면서 해외를 통해 자료를 수집하고 이들의 음악을 북한에서 학습한 이력이 있는 연변의 연주자를 찾아가 학습하여 남한의 연주계에 소개하는 작업이 이루어졌다. 이를 가장 먼저 실천한 연주자는 현재 가야금산조의 국가중요무형문화재 보유자인 양승희였다. 양승희는 연변의 김진에게서 입수한 악보를 통해 1992년 한국에서 안기옥 산조를 연주하였고, 2003년에는 연구집 《안기옥 가야금 산조연구 1》을 출판하였다. 이후 양승희의 제자인 김보라와 이지혜도 2015년과 2018년에 각각 가야금 독주회에서 안기옥 가야금산조를 연주하였다.[48] 북한에서 거문고는 더 이상 현장의 악기는 아니지만 남한에서는 안기옥이 전한 거문고산조에 관심을 갖고 있다. 2008년

47 이슬기 면담(2020년 5월 6일).

48 〈김보라 가야금 독주회〉(2015. 8. 6. 국립국악원 목요풍류, 국립국악원 풍류사랑방), 〈남북한 전통음악 고찰 I 안기옥의 음악세계, 산조: 이지혜 가야금 독주회〉(2018. 12. 7. 국립국악원 풍류사랑방)

거문고 앙상블 그룹 '거문고팩토리'는 《잊혀진 거문고 산조의 명인들》을 출판하여 안기옥 거문고산조의 연구 성과를 담고, 연주를 진행한 바 있다.[49] 2019년에는 해금 연주자 정겨운이 〈해금으로 듣는 남북한 전통음악 비교연주시리즈 I- 산조와 민요〉(2019년 8월 1일, 국립국악원 풍류사랑방) 공연에서 〈류대복류 단산조〉·〈리창환류 해금산조〉·〈류대복류 해금산조〉·〈남북민요 메들리〉 등을 연주했다.[50] 기악곡 외에도 황해도·평안도 지역의 서도소리는 북한음악의 가장 대표적인 장르인데 2017년에 개최된 〈두고 온 소리, 보고픈 산하〉,[51] 〈연변풍류〉[52] 2020년 국립국악원 민속악단의 공연(〈표 2〉 참조)에서도 남한에 미공개된 북한의 서도민요를 소개하였다.

북한 개량악기를 남한 개량악기의 대체제로 사용하는 것에 비판적이었던 제도권은 북한 전승 산조와 민요에는 민족정체성과 정통성의 관점에서 호의적 태도를 보여 준다. 진지한 학술이 대상이 되기도 하며 잃어버린 민족의 반쪽이자 사회주의 이념의 프로파간다로 변질되기 이전 상태의 음악은 민족음악으로서 '진정성'을 갖는 것으로 간주되며 보수적인 남한의 전통음악과 친연성을 갖게 된다. 사상적 이념성을 갖는 사회주의혁명 이후의 북한음악보다 민족음악에 관심을 집중하는 것은 남한음악계의 정체성과도 잘 부합된다. 이는 북한음악에 대한 학술적 관심과도 연결되는데, 특히 2000년대 이후 진행된 북한음악 관련 연구

49 유미영, 〈안기옥 거문고산조의 검토〉, 《월북국악인 연구》, 국립국악원, 2013, 53~97쪽.

50 정겨운은 북한 출신 해금 연주자 방달화와 〈남북해금앙상블 하나로〉를 결성하여 공연을 진행하였다.

51 국립국악원 목요풍류 〈두고 온 소리, 보고픈 산하〉(2017. 3. 9.).

52 국립국악원 해외초청 〈연변풍류〉(2017. 11. 23.)

도 대개 북한의 전통음악으로 한정되고 있다.

그런데 남한에서 북한음악 연행의 맥락을 좀 더 상세히 살펴보면 국립국악관현악단을 비롯한 국악관현악단에서 특별공연 형식으로 "겨레음악"·"민족음악"·"통일음악"·"효도음악" 등 계기성 기획으로 북한음악과 연주자를 배치하고 있음을 볼 수 있다. 또한 이주 예술가들의 활동을 통해서도 북한음악은 특정 방식의 맥락 안에서 연행되고 있다. 최민의 '통일앙상블'이나 북한이탈주민 출신인 피아니스트 김철웅이 민족악기 연주자들과 남한 연주자들과 함께 결성한 '어울림'(피아노 김철웅, 소해금 방달화, 양금 윤은화, 저대 최민, 첼로 전현은) 등이 그러한 수행을 잘 보여 준다.[53] 남한 연주자들의 북한음악 연주도 연주자의 학술적 관심사를 강조하거나 '북한'·'남북교류'·'통일'·'한민족' 등의 키워드로 다양한 공연을 기획하고 있다.

한편 이들 이주 디아스포라 예술가들에게 국악계는 새로운 기회이자 이들의 간-아시아 활동을 보증하는 중요한 기반이다.[54] 이 지점은 주의 깊게 살펴볼 필요가 있다. 북한음악 연주에 있어서 이들은 남한 연주자들에 비해 '원전성'을 획득할 가능성이 상대적으로 높기 때문에 남한에서 '북한'의 표상으로 활동할 근거를 갖추게 되며 실제로 이들의 주요 활동은 앞서 살폈듯이 '통일', '겨레', '민족', '한민족', '남북교류', '북녘땅' 등의 키워드와 관련이 깊다. 또한 때로 이들에게 아시아라는 키워드가 또 다른 정체성을 부여함으로써 요청에 따라 취사선택이 가능한

53 〈우리는 문화와 예술로 남북 잇는 '자유민'이죠 – 탈북민 재능경연 만든 라종억 이사장. 김철웅 감독 등 4인 〈어울림〉 대상〉, 《매일경제》 2015년 12월 13일자.

54 〈南北 전통·개량피리 어우러져 통일된 정체성 찾는 무대예요〉, 《영남일보》 2009년 6월 16일자.

여러 표상을 갖추게 되어 그들의 활동을 아시아로 확장할 근거, 인적 네트워크, 활동에 기반한 경험과 사회적 관계망을 형성한다. 남한 연주자들에게 있어 북한음악은 '새로운 연행'이자 북한음악에 대해 '진정성 authenticity', '원전성 originality'의 기호를 획득할 기회이기도 하다. 또한 디아스포라 연주자들이 남한의 국악계에서 활동하며 갖게 된 사회적 관계와 인적 네트워크는 여러 차원에서 힘을 발휘하며, 때로는 북한음악의 남한 유통을 지속하는 중요한 기제로 작동하기도 한다. 따라서 디아스포라 음악가들에게 남한의 전통음악계는 매력적 시장의 기회가 된다. 남으로 이동한 북한음악은 이념, 분단, 문화의 여러 경계를 넘어 '문화번역'되며 재맥락화된 새로운 의미를 구성한다. 이들 음악은 전통음악의 경계를 한반도 반쪽에서 온전한 반도 혹은 그 너머로 확장하면서 그간 견지해 온 '한국적', '남한 전승의 전통음악 혹은 전통음악에 기반을 둔 창작음악'의 개념에 도전하고 이를 교란시킨다. 디아스포라 한인사회는 북한음악이 우회적으로 들어오는 '접경지대'로, 이동한 북한음악은 지리적 경계를 넘는 그 순간 그 원전의 의미—사회주의적 프로파간다의 음악—를 잃고 이념성은 탈각된 채 "겨레음악"·"통일음악"·"민족음악"으로 문화번역된다. 남한으로 이동된 북한음악은 맥락에 따라서 음악의 출처를 의도적으로 드러내거나 은폐한다. 디아스포라 예술가들은 북한음악의 악기 주법, 악곡에 관한 한 선先 경험자와 교수자로서의 위치를 통해 '권위'를 획득함으로써 남한에서 활동할 근거를 확보한다. 남한에서 이들 음악은 남한음악계의 필요에 따라 선택·활용·재생산되어 남한 전통음악의 풍경 안으로 포섭된다. 이 과정에서 디아스포라와 남한의 연주자들은 스스로 이들 음악 생산의 적극적인 매개자를 자처한다. 더 나아가 디아스포라 민족예술가들은 간-아시아, 즉 북한-연변-한국-일본을 넘나드는 경계인으로서 여러 지역의 음악과 문화를 연결하는 매개자 역할을 하고 북한음악의 생산에 적극 가담한다.

그러나 남한에서 '문화번역'된 북한음악의 위치는 여전히 위태롭고 불안하다. 북한 민족개량악기는 남한에서 보편적으로 활용되고 있지만 여전히 '은폐적' 대체제이다. 국립국악관현악단은 북한 개량악기를 활용하기로 공표했을 때 보수적인 전통음악계로부터 공개적으로 비판을 받고 논란의 중심에 섰으며, 국립국악원의 창작악단은 북한 개량악기를 '공식적'으로 공연에 활용하지 않는다.[55] 면담에서 한 연주자는 북한음악이 남한에서 연주되기 시작한 초기에는 북한음악의 예술성을 의심하거나 편견적인 선입견에 바탕한 평가가 많았다고 말한다.[56] 실제 악기를 연주하는 연주자들도 북한 악기를 국악기의 일부로 전격 수용하기에는 무리가 있다고 증언한다. 북한 악기를 이해하지 못하고 독학으로 학습하다 보니 여러 이유로 '올바르지 않은' 연주법으로 수용되었다고 주장하는 이들도 있다.[57] 북한 개량악기가 한국 전통음악적 연주법을 수용하기 위해서는 다시 남한의 실정에 맞는 개량과 보완이 필요하다고 여기는 연주자도 있다. 일부는 북한 개량악기를 적극 도입하여 남한 개량악기의 준거로 삼을 필요가 있다는 주장을 펴기도 한다. 또한

55 국립국악원 창작악단은 1999년 정재국과 국립국악원 악기연구소에서 개량한 개량대피리를 활용하고 있다.

56 남한에서 북한 민족음악은 어린이들의 묘기에 가까운 공연 장면들이 TV나 유튜브를 통해 소비되면서 희화화되기도 하였다.

57 저피리, 대피리를 연구한 선행 연구들에서도 지적하는 문제점이기도 하다. 권경숙, 〈북한 대피리의 주법 연구: 이정면 작곡 〈대피리 협주곡 1번〉의 대피리 선율을 중심으로〉, 3~4쪽; 강승호, 〈북한 저피리의 주법연구: 정치근 편곡 〈저피리 협주곡 아 백두산〉의 저피리 선율을 중심으로〉, 2~3쪽.

사상성을 떠나 연주의 기술적 테크닉에 주력하면서 유사한 방식으로 전개하는 북한 악곡의 한계 때문에, 한국 창작음악의 현대성을 표현하기 위해 한국 작곡가들에게 이들 악기를 위한 창작곡을 위촉하기도 한다. '한국적' 감성을 표현하기 위해 북한 개량악기를 다시 국악기적인 음색과 음정을 표현할 수 있도록 '재개량'하는 연주자도 있다. 디아스포라 연주자들은 국악기로 북한음악을 연주하거나 국악관현악과 협연 시 악기 조율 문제로 여전히 어려움을 겪는다고 토로한다. 또한 주로 연변에서 제작하는 북한 대피리는 품질이 떨어지거나 리드에 따라 음색이 달라지는 등의 문제가 있다는 지적도 있다. 개량양금처럼 한국에 소개된 악기의 기원이 연변인지 북한인지 확실하게 구분하기 어려운 경우도 있다. 또한 이들 악기와 악보의 수급을 전적으로 개인 네트워크에 의존하고 있으며, 이들 음악의 생산과 소비 또한 공적 제도화의 밖에서 작동한다. 공연 형태와 맥락에 있어서도 디아스포라 예술가의 위치는 그것이 표상하는 키워드가 '북한'일 때 남한 예술가보다 상위에 존재하는데, 이들이 실제 '북한' 출신이 아니라는 점에서 모순적이며, 이들의 출신은 '북한'이라는 기호를 강조하기 위해 다시 은폐된다. 북한이탈 예술가들의 경우 '북한' 출신임에도 불구하고 북한에서 정통적인 교육과정을 밟지 않았다면 디아스포라 민족예술가들에 비해 높이 평가받지 못하게 되는데, 이 지점에서 민족음악으로서의 '정통성'이 상위에 위치하는 중요한 준거가 되고 있음을 알 수 있다.

남한에서 북한음악의 위치는 예술 제도권 밖에 존재하는 북한음악을 함께 고찰할 때 더욱 선명해진다. 2000년대 이후 북한이탈주민의 증가와 함께 북한이탈주민으로 구성된 공연예술단체가 등장하기 시작하였다. 이들은 앞서 고찰한 예술 제도권 내의 디아스포라 예술가들의 활동과는 활동의 범주와 대상, 공연 내용에 있어 큰 차이를 보인다. 현재 남한에서 활동 중인 북한이탈주민 예술단은 '평양예술단' · '평양민속예술단' · '평양민족예술단' · '평양통일예술단' · '금강산예술단' · '백두산예술단' · '평양아리랑예술단' 등이 있다. 평양예술단을 연구한 최근의 선행 연구는 이들 공연의 성격을 지역축제, 종교포교활동, 통일 관련 행사, 개인·기업·지역단체 초청공연, 지역축제, 복지관, 요양원, 양로원 등의 소비적·일회적·행사성으로 파악한다.[58] 공연의 내용도 소비 대중적인 음악과 마술쇼 등을 중심으로 구성되어 있다. 예술단 단원들은 '원천적으로 북한 출신'이지만 남한 예술계에서 진정성을 인정받을 수 있는 '민족음악'의 수행자가 아니기 때문에 '전문성'을 지닌 '예술가'의 지위를 얻지 못하고, 이들의 연행은 예술의 자장磁場 안에서 평가받을 대상이 되지 못한다. 예술의 영역 밖에 존재하는 평양예술단은 북한예술을 프로파간다 스펙터클로 바라보았던 기존 남한의 태도를 그대로 재연하며 '통일' · '탈북'을 키워드로 하는 정치·사회의 영역 안에 존재하고 있다. 또한 여성만으로 구성된 평양예술단들의 연행은 한국 사회에서 예술적 관람 대상이 아니라 흥미 본위의 젠더적 관조의 대상으로 소비된다. 이는 〈모란봉 클럽〉 · 〈이제 만나러 갑니다〉 등 주류 미디어의 젠더화된 타자화를 재현하는 태도와 곧장 연동된다.[59] 이들 북한

58 이들은 사단법인 형태를 갖거나 사회적 기업으로 선정되어 활동하고 있다. 나경아 · 한석진, 〈한국사회 내 탈북인 예술단체의 사회문화적 정체성 및 가치에 관한 연구〉, 《무용예술학연구》 26, 2009, 73쪽.

59 신해은, 《무대 위의 북한: 탈북공연예술단체의 연행과 재현》, 서울대학교 석사학위논문, 2016; Sun-hee Koo, "Reconciling Nations and Citizenship: Meaning, Creativity, and the Performance of a North Korean Troupe in South Korea," *The Journal of Asian Studies* 75-2, 2016, pp. 387-409.

이탈주민들은 남한 사람들과 민족적 동질성을 가진 집단으로 보이지만 실제로는 한국 사회의 결혼이주여성 · 이주노동자 · 다문화이주민과 마찬가지로 사회적 타자 집단으로 여겨지고 있는 것이다. 이런 점에서 초국적으로 이동하여 남한에 수용된 북한음악은 이념과 문화를 넘어 국가 · 민족 · 인종 · 젠더 · 계급이 교차하면서 연출되는 정체성 정치의 장場이 된다.

횡단하고 교차하는 초국적 수행의 산물

이 글은 동시대 간-아시아의 다층적 문화 이동의 흐름 속에서 복수의 경계를 넘어 남한으로 월경한 북한음악의 전개를 조망했다. 남한에서 북한음악은 다양한 시 · 공간이 교차하여 이념·문화·국경의 경계를 넘나들며, 디아스포라와 남북한의 예술가를 매개로 등장한 악기와 악곡을 포괄한다. 다층적인 경계를 넘어 남한으로 이동한 북한음악은 본래의 '이념성'은 탈각되고 남한 전통음악계의 필요와 요구에 따라 통일음악 · 겨레음악 · 한민족음악의 표상으로 호명되고 때로 구체적 기원을 은폐한 채 '국악화'의 길을 가기도 한다. 그러나 남한에서 북한음악의 위치는 여전히 위태롭고 불안하다. 북한 개량악기는 보수적 전통음악계의 개량악기 대체제로 선택되었으며 악기와 악곡의 수급은 여전히 개인적 네트워크에 크게 의존한다. 북한음악에 대한 평가와 시선은 특

10년간 단절되었던 남북교류가 2018년 평창올림픽을 계기로 대화가 재개되며 평화의 메시지가 울려 퍼졌다. 남북정상회담에서는 우리

민족의 악기인 해금과 옥류금 연주가 평화의 상징처럼 울려퍼졌다.[60] 그러나 채 2년도 되지 않아 2020년 6월 16일에 알려진 북측의 남북연락사무소 폭파와 후속 조치, 이에 따른 남한 정부의 국제사회 협조 요청 등 남북관계는 시시각각 변화하였다. 남한에서의 북한음악은 남북관계의 정치학에 민감하게 반응할 수밖에 없는 한계를 지닌다. 국가적으로 보수층의 반공 의식과 현실의 「국가보안법」은 남한에서 북한음악의 위치가 여전히 위태롭고 불안하다는 사실을 다시금 일깨워 준다.

초국적 간-아시아 실천의 산물인 북한음악의 남한 월경은 역동적 문화의 흐름이 구축해 내는 다층적 의미 구성의 장으로 남북한 민족예술 자원을 둘러싼 경합과 협상의 양상을 입체적으로 드러낸다. 이는 하나의 단면으로 설명이 불가능한, 횡단하고 교차하는 글로벌 문화정치의 상호작용이 가져온 결과이자, 다양한 욕망과 배경의 복합적 매개자들의 초국적 실천과 수행의 산물인 것이다.

60 〈남북상만찬장에 해금과 어우러진 북 옥류금 어떤악기〉, 《아시아경제》 2018년 4월 27일자. ; 〈남 해금과 합주하는 북 옥류금 어떤 악기? 혁명가극 위한 개량 현악기〉, 《서울뉴스 1》 2018년 4월 27일자.

참고문헌

논문

강승호, 《북한 저피리의 주법 연구 – 정치근 편곡 〈저피리 협주곡 아 백두산〉의 저피리 선율을 중심으로 –》, 한국예술종합학교 석사학위논문, 2019.

권경숙, 《북한 대피리의 주법연구 – 이정면 작곡 〈대피리 협주곡 1번〉의 대피리 선율을 중심으로》, 중앙대학교 석사학위논문, 2018.

김성국 · 김석순, 〈악기개량과 국악창작의 활성화〉, 《국립전통예술중고등학교 60년사 1960~2020》, 국립전통예술중고등학교, 2020, 290~299쪽.

김영화, 《옥류금 연구 – 도라지를 중심으로》, 중앙대학교 석사학위논문, 2003.

김용일, 〈장새납 농음연주 지도법: 독주곡 〈풍년맞이 기쁨〉을 중심으로〉, 《국악교육》 32, 2011, 25~35쪽.

김채원, 〈북한춤의 해외전파: 일본과 중국을 중심으로〉, 《공연문화연구》 22, 2011, 185~221쪽.

김현정, 《옥류금 독주곡 분석연구 – 〈꽃피는 이 봄날에〉 〈눈이 내린다〉를 중심으로》, 중앙대학교 석사학위논문, 2019.

김희선, 〈쟁 · 고토 · 가야금 개량의 역사적 전개〉, 《한국음악사학보》 40, 2008, 61~106쪽.

______, 〈Asia and the Rest: 동시대 아시아 전통음악의 연대모색과 실천〉, 《음악과 문화》 33, 2016, 105~135쪽.

______, 〈월경(越境)음악의 문화번역: 동시대 남한 전통음악계의 북한음악〉, 《이화음악논집》 24(2), 2020, 175~239쪽.

______, 〈민족의 미래 자산 평양음악 유산: 국립국악원 북한음악자료의 수집 · 공개 · 활용을 중심으로〉, 《서울학연구》 84, 2021, 177~217쪽.

나경아 · 한석진, 〈한국사회 내 탈북인 예술단체의 사회문화적 정체성 및 가치에 관한 연구〉, 《무용예술학연구》 26, 2009, 65~85쪽.

리현철, 《향피리와 북한 소피리의 주법 비교연구》, 서울대학교 석사학위논문, 2011.

박경화 · 박금해, 〈민족과 국민사이: 조선족의 초국가적 이동과 민족정체성의 갈등〉, 《한국학연구》 39, 2015, 450~456쪽.

박미정 · 김현정, 〈북한 옥류금 연구〉, 《북한연구학회보》 22(2), 2018, 231~257쪽.
박순아, 〈금강산 가극단: 재외동포가 해외에서 유지한 한국전통음악문화〉, 《음악과 문화》 25, 2011, 57~90쪽.
배인교, 〈1950~60년대 북한의 민족 악기개량과 민족관현악 편성〉, 《국악원 논문집》 40, 2019, 157~178쪽.
백대웅, 〈전통음악의 시대적 변화와 국악기 개량〉, 《한국음악사학보》 16, 1996, 102~104쪽.
서인화, 〈남과 북의 악기개량〉, 《동양음악》 30, 2008, 41~61쪽.
신해은, 《무대 위의 북한 : 탈북공연예술단체의 연행과 재현》, 서울대학교 석사학위 논문, 2016.
오태영, 〈월경의 욕망, 상실된 조국 – 탈북 재일조선인의 귀국사업에 관한 기록과 증언을 중심으로〉, 《구보학보》 19, 2018, 205~242쪽.
유미영, 〈안기옥 거문고산조의 검토〉, 《월북국악인 연구》, 국립국악원, 2013, 53~97쪽.
유영민, 〈남과 북의 가교: 재외동포의 남북한 음악전승〉, 《동양음악》 30, 2008, 181~198쪽.
______, 〈디아스포라 음악과 정체성: 재일조선인 음악을 중심으로〉, 《낭만음악》 21(4), 2009, 59~79쪽.
______, 〈경계를 넘나드는 디아스포라 정체성과 음악: 자이니치 코리안의 음악을 중심으로〉, 《음 · 악 · 학》 19-1, 2011, 7~36쪽.
윤경미, 《거문고 독주곡 〈출강〉 연구》, 이화여자대학교 석사학위 논문, 1999.
윤중강, 〈북한의 거문고는 정말 사라졌을까? – 김용실 작곡 '출강'을 듣다〉, 《국악이 바뀌고 있다》, 민속원, 2004, 346~352쪽.
이소영, 〈국악기 개량 및 그 논의의 현황과 이후 전망〉, 《한국음악사학보》 15, 1996, 105~122쪽.
이진원, 〈중국악기개량의 궤적 및 북한악기개량과의 관련성〉, 《북한의 민족기악》, 국립국악원, 2014, 89~123쪽.
이훈, 〈중국 조선족 음악과 전통의 문제 – 타민족과 다른 지역의 영향을 중심으로〉, 《동양예술학술대회》 9, 2004, 432~470쪽.
임혜정, 〈국립국악관현악단사〉, 《국립극장 70년사》, 국립극장, 2020, 352~401쪽.

Koo, Sunhee, "Sound of the Border: Music, Identity, and Politics of the Korean

Minority Nationality in the People's Republic of China," Ph.D. Diss. University of Hawaii, 2007.
______, "More than Two Koreas: Cultural Intersection and Chinese Korean Musicians in Contemporary South Korean Music Scenes," *Yearbook for Traditional Music* 46, 2014, pp. 1~21.
______, "Instrumentalizing Tradition?: Three Kayagŭm Musicians in the People's Republic of China and the Construction of Diasporic Korean Music," *Asian Music* 46-1, 2015, pp. 78~109.
______, "Reconciling Nations and Citizenship: Meaning, Creativity, and the Performance of a North Korean Troupe in South Korea," *The Journal of Asian Studies* 75-2, 2016, pp. 387~409.
______, "Zainichi Korean Identity and Performing North Korean Music in Japan," *Korean Studies* 41, 2019, pp. 169~195.

단행본

국립국악원, 《국립국악원 악기연구소 세계를 향한 이 시대의 악기조성청》, 국립국악원, 2006.
______, 《재외동포원로예술가 구술채록 일본편》, 국립국악원, 2019.

신문(인터넷) 기사 및 잡지 · 방송

서한범, 〈서울과 연변, 열 여덟번째의 만남〉, 《우리문화신문》 2016년 7월 19일자.
______, 〈그렇게 묻지만 말고, 직접 가서 보고 오시오〉, 《우리문화신문》 2016년 7월 26일자.
______, 〈연변에서 듣게 된 한국의 전통민요〉, 《우리문화신문》 2016년 8월 2일자.
______, 〈연변에 울려 퍼진 경서도 민요와 판소리〉, 《우리문화신문》 2016년 8월 9일자
______, 〈연변과 서울, 열 하고도 아홉 번째의 만남〉, 《우리문화신문》 2017년 8월 14일자.
______, 〈연길시 조선족 예술단과 풍년가로 하나되다〉, 《우리문화신문》 2016년 8월 16일자.
______, 〈연변의 1급 성악가 박춘희 교수〉, 《우리문화신문》 2017년 8월 21일자.
윤중강, 〈자존심 강한 악기 '거문고의 자존심 세우기'〉, 《문화예술》 1998년 11월호, 11쪽.

장광열, 〈최승희 춤 보급 20년 재일무용가 백홍천, 최승희 춤 문화유산 남북교류로 더 많이 공유해야〉, 《춤웹진》 78, 2016년 2월호.

〈개량악기, 국악의 새 지평 열린다: 정상회담 계기로 전통악기새량사업 햇빛…과학적 연구 선행되야〉, 《한겨레 21》 2000년 6월 29일자.

〈남과 북 오가며 울린 가야금…음악엔 경계가 없었죠〉, 《조선일보》 2020년 3월 6일자.

〈남북상만찬장에 해금과 어우러진 북 옥류금 어떤악기〉, 《아시아경제》 2018년 4월 27일자.

〈南北 전통 · 개량피리 어우러져 통일된 정체성 찾는 무대예요〉, 《영남일보》 2009년 6월 16일자.

〈남 해금과 합주하는 북 옥류금 어떤 악기? 혁명가극 위한 개량 현악기〉, 《서울뉴스1》 2018년 4월 27일자.

〈다큐멘터리 자이니치 공존의 아리랑〉, 국악방송 2013년 1월 28~29일 방송.

〈우리는 문화와 예술로 남북 잇는 '자유민'이죠 – 탈북민 재능경연 만든 라종억 이사장. 김철웅 감독 등 4인 〈어울림〉 대상〉, 《매일경제》 2015년 12월 13일자.

〈이 남자, 이 여자 없는 국악? 글쎄요~ 이제야 만나게 되는 두 차세대 명인의 연주회 〈이용구 · 문양숙의 수작(秀作)〉〉, 《국립극장》 2013년 11월 27일자.

〈장새납 소리 들어보셨나요?〉, 《한겨레》 2007년 5월 1일자.

〈[통일로 미래로] 탈북 10년, 소해금 연주자의 홀로서기〉, 《KBS 뉴스》 2016년 2월 20일자.

〈퉁소음악의 대가, 중국동포 음악가 신용춘 선생, 그는 말한다〉, 《세계한인신문》 2013년 5월 6일자.

공연 프로그램북

국립국악관현악단, 〈제24회 정기연주회 〈겨레의 노래뎐〉〉, 국립극장 해오름극장, 2020. 3. 15.~16.

______, 〈제27회 정기연주회 〈겨레의 노래뎐〉〉, 국립극장 해오름극장, 2003. 3. 29~30.

______, 〈제32회 정기연주회, 북한 룡천동포 돕기 자선음악회 〈겨레의 노래뎐 – 북쪽 마을의 노래〉〉, 국립극장 하늘극장, 2004. 5. 29~30.

______, 〈제35회 정기연주회, 새단장축제 광복 60주년 기념 〈겨레의 노래뎐 – 칠천만

겨레의 대합창〉〉, 국립극장 해오름극장, 2005. 3. 17~18.
_____, 〈민주평화통일자문회의와 함께하는 〈겨레의 노래던 2006〉〉, 국립극장 해오름극장, 2006. 10. 19~20.
_____, 〈제44회 정기연주회 〈겨레의 노래던 2007〉〉, 2007. 6. 3.
_____, 〈대한민국 임시정부 수립 90주년 기념 제49회 정기연주회 〈2009 겨레의 노래던〉〉, 국립극장 해오름극장, 2009. 4. 13.
_____, 〈다시 만난 아리랑 – 엇갈린 운명, 새로운 시작〉, 롯데콘서트홀, 2018. 11. 22.
_____, 〈관현악 Ⅳ 〈2020 겨레의 노래던〉〉, 롯데콘서트홀, 2020. 6. 17.
〈김보라 가야금 독주회〉, 국립국악원 풍류사랑방, 2015. 8. 6.
〈남북한 전통음악 고찰 I – 안기옥의 음악세계 산조, 이지혜 가야금 독주회〉, 국립국악원 풍류사랑방, 2018. 12. 7.
〈목요풍류 – 해외초청 두고 온 소리, 보고싶은 산하〉, 국립국악원 풍류사랑방, 2017. 3. 9.
〈해금으로 듣는 남북한 전통음악 비교연주시리즈 I – 산조와 민요〉, 국립국악원 풍류사랑방, 2019. 8. 1

면담

박순아 2011년 8월 20일, 2020년 6월 5일 서울
최영덕 2015년 4월 18일, 도쿄, 2017년 5월 4일 서울
문양숙 2017년 5월 4일, 서울
김계옥 2020년 6월 5일, 6월 13일, 서울
최민 2015년, 2020년 6월 5일, 서울
윤은화 2020년 6월 5일, 서울
박성진 2020년 6월 5일, 서울
이상준 2015년, 서울
이영훈 2020년 6월 5일, 서울
이슬기 2020년 5월 6일, 서울
이철주 2020년 1월 30일, 서울

이중의 디아스포라Double Diaspora와 다중적 정체성

: 자리나 빔지와 에밀리 자시르를 중심으로

주하영

이 글은 《미술사논단》 제42호(2016. 6)에 게재된 원고를 수정 및 보완하여 재수록 한 것이다.

어딘가에 속하지만 소외된 공간, 친밀감을 느끼지만 폭력적이고, 간절히 원하지만 두려움이 있는 막연한 거리의 공간[1]

영국의 인도계 학자인 알리슨 블런트Alison Blunt는 디아스포라적 '홈Home'의 의미와 열망에 대하여 속하지만 속할 수 없고, 원하지만 이룰 수 없고, 또 쉽게 다가갈 수조차 없는 두려움과 공포가 있는 막연한 거리의 공간이라 설명하였다. 즉, 디아스포라의 경험은 '누가, 언제, 어디서, 어떠한 이유로 어떻게 추방되었나'와 같은 체계화된 질문도 아니고, 종교와 정치적 상황, 문화와 사회적 환경에서 그 원인과 결과를 찾을 수 있는 것도 아니다. 디아스포라는 분명 모국에 살지 못하고 이주를 해야만 하는 환경에 놓인 사람들의 유랑이자 대서사이다.

본 글은 식민주의와 제국주의의 팽창, 그리고 정치적 이해관계로 인해 강요된 이주를 거듭해야 했던 두 아시아계 디아스포라 여성 예술가인 자리나 빔지Zarina Bhimji(1963~)와 에밀리 자시르Emily Jacir(1972~)의 삶과 작품을 다룬다. 자신이 속해 있던 공동체에 머물지 못하고 폭력적으로 이산을 경험해야만 했던 여성 예술가들이 어떻게 자신의 정체성을 형성하고, 이를 작품으로 표출하는지에 대하여 후기식민주의와 포스트페미니즘적 관점으로 논하고자 한다.

자리나 빔지는 인도계 우간다인으로 1960년대 아프리카의 민족운동과 함께 시작된 독립정부 수립 이후, 우간다Republic of Uganda의 독재자였던 이디 아민Idi Amin(1925~2003)의 대대적인 아시아인 추방 정책에 의

1 Alison Blunt, *Domicile and Diaspora: Anglo-Indian Women and the Spatial Politics of Home*, MA, Oxford and Victoria: Blackwell Publishing, 2005, pp. 5-6.

해 영국으로 망명했으며, 이후 영국과 인도 · 아프리카를 기반으로 활동하고 있는 예술가이다. 에밀리 자시르는 팔레스타인인의 후손으로 팔레스타인-이스라엘 간의 분쟁 중에 사우디아라비아·이탈리아를 거쳐 미국으로 망명하였고, 현재는 팔레스타인과 뉴욕을 오가며 작품활동을 하고 있다. 두 예술가는 반복되는 이주와 이산을 통해 국가적 충돌과 민족적 갈등을 겪었고, 제국주의의 야욕과 패권 다툼 속에서 인권이 유린되고 주권이 박탈당하는 경험을 하였다. 하지만 이들은 예술가로서의 유연한 자세를 잃지 않고, 추방자 · 소수자 · 이방인으로서 자신의 위치를 받아들이며 이러한 모습을 사진, 드로잉, 영상, 설치 등 다양한 방식을 통해 작품 속에 적극적으로 표현하고 있다.

디아스포라Diaspora의 어원은 '흩뿌리기와 퍼트리기'를 의미하는 그리스어에서 유래했으며, 본래 유대인이 로마의 박해를 피해 고국을 떠나 전 세계로 뿔뿔이 흩어진 이산離散, 즉 먼 곳으로의 이주를 의미한다. 디아스포라의 의미에는 강제이주를 통한 고통, 집합적 상흔, 모국에 대한 갈망 등이 복합적으로 얽혀 있지만 이 용어는 현대에 들어 전쟁과 식민으로 인해 고국에 살지 못하고 흩어져 지내야 했던 사람들과 그의 후손들, 그리고 국제화 · 세계화 현상에 따라 특정한 거주지나 정착의 개념을 지니지 않고 여러 곳을 유랑하며 사는 사람들을 지칭하면서 그 의미가 확장되었다.[2] 즉, 디아스포라의 의미 확장은 공간적인 개념뿐만 아니라 인간의 전반적인 행동양식에 적용되면서 그 개념이 다양해졌다. 그러나 이 글에서 다루고자 하는 디아스포라의 개념은 자발적인 이주

2 Robin Cohen, *Global Diasporas: An Introduction*, London: UCL Press & Seattle: University of Washington Press, 1997, pp. 4-8.

가 아닌 식민 지배, 근대의 노예무역, 전쟁 및 지역분쟁과 같이 외적인 이유로 자신이 속해 있던 지역에서 이산을 강요당한 사람들과 그 후손을 가리킴으로써, 방대한 디아스포라의 개념을 조금 한정해 사용하고자 한다.

당신은 어디에서 왔는가

후기식민주의 학자인 에드워드 사이드Edward W. Said는 자신의 디아스포라적 경험에 대해 이렇게 말한다.

> 모든 사람들에게 당신이 어디에서 왔는가를 묻는다면 모두 간단하게 그들이 사는 국가 혹은 도시명을 대답할 것이다. 하지만, 디아스포라인들에게 이 질문은 그리 쉽지만은 않다. 몇 가지 복잡한 개인사 혹은 정치사, 민족사를 언급하며, 더 이상 존재하지도 않는 도시명을 대답할 수도 있고, 현재 그들이 머무는 지역을 답할 수도 있다.[3]

사이드가 언급한 것처럼 '당신은 어디에서 왔는가'라는 질문은 누군가의 본질이나 바탕을 알고자 하는 물음일 것이다. 누군가는 쉽게 대답할 수 있는 이 질문에 이중의 디아스포라를 경험한 예술가들은 옮겨 온 지역을 열거하며 자신의 위치를 설명해야 하거나, 폭력과 분쟁의 공간

3 Edward W. Said, "Where I Am: Yael Bartana, Emily Jacir, Lee Miller," *Grand Street* 72, 2003, pp. 30-35.

과 상흔을 떠올릴지도 모른다. 빔지와 자시르가 겪은 잔혹한 이산의 경험은 단지 몇 마디로 쉽게 정의 내릴 수도 없고, 이들의 고통을 이해한다고 말할 수도 없다. 외압에 의해 추방된 상황에서 또 다른 지역으로의 이주라는 이중 상실의 경험은 두 예술가의 작품에서 분열된 자아의 모습으로 표상되기도 하고, 불분명한 이미지로 드러나기도 한다. 때로는 전략적이고 정치적으로 표명되기도 하는 이들의 작업은 거듭 옮겨온 지역에서 마주하게 되는 민족 간 갈등, 배척과 소외의 경험 속에서 하위주체로서 주류 권력에 대항하는 예술적 투쟁으로 보이기도 한다. 하지만 이러한 디아스포라적 경험과 주체의 갈등은 쉽게 답을 찾을 수도, 또 해결할 수도 없기에 이 글에서는 두 예술가의 삶의 궤적과 디아스포라적 서사가 투영된 작품에 대해 자세히 살펴보고자 한다.

디아스포라 미학과 정체성

디아스포라가 문화와 예술의 중요한 연구 주제로 부상한 것은 1990년대 중반의 일이다. 당시 팽팽히 맞서던 미국과 구소련의 이데올로기적 대립이 한순간에 무너지면서, 절대적이고 영원할 것 같던 사상과 체제에 대한 근본적인 믿음이 깨져 버렸다. 세계는 새로운 가치 추구로 분주한 상황이 되었고, 거대 이념의 소멸은 민족과 인종 · 젠더와 같은 세부적인 가치로 눈을 돌리게 하였다. 이러한 현상은 문화와 예술에도 많은 영향을 주었으며 국경을 넘고 경계를 허무는 이산과 이주, 이동에 관한 담론과 사상이 동시대 디아스포라 예술을 해석하는 중요한 키워드가 되었다. 또한 이산을 경험한 예술가들은 민족 갈등, 종교 분쟁, 패권 다툼, 국가적 충돌과 갈등의 상황을 작품의 주제로 적극적으로 활용하며, 이로부터 나오는 소외와 차별, 박탈과 상실의 감정을 복합적으로 작품에 표현하고 있다. 예술가인 자리나 빔지와 에밀리 자시르는 한 번도 아닌 이중의 디아스포라를 경험한 예술가들로, 서로 배경은 다르지만 원하든 원하지 않든 계속되는 추방과 이주를 경험해야 했다. 이들은 식민주의와 제국주의의 팽창에 따른 폭력적 추방과 정치적 대립 관계 속에서 정체성에 대한 고민뿐만 아니라 분열과 소외, 갈등의 상황을 경험하고 있다.

> 디아스포라는 오로지 어떤 신성한 고국, 곧 다른 민족을 바다로 내모는 등의 어떤 대가를 치르더라도 돌아가야 하는 고국과의 관계를 전제해야만 정체성이 보장되는 뿔뿔이 흩어진 종족을 가리키는 개념이 아니다.[4]

문화이론가 스튜어트 홀Stuart Hall은 디아스포라를 문자 그대로의 의미보다는 하나의 미학으로 여기는데, 그는 여기서 차이 · 결합 · 혼성성 · 서사 등이 디아스포라 미학과 정체성 문제에 얽혀 있음을 말한다. 홀은 단일하고 균일한 정체성에 회의를 느끼며 새로운 정체성의 필요성을 촉구하였다.[5] 그가 말하는 정체성이란 우리에게 확고히 정립된 것도 아니고, 완전히 자유롭게 유동하는 것도 아니다. 하지만 어느 한 점에 고정된 무엇이 있다면 바로 이 사이에 틈을 벌려 느슨하게 해 보자는 것이 홀이 말하고자 하는 정체성의 개념이다. 또한 홀은 정체성과 재현

4 제임스 프록터,《지금 스튜어트 홀》, 손유경 옮김, 앨피, 2006, 244쪽.

5 제임스 프록터,《지금 스튜어트 홀》, 220~221쪽.

에 관한 반근본주의적인 개념을 사용하기 위해 디아스포라를 비유적인 의미로 사용한다. 이러한 부분은 디아스포라 예술가들이 작품을 제작할 때 그 재현 양식에서 더 현저해지기도 한다.

한편, 에드워드 사이드는 《오리엔탈리즘Orientalism》(1978)에서 동방이라는 지역에 행해진 서구 권력의 실체와 모순을 비판하며 서구의 식민주의적 시선은 제3세계의 피식민자들 혹은 옮겨 온 자들에게 오리엔탈리즘적인 강요된 정체성을 부여하기에, 실질적으로 피식민자의 정체성은 드러나지 않고 사라지게 된다고 피력했다. 또한, 후기식민주의 학자인 강상중은 그의 저서 《오리엔탈리즘을 넘어서: 근대 문화 비판》(1998)에서 서구 근대의 '보편주의'에 대해 지적하면서, 특정 문화에 특권을 부여하는 서구의 입장은 '보편주의' 또는 '휴머니즘'을 통해 인종이나 민족의 우열을 가리고, 국가와 문화의 예속과 복종 관계를 동반해 왔다고 주장했다.[6] 따라서 디아스포라를 경험한 예술가들이 겪는 정체성의 문제는 이러한 서열이 매겨진 이분법적 논리 안에서 자연스레 이방인, 소수자와 같은 비루하고 가상적인 타자의 정체성을 구축할 수밖에 없다는 것이다.

디아스포라를 경험한 예술가들은 모국과 이주국 사이에서 물리적, 심리적 갈등을 겪고 소외되며 어디에도 속하지 못하는 중간자적 위치를 형성한다. 이러한 위치에서 예술가들은 다시 초국가적으로 변형된 혼성의 형태인 다중적 정체성을 지니게 된다.

다중적 정체성의 개념은 호미 바바Homi K. BhaBha가 언급한 '사이의 공

6 강상중, 《오리엔탈리즘을 넘어서》, 이경덕 옮김, 이산, 1998. 참고.

간In-between Spaces'에서 잘 이해될 수 있는데, 이 공간은 정지되고 고정된 '홈이 패인 공간'이 아닌, 바로 어딘가의 '사이'에 위치하는 유동적인 공간이다. 이는 어떤 민족과 국가가 다른 것에 동질화되거나 종속되어 서열화되는 것을 막을 수 있고, 고정된 현상이나 담론이 아닌 어떠한 사건이나 현상이 이동되거나 이질적인 부분을 만났을 때 그 사이에서 무엇이 일어날지, 혹은 어떠한 새로운 가치 체계가 형성될 수 있는지를 기대할 수 있는 잠재적 에너지가 만나는 공간이기도 하다. 이러한 공간에 바로 디아스포라 예술가들의 창작 과정과 작품이 존재할 수 있는 것이다.

이중의 디아스포라의 경험과 예술적 실천

이중의 디아스포라를 경험한 예술가를 설명함에 있어 이산과 이주, 문화의 복합성과 혼성, 식민주의와 후기식민주의, 제국주의와 자본주의의 관계에 대한 이해는 매우 중요한 부분이다. 하지만 동시대 미술 속에서 이중의 디아스포라와 그 경험을 논하는 것은 그리 쉽지만은 않다. 빔지와 자시르처럼 '인도-우간다-영국'과 '팔레스타인-이스라엘-미국'과 같이 여러 국가를 연결하고 가로지르는 삶을 살아온 두 여성 예술가들을 다룸에 있어, 정해진 모국도 없고 돌아가야 할 특정한 고향도 존재하지 않을 때, 과연 이들의 삶과 정체성은 어떻게 변화하는지, 또 이들이 믿고 있는 역사와 민족, 국가는 어떠한 모습으로 작품에 변형되어 나타날지는 심도 있게 논의해 봐야 할 부분이다.

외압에 의한 강제적인 이주의 경험은 두 여성 예술가에게 지울 수 없는 상처를 남겼지만, 이들은 이산의 트라우마를 극복하는 과정에서 발생하는 내외적인 갈등과 충돌을 오히려 예술 창작의 원천으로 슬기롭게 활용하고 있다. 두 여성 예술가는 서양에서 만들어 낸 허구적이며 열등한 이미지인 추방된 아시아인, 난민, 이방인과 같이 강요된 정체성을 거부하거나 저항하지 않는다. 오히려 이러한 만들어진 정체성을 받아들이고 이를 담담하게 작품 속에 그려 낸다. 하지만 여기서 중요한 것은 '아시아계 여성 디아스포라인이 전형적으로 보여지는 것'을 그대로 드러내기보다는, 은유와 상징의 디아스포라적 미학을 통해 '약자의 강인함'과 외부와 내부의 경계를 넘나들 수 있는 힘을 역설적으로 보여주고 있다는 점이다.

자리나 빔지: 디아스포라의 상실과 치유의 딜레마

자리나 빔지는 1963년 우간다의 음바라라Mbarara에서 출생한 인도계 아시아인이자 아프리카 우간다인이다. 그녀는 영국 제국주의의 팽창에 따른 식민지 개척 사업에 이용된 인도인의 후손으로 그의 부모는 1910년대 동아프리카의 우간다로 이주하였고, 빔지는 이주된 지역에서 태어나 어린 시절을 보냈다. 하지만 1972년부터 시작된 우간다의 군부독재정권과 이디 아민의 아시아인 추방 정책에 의해 또다시 1974년 부모를 따라 난민 신분으로 영국으로 옮겨 가게 되었다.[7]

1890년대 영국은 독일과의 협약에 의해 우간다를 동아프리카회사

7 군부독재자였던 이디 아민의 아시아인 추방 정책은 1972년 8월 4일 시작되었고, 이는 인도계 아시아인이 우간다 경제를 장악하며 부를 누리고 있다는 인도인 혐오증과도 같

의 지배 아래 두었고, 1894년 영국의 보호령으로 선언하였다. 식민 지배를 위해 많은 인력이 필요했던 영국은 수많은 인도인들을 식민지 개척이라는 명목으로 우간다로 이주시켜 생활하게 하였다. 이들 대부분은 철도 건설 사업에 투입되거나 플랜테이션 노동자로 일하였고, 때로는 식민지 행정관리직을 맡아 영국의 개척 사업을 도왔다. 1960년대 아프리카 대륙에서는 식민 지배에서 벗어나 독립하려는 움직임이 대대적으로 일어났다. 그리고 1962년 우간다 역시 오보테Apollo Milton Obote(1925~2005) 수상을 중심으로 영국으로부터 독립하게 되었다. 하지만 우간다의 독립 과정은 순탄하지 않았고, 1971년 군사령관이었던 이디 아민의 쿠테타에 의해 군사정부가 수립되어 독재가 시작되었다. 급기야 1972년 8월에는 '아프리카의 민족주의와 반외세'라는 슬로건 아래 '경제 전쟁'이 선포되었으며, 그 과정에서 아시아계 사람들이 일제히 추방되는 인종청소가 무참히 자행되었다.[8]

빔지는 디아스포라적 서사가 응축된 시적인 영상과 사진 작업으로 현재 전 세계적으로 주목받고 있는 작가다. 빔지의 작품에는 그녀가 실제로 겪은 폭력과 폐해, 이주와 상실, 차별과 소외에 대한 감정이 어떠한 동요도 없이 고요하게 나타나며 오로지 침묵으로만 그녀의 아픔을 대변하고 있다. 카셀 도큐멘타 11Kassel Documenta 11(2002)에서 본격적

은 이유에서였다. 이는 대대적인 인종청소와도 같았고, 오직 90일 만을 허락하고 모든 인도인에게 우간다를 떠나라는 추방령을 내렸다. T. J. Demos, "Zarina Bhimji: Cinema of Affect," *Zarina Bhimji* (Exh.Cat.), Whitechapel, Kunstmuseum Bern, The New Art Gallery Walsall and Ridinghouse, 2012.

8 Phares Mukasa Mutibwa, "Expulsion of the Asians," *Uganda Since Independece: A Story of Unfulfilled Hopes*, London: C. Hurst&Co, 1992, pp. 92-97.

으로 작품이 소개되어 주목받은 빔지는, 2007년 영국의 터너프라이즈 Turner Prize 후보자로 선정되었고, 2011년에는 런던의 화이트채플갤러리 Whitechapel Gallery에서 대규모 개인전을 개최하며 전 세계적으로 이름을 알렸다. 빔지의 작품에는 아시아, 아프리카, 유럽 대륙의 역사와 사건이 이리저리 얽혀 있으며, 이를 통해 자신의 디아스포라적 궤적과 삶의 의미를 찾아가는 과정을 우리에게 보여 주고 있다.

〈아웃 오브 블루〉

〈아웃 오브 블루Out of Blue〉(2002)(그림 1)는 빔지가 열두 살에 떠나온 우간다를 다시 방문하여 만든 영상 작업이다. 영상은 느린 카메라의 움직임과 함께 우간다의 자연의 모습과 인간 삶의 흔적들을 고요하게 비춘다. 철골 구조만 앙상하게 남은 건물을 따라 낡은 서류 뭉치와 책장, 떼어진 전등과 부서진 샹들리에, 버려진 총구, 그리고 아무렇게나 쓰여진 낙서들로 어지러운 벽들이 천천히 화면 속에 모습을 드러낸다. 사람이 떠난 자리는 풀만 무성히 자랐고, 동물의 쉼터가 되었으며, 끊어진 거미줄에는 먼지만 수북이 쌓여 있다. 숨소리도 들리지 않을 만큼 정적이 흐르는 화면은 사건에 대해 어떠한 내용도 밝히지 않은 채 내러티브도 없이 마지막 장면에 다다른다. 그곳은 바로 우간다의 엔테베Entebbe공항이다.

이곳은 1974년 목숨을 담보로 한 필사의 탈출이 있었던 곳으로 긴박함과 절망감이 그대로 응축된 공간이다. 현재의 엔테베공항은 텅 빈 채로 남아 있지만, 그날의 폭력적 추방과 공포가 고스란히 서려 있다. 익숙하지만 낯선 언캐니uncanny한 이 공간에는 역사적 사건과 기억, 상흔, 그리고 억압된 무의식의 복합적 감정들이 모두 혼재해 있다. 그러기에 이 공간은 더욱더 비밀스럽고 두려움이 서려 있다. 이러한 상처를 품은

그림 1 (왼쪽) 자리나 빔지, 〈아웃 오브 블루〉, 2002, 24분 25초, 16mm 컬러 필름, 스크린 인스톨레이션 © Courtesy of the artist
그림 2 (오른쪽) 자리나 빔지, 〈옐로우 패치〉, 2011, 29분 43초, 35mm 컬러필름, 스크린 인스톨레이션 © Courtesy of the artist.

〈아웃 오브 블루〉의 화면은 다시 천천히 움직이며 애절한 노래가 더해져 그날의 기억을 상기시킨다. 삽입된 음악은 17세기 페르시아어와 아랍어에서 유래한 힌디어와 같은 언어인 우두Urdu 시에 운율을 넣은 수피Sufi 가수 아비다 파빈Abida Parveen의 노래로, 신비롭고 전율적인 분위기를 형성하며 디아스포라인의 상처를 어루만지는 듯하다. 즉, 빔지가 방문한 우간다는 제국주의의 야욕과 식민의 역사가 남아 있는 공간이며, 그녀의 과거의 삶과 상처, 방황과 분노가 모두 잊혀지지 않고 전해지는 공간이다. 하지만 이러한 공간에서 빔지는 집단의 기억과 경험을 상기시키기보다는 이러한 사건을 겪은 가해자와 피해자 모두의 상처를 치유하듯 포용적인 자세를 취하고 있다.

이와 비슷하게 제작된 작품이 바로 〈옐로우 패치Yellow Patch〉(2011)(그림 2)다. 이 작품은 인도와 아프리카의 관계를 무역과 이주의 역사를 통해 다룬 영상 작업이다. 빔지는 조상들이 살았던 인도를 방문하였고, 이들이 옮겨 간 아프리카의 잔지바르Zanzibar · 케냐 · 우간다를 옮겨 다니며

인도인들의 삶의 흔적과 식민의 역사를 추적하였다. 〈옐로우 패치〉의 영상은 인도아대륙The Indian Subcontinent 뭄바이의 항만신탁제도인 빅토리안 사무소, 인도와 파키스탄의 국경인 랜 오브 커치Rann of Kutch의 소금사막, 맨드비Mandvi항 근처의 인도양 그리고 구자라트Gujarat 서쪽의 구조물 등을 중심으로 크게 네 부분으로 나뉜다.[9] 이 네 공간은 식민주의와 제국주의의 역사 속에서 인도와 아프리카를 연결하는 중요한 곳으로 이주와 교역과 같이 인간과 물자의 흐름을 알 수 있는 곳이다. 또한, 민족과 종교, 국가 간의 분쟁을 함축적으로 보여 주는 공간이기도 하다.

〈그녀가 좋아했던 순수한 침묵〉

식민의 차별과 이중성을 가장 직설적으로 드러낸 작품은 아마도 〈그녀가 좋아했던 순수한 침묵She Loved to Breathe-Pure Silence〉(1987)(그림 3)일 것이다. 이 작품은 네 개의 패널로 구성되었고, 각 패널은 앞뒤 양면 모두의 이미지를 볼 수 있게 와이어에 매달려 설치되었다. 설치된 패널 아래로는 다양한 색의 향신료가 뿌려져 시각적 이미지뿐만 아니라 강렬한 향에서 오는 감각적 인상까지 동시에 느낄 수 있는 작품이다.

그중 한 패널에는 입국사증과 함께 1975년 영국 내무성의 스탬프가 찍혀 있고, 반대편에는 노란색 의료용 고무장갑이 있다. 입국사증과 의료용 장갑이라는 두 오브제를 전시함으로써 1970년대 중반 런던 히드로공항에서 인도계 여성만을 대상으로 실제 행해진 '처녀막 검사' 사건을 들춰낸 것이다. 당시 영국에 거주하는 인도계 남성은 결혼 상대 여

9 T. J. Demos, "Zarina Bhimji: Cinema of Affect," *Zarina Bhimji* (Exh.Cat.), Whitechapel, Kunstmuseum Bern, The New Art Gallery Walsall and Ridinghouse, 2012, pp. 11-29.

THE GUARDIAN

NEWS IN BRIEF

Disease tests on brick workers

Transplant man dies

Malta warning

Virginity tests on immigrants at Heathrow

Alliances within Iran near collapse

Unions ask Ennals to give dispute code more time

그림 3 (왼쪽) 자리나 빔지, 〈그녀가 좋아했던 순수한 침묵〉 1987, 천에 전사, 오브제, 유리 패널, 향신료, 각 49.7×51cm © Courtesy of the artist.
그림 4 (오른쪽) 자리나 빔지, 〈영국의 처녀막 검사 보도〉, the Guardian's initial report in February 1979. © Photograph: Guardian.

성에게 약혼증명서를 발급해 줄 수 있었고, 이 증명서가 있으면 3개월 안에 결혼한다는 전제 하에 비자 없이 입국 자격이 주어졌다. 하지만 영국 이민국에서는 남아시아 출신 여성이 미혼이라면 당연히 성경험이 전혀 없을 것이라면서, 약혼의 진위 여부를 밝히기 위해 처녀막 검사를 실시해야 한다고 주장했다. 이에 인도계 여성들은 '처녀막 검사'는 아시아계 여성들에게 들이대는 이중 잣대이자 성차별이라 주장하며 거세게 항의하였고, 결국 이 검사는 이민정책 제한과 인종차별로 규정되어 중단되었다. 1979년 영국의 《가디언지The Guardian》에 따르면 80여 명 이상의 인도계 여성이 생체실험을 하듯 처녀막 검사를 받았고, 심지어 검사 리스트까지 내무부 및 국제관계 부서에 공개했다고 한다(그림 4).[10]

10 Alan Travis(Home affairs editor), "Virginity tests for immigrants 'reflected dark age prejudices' of 1970s Britain," *The Guardian*, 2011. 05. 08. http://www.theguardian.com/uk/2011/may/08/home-office-virginity-tests-1970s (2016. 2. 1 검색).

빔지는 오브제와 사진, 텍스트를 통해 당시 인도계 여성들이 겪은 차별적 상황을 상징적으로 드러내면서 영국의 식민주의와 제국주의의 이중성과 위선을 보여 주고자 하였다.

〈붉은색과 젖음〉

2000년부터 시작하여 현재까지 진행하고 있는 〈붉은색과 젖음Red and Wet〉(2000~현재)(그림 5)은 말라리아라는 전염병을 통해 오염과 전염 그리고 고정관념을 비판하는 사진과 영상 작업이다. 빔지는 작품 제작을 위해 런던과 아프리카의 병원과 연구소의 지원을 받았고, 이곳을 직접 방문하며 지속적으로 말라리아 관련 자료를 수집하고 실험실의 모습을 촬영하였다. 빔지는 서구 사회에서 아시아와 아프리카에 대한 인식 범위가 너무나 제한적이고, 문화의 고정관념 역시 너무 쉽게 받아들여진다는 점에 대해 여러 의문을 제기하며, 이를 전염병에 빗대어 표현하고자 하였다.

방충망에 검게 달라붙어 있는 모기떼가 확대된 이미지와 흰 광목천 위에 죽어 있는 검은 모기들의 이미지는 다소 충격적이고 우리에게 불안감을 주지만, 사람이 없는 병원의 녹슨 철제 침대의 이미지에서는 전염병이 일으키는 실질적인 문제뿐만 아니라 이 병을 통해 파생될 수 있는 사회적이고 정치적인 문제를 상징적으로 드러낸다. 즉, 〈붉은색과 젖음〉을 통해 무엇이 오염이고 전염인지에 대하여 대륙과 인종의 관계 속에서 생각하게 하며, 인간과 매개체, 외부와 내부의 관계에 의문을 제기한다. 줄리아 크리스테바Julia Kristeva는 《공포의 힘Powers of Horror》(1980)에서 성스러운 것과 오염된 것 사이의 구별짓기를 파악하기 위해 《구약성서》〈레위기〉에 묘사된 혐오의 논리에 주목하였고, 메리 더글라

그림 5 (왼쪽) 자리나 빔지, 〈붉은색과 젖음-트로피칼〉, 2000-2011, Fiber based print, 77×94cm © Courtesy of the artist.
그림 6 (오른쪽) 자리나 빔지 〈장바〉, 2015, 28분 37초, 35mm 필름, ©Courtesy of the artist.

스Mary Douglas는 《순수와 위험 Purity and Danger》(1966)에서 금기와 허용은 명확히 구분할 수 없다고 주장하였다.[11] 이들의 주장은 불결하고 금기시된 것은 질서의 논리를 벗어난 것이며, 이는 무질서와 혼성으로 연결되기에 구분할 수 없는 영역이 된다는 것이다. 또한, 영역 침범을 불결하게 여기는 것은 경계를 가로지르는 것에 대한 사회적 불안과 공포를 반영한다고 보았다. 하지만 아이러니하게도 〈붉은색과 젖음〉에서 빔지가 제작한 혐오스러운 소재의 이미지는 위생과 청결, 내부와 외부의 문제를 넘어 심지어 미적으로 아름답고, 이는 열병, 정렬, 그리고 사랑

11 Julia Kristeva, *Powers of Horror: An Essay on Abjection*, trans. by Leon S. Roudiez, New York: Columbia University Press, 1982. 참고; Mary Douglas, *Purity and Danger: An Analysis of Concepts of Pollution and Taboo*, London and New York: Routledge, 1966. 참고

의 감정까지 불러일으킨다. 이는 바로 쉽게 나눌 수 없는 순수와 오염의 상황을 일련의 사진 이미지를 통해 역설적으로 보여 줌과 동시에 디아스포라인이 처한 불분명한 삶의 위치를 상징적으로 표현한 것이기도 하다.

〈장바〉

빔지는 오랜 숙고 끝에 〈장바Jangbar〉(2015)(그림 6)를 선보였다. 35mm 필름으로 제작된 이 작품은 아프리카 케냐에서 촬영되었으며, 느린 카메라의 움직임과 함께 고요하고 시적인 영상과 신비로운 소리가 작품의 화면을 가득 메우고 있다. 케냐는 우간다와 같이 20세기 초반 영국의 보호령에 속했으며 수많은 인도계 아시아인들이 식민지 건설을 위해 이주한 곳이기도 하다. 그러기에 이곳에는 인도계 디아스포라인의 역사와 이들의 전치된 삶이 남아 있고, 이는 깊은 울림과 함축된 서사로 빔지의 작품에 등장한다. 우리는 작품 속의 푸른 자연과 빛의 미묘한 변화, 그리고 섬세하게 기록된 소리에서 시적인 아름다움과 명상의 여유를 느끼지만, 이는 곧 식민의 폭력적 상황과 겹쳐지며 우리의 의식구도를 뒤흔든다. 빔지가 자신의 작업에 대하여 "실제 사건을 그대로 표현한 것이 아닌 그 속의 깊은 울림과 흔적"을 찾는다고 했던 것처럼, 정적인 화면은 침묵 속의 강한 발언과도 같이 계속해서 우리에게 복잡한 사건과 갈등을 되뇌게 한다.[12]

빔지는 작품을 위해 몇 년에 걸쳐 시간적 · 물리적인 거리를 두고 조

12 Bhimji. Zarina, *Zarina Bhimji*, Exh. Cat., Whitechapel, Kunstmuseum Bern, The New Art Gallery Walsall and Ridinghouse, 2012.

상들이 살았던 인도를 방문하였고, 그들의 삶의 흔적을 추적하였다. 그녀는 자신이 살았던 우간다를 다시 방문했고, 폭력적 추방인 인종청소의 장을 찾았다. 그간 빔지가 보여 준 작품을 살펴보면 긴 시간 공들여 준비한 리서치와 현장 답사를 바탕으로 하고 있음을 알 수 있다. 비록 서정적이고 정적인 화면과 공간이 펼쳐지기는 하지만 빔지는 잊혀진 사건과 일상성 사이의 무심한 거리두기를 통해 자신이 처한 상황, 그리고 다른 이중의 디아스포라를 경험한 이들의 박탈과 상실을 조용히 대변하고 있다.

에밀리 자시르: 디아스포라적 열망과 불가능에의 도전

에밀리 자시르는 팔레스타인 여성 예술가이자 영화감독이다. 1972년 베들레헴에서 태어난 자시르는 사우디아라비아에서 어린 시절을 보낸 후, 이탈리아에서 고등학교를 졸업하고 미국에서 대학을 마쳤다. 자시르는 코로나도, 텍사스, 웨스트뱅크, 로마에 머물며 지냈고 현재는 요르단강 서안지구에 있는 팔레스타인의 임시 행정수도인 라말라Ramallah와 뉴욕을 거점으로 활동하고 있다. 이산과 이주, 추방, 그리고 전치와 이동은 그녀 작품의 주요한 주제이며 이를 통해 개인의 신화와 역사뿐 아니라 국가와 정치적 관계까지 다루고 있다.[13]

13 1999년부터 자시르는 라말라의 예술 현장에서 활동하였고, QATTAN 재단, 알-마말 재단al-Ma'mal foundation, 사카키니 문화센터Sakakini cultural center등 다양한 기관들과 일했다. 2002년에는 라말라에서 국제 비디오페스티벌을 기획하였고, 팔레스타인 혁명 영화(1968~1982), 아랍필름 프로그램 등에 기획 참여하였다. 2006년부터는 '팔

자시르는 런던의 화이트채플갤러리에서 〈유로파Europa〉(2015)라는 제목의 초대전을 개최하였다. 전시의 제목인 유로파는 그리스신화에 등장하는 페니키아 공주 '에우로페'의 이름이면서, 유럽 대륙 이름의 기원이기도 하다. 하지만 유럽이 현재의 대륙을 상징하게 된 것은 8세기 중반 샤를마뉴 대제가 집권한 이후이며, 그리스와 로마제국 당시 유럽은 오늘날 우리가 알고 있는 유럽의 모습과는 차이가 있었다. 그 당시 유럽은 발칸반도 위쪽 트라키아 지역에 속했으며, 그리스와 로마제국 서쪽의 버려진 땅이란 의미가 강했다. 자시르의 전시 〈유로파〉에서도 그 의미는 유럽 대륙 전체를 표상하지는 않는다. 유로파는 중동 지역과 남지중해를 강하게 연결시키는 상징적 의미로 사용되었다.[14]

〈필름의 소재〉

자시르의 작업은 복잡한 내러티브를 기반으로 하며, 이를 영화 · 사진 · 비디오 · 퍼포먼스 · 설치 · 사운드 아트 등의 다양한 방법으로 보여 준다. 이런 자시르의 복합적인 작업 방식을 가장 잘 보여 준 작품은 2007년 베니스비엔날레에서 황금사자상의 영예를 안은 〈필름의 소재 Material for a Film〉(2005~현재)(그림 7)일 것이다. 작품의 핵심 주제는 팔레스타인의 문인인 와엘 주에이터Wael Zuaiter의 죽음이다. 1972년 뮌헨올

레스타인 국제예술아카데미'에서 교수로 재직하고 있다. 베이루트의 아스칼 알완에 참여하여 교육과정위원회에서도 일하였다. Emily Jacir and Omar Kholeif eds, *Emily Jacir: Europa*, Munich, London & New York: Prestel, 2015, pp. 8-10.

14 Rahel Cooke, "Emily Jacir: Europa Review-This is Art as a Cause", *The Guardian*, 2015. 10. 04, https://www.theguardian.com/artanddesign/2015/oct/04/emily-jacir-europa-whitechapel-gallery-review-one-sided-message (2015. 12. 29. 검색)

그림 7 (왼쪽) 에밀리 자시르, 〈필름의 소재〉, 2007, 혼합매체, 설치, 베니스 비엔날레2007 ©Courtesy of the artist and La Biennale di Venezia.
그림 8 (오른쪽) 에밀리 자시르, 〈필름의 소재〉, 2006, 퍼포먼스, 시드니 비엔날레2006 ©Courtesy of the artist and Biennale of Sydney.

림픽 때 11명의 이스라엘 선수들과 1명의 독일 경찰관이 피살되었는데, 그 배후로 팔레스타인해방기구PLO에 속한 비밀 게릴라 조직인 '검은 구월단Black September'이 지목되었다. 주에이터는 이들 중 한 명으로 오인되었고 이스라엘의 특수정보기관인 모사드Mossad의 추적 끝에 암살되었다.

작품의 제목인 〈필름의 소재〉는 주에이터와 8년간 동거한 그의 연인 재닛 벤-브라운Janet Venn-Brown이 출간한 책인 《팔레스타인 사람: 와엘 주에이터를 기리며Palestinian: A Memorial to Wael Zuaiter》(1984)의 한 챕터에서 기인한다. 이 책은 주에이터가 이탈리아에 머물 당시 교류했던 사람들과의 인터뷰로 구성되어 있으며, 그중 한 챕터가 바로 엘리오 페트리Elio Petri와 유고 피로Ugo Pirro의 인터뷰인 '필름의 소재Material for a Film'이다. 이 책의 이야기는 원래 영화로 제작될 계획이었으나 페트리의 죽음으로 무산되고 말았다. 자시르는 무산된 프로젝트를 자신이 직접 해 보겠다고 결심했고, 주에이터의 죽음과 그 배후를 둘러싼 의문을 해결하기 위해 몇 년 간 방대한 리서치를 진행하였다.[15]

자시르는 사건의 기록뿐만 아니라 그가 쓴 엽서, 가족과 친지들의 사진, 그가 주고받은 편지와 전보 · 음악, 그가 죽을 당시 읽고 있었던 책 《천일야화One Thousand and One Night》(1706) 등 거의 모두를 수집했다. 또한, 주에이터가 기고한 이탈리아 잡지 《팔레스타인 혁명Rivoluzione Palestinese》에서도 그의 글을 발췌했고 그가 엑스트라로 출연한 필름 〈핑크팬더The Pink Panther〉의 한 부분도 편집해 작품으로 설치하였다. 자시르의 주도면밀한 리서치는 '일렉트로닉 인티파타The Electronic Intifada'를 통해 자세히 소개되었고, 〈필름의 소재〉는 시간의 간격을 두고 두 부분으로 나뉘어 전시되었다. 한 부분은 사진과 텍스트 · 비디오 · 사운드로, 다른 한 부분은 사진과 퍼포먼스, 1천 개의 총에 맞은 책의 설치로 구성되었다(그림 8). 그중 퍼포먼스는 주에이터의 죽음과 관련된 것으로, 당시 그를 죽음에 이르게 한 13발의 총상 중 한 발이 그의 책 표지를 뚫고 그 안에 박혀 있는 것에서 착안하여 자시르가 구성한 것이다. 자시르는 암살 당시 사용된 a22구경의 총으로 사격을 배웠고, 아무런 글도 없이 빈 페이지들만으로 된 1천 권의 하얀 책을 제작해 이를 총으로 쏘는 퍼포먼스를 진행했다. 그리고 전시장의 벽 전체를 거대한 책장으로 만들어 이 모든 책들을 그 속에 차례로 나열하는 한편, 다른 한 벽면에는 그가 죽을 당시 읽고 있었던 총 맞은 책 《천일야화》를 한 장 한

15 자시르는 뉴욕과 런던, 베이루트와 라말라 등 1994년부터 미주, 유럽, 중동 지역 전반에 걸쳐 광범위하게 작품활동을 하고 다양한 방법으로 전시와 출판, 교육을 겸하고 있다. Emily Jacir and Omar Kholeif eds, *Emily Jacir: Europa*, Munich, London & New York: Prestel, 2015, p. 9.

장 넘겨 가며 사진으로 기록한 것을 벽에 설치했다.

자시르가 현재까지 진행하고 있는 〈필름의 소재〉는 집착에 가까운 방대한 리서치를 기반으로 하고 있지만 리서치의 내용들은 주에이터가 받았던 암살 관련 의혹들을 교묘하게 벗어나고 있다. 그렇다고 자시르가 이 프로젝트를 가벼이 여긴 것은 아니다. 그녀는 주에이터의 죽음과 마주하기 위해 그가 암살된 로마뿐만 아니라 뮌헨, 웨스트뱅크를 여러 차례 방문했다. 이는 단지 주에이터의 죽음을 기리며 사건의 진위 여부를 밝히려는 것이 아니라, 그의 삶과 죽음에 또 다른 의미를 부여하는 주술적인 행위와도 같다. 또한 이는, 이 세상에 더 이상 존재하지 않는 사라진 그의 삶을 반추하는 것을 넘어, 팔레스타인-이스라엘 간의 관계, 즉 끝이 보이지 않는 갈등과 반목을 드러내고 있다.

〈우리는 어디에서 왔는가〉

자시르는 〈우리는 어디에서 왔는가 Where We Come From〉(2001~2003)(그림 9)에서 팔레스타인 사람들이 현재 당면한 문제를 직시한다. 〈우리는 어디에서 왔는가〉는 위임된 퍼포먼스 형식이며, 해외 혹은 점령된 지역 내에 살고 있는 서른 명 이상의 팔레스타인 사람들과의 직접적인 소통으로 이루어진 작업이다. 자시르는 이 작업을 위해 팔레스타인 사람들에게 "만약에 내가 당신을 위해 팔레스타인의 어딘가에서 무언가를 할 수 있다면, 그게 무엇이면 되겠습니까?"라고 질문했다. 그리고 이들의 대답과 요청을 적극 수집했다. 그중 베들레헴에서 몇 킬로미터 떨어진 지역에 사는 무니르의 요청은 죽은 어머니를 추모할 수 있게 도와달라는 것이었고, 자시르는 그녀의 요청대로 예루살렘으로 들어가 어머니의 무덤에 꽃을 놓아두고 기도를 하였다. 그리고 이 과정을 사진으

그림 9 (왼쪽) 에밀리 자시르, 〈우리는 어디에서 왔는가〉, 2001–2003, 32 C Prints, video installation, text: 24×29cm, photo: 89×68.5, © Courtesy of the Artist and Alexander and Bonin, New York
그림 10 (오른쪽) 에밀리 자시르, 〈설다를 건너다〉, 2003, 두 채널 비디오 인스톨레이션, © Courtesy of the Artist and Alexander and Bonin, New York

로 기록했다. 이는 미국 여권 소지자인 자시르가 자신과는 다른 고통을 겪고 있는 팔레스타인 사람들에게 해 줄 수 있는 일이자 위임된 임무를 수행하는 퍼포먼스로서, '이동의 가능과 불가능'의 사이에서 다른 이들의 열망을 채워 줌으로써 대리만족의 효과를 보여 주었다.

〈우리는 어디에서 왔는가〉는 문서와 사진 · 영상으로 제작되었는데, 문서화된 작업은 영문과 아랍어로 작성되었고, 사진은 프로젝트에 참여한 팔레스타인 사람들이 요청한 장소에서 촬영되었다. 사진 작업에서 흥미로운 부분은 자시르의 그림자가 화면 속에 함께 보이게 촬영된 점이다. 그림자가 드리워진 사진을 통해 자시르는 마치 참여자들에게 '내가 이곳에 있었다'라는 것을 알리고 증명이라도 하는 것 같다. 하지만, 이러한 프로젝트를 통해 자시르는 궁극적으로 이동과 움직임이 자유로울 수 없는 디아스포라인이 처한 현실을 말하려 하였고, 이는 예술적 행위를 넘어 정치적이고 논쟁적인 예술가의 발언과도 같다.

〈설다를 건너다〉

비슷한 맥락으로 〈설다를 건너다Crossing Surda (a record of going to and from work)〉(2003)(그림 10)에서 그녀는 팔레스타인 사람들의 이동 제한과 규제에 대하여 이야기하였다. 웨스트뱅크에 위치한 도시 설다는 한때 팔레스타인 땅이었지만 이제는 이스라엘 진영이 되어 그곳에 가려면 이스라엘 군인들의 검문을 받아야 했다. 그 검문소까지 가기 위해 장애인·노인·어린이 상관없이 누구나 약 2킬로미터를 걸어야 했다. 그런데 이 길이 잠정적으로 폐쇄되었고, 영문도 모른 채 길을 따라 걷던 사람들은 최루탄과 폭탄에 의해 해산되었다. 자시르는 카메라를 숨겨 이를 가감 없이 촬영함으로써 검문과 이동 제한, 폭력이라는 문제에 맞서 인간의 기본권에 대해 생각하게 하였다. 한나 아렌트Hannah Arendt는《전체주의의 기원The Origins of Totalitarianism》(1951)에서 인간의 권리에 대해 주장하며, 이는 권리를 보장받지 못한 희생자, 이를 빼앗은 박해자, 그리고 이를 방관하는 자 모두의 문제임을 지적하였다. 그리고 이들 모두 희망 없는 이상주의를 표방하는 자이거나 아니면 나약한 위선자로 보일 수 있음을 문제 삼았다.[16] 또한 조르조 아감벤Giorgio Agamben은 인간의 양도할 수 없는 권리Inalienable right, 즉 반드시 보장받아야 하는 기본권리가 있다 하더라도 이산과 전치의 문제는 쉽게 해결될 수 없고 이에 맞는 적절한 대응도 선불리 할 수 없음을 밝혔다.[17] 기본 권리는 모두의 문제이지만 그 기본권이 주어진다 하더라도 어떠한 문제도 해결할 수

---

16 Hannah Arendt, *The Origins of Totalitarianism,* New York: Harcourt, Brace & World, 1966, p. 269.

17 Giorgio Agamben, *Means Without End: Notes on Politics,* Minneapolis: university of Minnesota Press, 2002, pp. 15-26.

없다는 점을 두 이론가는 표명하고 있는 것이다.

〈설다를 건너다〉는 두 채널 비디오로 구성되어 있으며, 한 화면에는 설다로 건너가는 과정이 슬로모션으로 편집되어 담겨 있고, 다른 화면에는 소음과 잡음이 섞인 분주한 사람들의 장면이 긴박하고도 위태롭게 담겨 있다. 이는 기본 권리가 보장되지 않는 상황에서는 인권이 유린되고 생명이 보장되지 않음을 직접적으로 보여 준 작업이었다. 한편 자시르는 〈사랑을 품은 텍사스로부터From Texas with Love〉(2002)라는 비디오 작업을 통해 〈설다를 건너다〉와는 다른 방식으로 같은 문제를 다루었다. 그녀는 팔레스타인 사람들에게 다음과 같은 질문을 다시 하였다. "만약 당신에게 1시간 동안 도로 위를 자유롭게 달릴 수 있는 기회가 주어진다면, 그리고 그 도로에는 이스라엘 군사도, 검문소도, 우회로도 없다면 당신은 어떤 음악을 듣고 싶습니까?" 이는 슬프면서도 강력한 질문이었다. 그리고 작품의 화면은 1시간 내내 멈춤 없이 도로 위를 달리는 자동차의 모습이 음악과 함께 보여졌다.[18] 두 채널 비디오 방식으로 보여진 〈설다를 건너다〉와 달리 〈사랑을 품은 텍사스로부터〉는 1시간 정도의 긴 단채널 영상에 51개의 다른 음악들이 삽입되어 보여졌다. 자시르는 이를 통해 어떠한 검문도 제한도 한계도 없는 자유로운 상황을 꿈꾸어 보는 듯하지만, 이는 곧 자유라는 것이 자시르와 같은 디아스포라인에게는 고통의 무게일 수도 혹은 자유에 따른 책임이 될 수도 있음을 시사한다. 하지만 두 작품은 모두 장소와 기억, 그리고 역사를 소환하기에 팔레스타인 사람인 자시르는 자신이 태어난 모국과 선택한

18 T. J. Demos, "Desire in Diaspora: Emily Jacir," *Art Journal*, 2003, p. 76.

이주국의 상황 모두를 받아들여야 하고, 이는 현재 팔레스타인에만 거주하는 사람들과는 차별성이 부여됨을 그녀 자신에게 인지시킨다.

〈섹시한 셈족〉

자시르의 작업 방식은 조금 복잡하다. 그녀는 사진과 텍스트를 통한 언어적 표현, 역할 기반 퍼포먼스, 통계적 조사 자료, 신문광고 등 다양한 자료를 활용한다. 〈섹시한 셈족Sexy Semite〉(2000~2002)(그림 11, 그림 12)은 고국으로의 귀환 문제를 다루며 가상 인물의 허위 신문광고를 이용했다. "로맨스와 결혼을 원하는 팔레스타인 여인이 섹시한 유대인 남성 구함. 내 꿈은 이스라엘로 돌아가 가족을 만드는 거예요. 비흡연자 선호" 혹은 "팔레스타인계 셈족이 유대인 소울메이트 구함. 당신은 젖과 꿀을 원합니까? 나는 이스라엘에서 대가족을 만들 준비가 되어 있어요. 집 열쇠도 있고요. 당신을 기다립니다"와 같이 구인란에 올라온

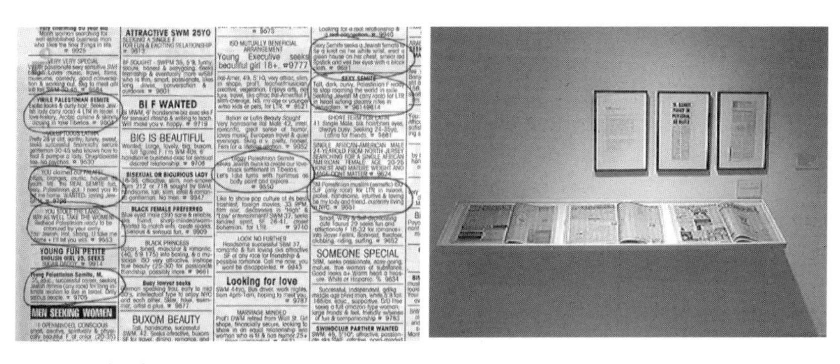

그림 11 (왼쪽) 에밀리 자시르, 〈섹시한 셈족〉, 2000-2002, 신문광고. © Courtesy of the Artist and Alexander and Bonin, New York
그림 12 (오른쪽) 에밀리 자시르, 〈섹시한 셈족〉, 2000-2002, 인스톨레이션. © Courtesy of the Artist and Alexander and Bonin, New York

광고는 매우 선정적이며 직설적이었다. 이 광고는 이스라엘과 팔레스타인의 문제를 다소 가볍고 재치 있게 피해 가는 것 같지만, 이스라엘로의 복귀에 대한 차별법을 강력하게 비판하고 있다. 현행법상 이스라엘로의 복귀는 고국으로 귀환하려는 유대인과 시민권 소유자들에게만 열려 있고 팔레스타인 망명자에게는 기회조차 주어지지 않는다. 따라서 팔레스타인 사람들은 이스라엘 땅이 그들이 살았던 지역임에도 불구하고, 반드시 유대인 혹은 시민권 소유자와 합법적으로 결혼해야만 자신들이 추방된 땅으로의 귀환이 가능하다. 이에 대해 자시르는 작품을 통해 국가와 정치적인 이해관계를 인간의 삶에 대입하여 조롱하듯 풍자하여 표현했고, 경계를 넘는다는 것이 사실상 어려운 일이고 오로지 허락된 자들에게만 제한적으로 허용되고 있음을 비유적 보여 주고자 하였다.

에드워드 사이드는 팔레스타인 디아스포라에 대해 "추방에 의해 추방된 사람들"이라는 함축적이고도 불분명한 답을 제시하였다.[19] 이는 우리의 육체가 모국이라는 영토에서 벗어나 전치되고 이주됨을 의미할 뿐만 아니라, 국가와 역사의 서술에서도 소외되는 이중의 디아스포라에 대해 언급한 것이었다. 자시르의 복잡한 작품활동 방법도 어쩌면 역사에서 지워지고 잊힌 부분을 들추어 내면서 자신이 직면한 디아스포라의 문제를 해결하고자 하는 굳은 의지인지도 모른다. 하지만 이는 디아스포라적 열망과도 같이 그녀의 작품 속에 난제로 남아 해결할 수도, 되돌릴 수도 없는 불가능함에 대한 반복되는 딜레마인 것이다.

19 Edward Said, "Reflection on Exile", *Granta* 13, 1984, p. 164.

나오는 글

자리나 빔지와 에밀리 자시르는 서로 다른 배경과 목적을 가지고 이주와 유랑을 반복해 왔다. 이들은 식민의 역사와 제국주의의 힘의 논리에 의해 옮겨지고 추방되었으며, 인도인도 팔레스타인인도 아닌 채 분열과 갈등, 그리고 고통의 상황을 반복적으로 경험해야 했다. 하지만 이들은 여성, 아시아인, 이민자, 소수자, 예술가라는 다중적 정체성을 받아들이며 이들만의 언어를 통해 국가와 민족, 정치와 힘의 논리에 문제를 제기하며 이중의 디아스포라적 경험과 서사를 다양한 작품으로 풀어냈다.

오늘날 디아스포라와 예술을 논함에 있어 인터넷과 미디어, 커뮤니케이션의 발달은 더 이상 간과할 수 없는 부분이 되었다. 이들의 도움으로 디아스포라의 젊은 세대들에게 모국과 옮겨 온 국가 사이에서 파생되는 것은 더 이상 슬픈 과거나 이산의 아픔은 아니다. 그러기에 디아스포라와 예술의 역사는 세대와 지형에 따라 변해 가고 있지만, 심리적 거리가 가까워졌다고 해서 물리적 거리마저 가까워진 것은 결코 아니다. 디아스포라는 이미 끝나 버린 역사의 과거나 담론이 아니다. 현재까지도 쉽게 해결점을 찾지 못하는 계속되는 현상이다. 또한 이중의 디아스포라는 역사적, 국가적, 정치적 상황에 의해 끊임없이 변화하고 있다. 국제화 · 세계화 시대인 지금도 강대국의 힘의 논리에 의해 탈식민이 아닌 신식민, 그리고 재식민의 역사가 되풀이되고 있고, 국가적 분쟁과 충돌은 아직까지도 진행되고 있다. 그러기에 디아스포라 예술 연구는 지정학적 위치와 세대를 가로지르며 개별적인 연구가 이루어져야 함이 마땅하지만, 두 예술가의 경우는 제국주의의 팽창에 의해 강제적인 추방과 이주를 경험했고 인권이 유린당했다는 점과 고정된 홈Home을 두지 않고 전 세계를 무대로 유랑하며 작품활동을 하고 있다는 점에서 유사한 영역으로 분류하여 연구를 진행하였다. 그리고 두 예술가의 작품에서 몇 가지 공통적인 특징을 발견할 수 있었다.

첫째, 두 예술가는 전치된 공간인 이주국에서 소외되고 타자화됨에 있어 끊임없이 의문을 제기하며 제국주의와 식민주의의 위선과 기만, 이중성과 차별에 맞서 논쟁적인 예술적 투쟁을 하였다. 자리나 빔지는 아시아와 아프리카의 관계 속에서 제국주의의 신화와 강요된 이주의 역사를 추적하였고, 인종과 성차별에 맞서 잊혀진 사건을 들춰내며 동서양을 구별하는 식민 지배자들의 잔인한 이중적 잣대를 문제 삼았다. 에밀리 자시르는 팔레스타인과 이스라엘의 갈등을 드러내며, 팔레스타인 사람들이 너무 쉽게 오인받고, 소외되고, 타자화될 수 있음을 지적하였고, 현재까지 계속되고 있는 차별과 검문, 테러에 의한 희생을 직접적으로 작품 속에 등장시켰다.

둘째, 이들의 작품에는 후기식민주의와 문화적 혼성을 넘어선 초국가적인 표상과 다중적 정체성에 대한 갈등의 모습이 있다. 두 예술가의 작품에는 통상적인 국가와 민족, 정치적인 이슈들이 등장하기보다는 이들을 연결하고 가로지르는 변형된 형태의 문제들이 등장했으며, 쉽게 구별하고 정의 내릴 수 없는 두 예술가의 위치는 불분명하고 모호하며 파편화된 이미지로 표상되었다. 하지만 이러한 문제들은 작품 속에 직접적으로 설명되기보다는 시적인 언어와 은유를 통해 오히려 역동적으로 구현되고, 다양한 시각적 방식으로 표출되었다.

마지막으로 두 예술가의 작품에는 계속되는 이주를 경험한 이들만이 말할 수 있는 내밀한 진실과 갈등, 그리고 존재와 부재에 대한 진지한 고민이 있다. 빔지와 자시르가 작품을 통해 보여 준 역사적인 장소와 실제의 사건, 남겨진 기록과 문서는 잊힌 이들의 역사와 권리를 복권하려는 디아스포라적 열망과도 같았고, 자신의 정체성과 존재 가치를 확인하려는 행위와도 같았다. 하지만 두 예술가 모두 계속해서 역사를 추적하고, 사건을 파헤치고, 자료를 수집하면 할수록 오히려 더 소외되는 이중의 상실과 자기소외를 경험하였다. 이러한 경험은 문제 해결을 위한 자연스러운 변증법적 합의 체계도 아니었고 풀리지 않는 난제와도 같이 갈등과 충돌의 연속으로 드러났다.

따라서 본 연구가 이중의 디아스포라를 경험한 예술가들의 삶과 작품을 이해함에 있어 가치 있는 판단력과 비평적인 시각을 제공하기 바라며, 아직도 진행되고 있는 국가 간, 민족 간의 갈등과 충돌 속에서 예술가의 역할은 과연 무엇이고, 이들의 위치는 어떻게 정립할 수 있는지 다시 한 번 생각해 볼 수 있는 기회가 되길 바란다.

참고문헌

강상중, 《오리엔탈리즘을 넘어서 Beyond Orientalism》, 이경덕 옮김, 이산, 1998.
제임스 프록터, 《지금 스튜어트 홀 Stuart Hall》, 손유경 옮김, 앨피, 2006.

Agamben, Giorgio, *Means Without End: Notes on Politics*, Minneapolis: university of Minnesota Press, 2002.

Arendt, Hannah, *The Origins of Totalitarianism*, New York: Harcourt, Brace & World, 1966.

Bhabha. Homi K., *The Location of Culture*, London & New York: Routledge, 1994.

Bhimji. Zarina, *Zarina Bhimji*, Exh. Cat., Whitechapel, Kunstmuseum Bern, The New Art Gallery Walsall and Ridinghouse, 2012.

Blunt, Alison, *Domicile and Diaspora: Anglo-Indian Women and the Spatial Politics of Home*, MA, Oxford and Victoria: Blackwell Publishing, 2005.

Cohen, Robin, *Global Diasporas: An Introduction*, London: UCL Press & Seattle: University of Washington Press, 1997.

Cooke, Rahel, "Emily Jacir: Europa Review-This is Art as a Cause," *The Guardian*, 4 Oct, 2015, https://www.theguardian.com/artanddesign/2015/oct/04/emily-jacir-europa-whitechapel-gallery-review-one-sided-message (2015. 12. 29. 검색).

Douglas, Mary, *Purity and Danger: An Analysis of Concepts of Pollution and Taboo*, London and New York: Routledge, 1966.

Demos, T. J., "Desire in Diaspora: Emily Jacir," *Art Journal*, 2003, p.76.

Jacir, Emily and Kholeif, Omar eds., *Emily Jacir: Europa*, Munich, London & New York: Prestel, 2015.

Kristeva, Julia, *Powers of Horror: An Essay on Abjection*, trans. by Leon S. Roudiez, New York: Columbia University Press, 1982.

Mutibwa, Phares Mukasa, "Expulsion of the Asians," in *Uganda since Independence: A Story of Unfulfilled Hopes*, London: C. Hurst&Co, 1992, pp. 92-97.

Said, Edward W., "Where I Am: Yael Bartana, Emily Jacir, Lee Miller," in *Grand*

Street 72, 2003, pp. 30-35.

_____, "Reflection on Exile," *Granta* 13, 1984, p. 164.

Travis, Alan(Home affairs editor), "Virginity tests for immigrants 'reflected dark age prejudices' of 1970s Britain," *The Guardian*, 2011. 05. 08. http://www.theguardian.com/uk/2011/may/08/home-office-virginity-tests-1970s (2016. 2. 1 검색).

3부

이동적 공간의 문화적 생산

'전후' 일본의 상징 공간, '교외'

: 모빌리티 테크놀로지의 발달과 교외의 변화를 중심으로

우연희

이 글은 《일본학》 제55집(2021. 12.)에 게재된 원고를 수정 및 보완하여 재수록한 것이다.

근대 기술의 장소적 생산물, '교외'

도심 가까이 위치한 교외의 주택지는 어떻게 생겨났을까? 우리가 떠올리는 근대 교외의 모습은 철도로 대표되는 모빌리티 테크놀로지의 발달과 도시 성장의 결과로 만들어졌다. 초기에 철도는 "농촌을 일정한 속도로 통과하면서 놀라운 방식으로 일상 속으로 들어가 변형"[1] 시켰다. 철도는 시간과 공간을 단축시키는 동시에, 열차 운행을 위한 표준시간 적용, 열차 여행 중의 독서 행위 등 삶과 밀접한 부분에서 새로운 변화를 불러왔다. 선로와 차량으로 결합된 철도는 객차를 이끌고 사람들이 살고 일하는 도시와 마을을 통과해 빠른 속도로 사람들을 이동시켰다. 이러한 철도의 성격은 팽창하는 도시의 인구를 교외로 분산시키는 데 크게 일조했다. 철도는 주거지와 직장이 분리되고 또 쉼터에서 일터로의 통근이 전 세계에 전파되는 데 결정적인 역할을 담당해 왔다. 이처럼 철도는 물리적인 거리의 극복뿐만이 아니라 공간을 새롭게 형성하고 직주분리, 통근과 같은 새로운 삶의 영역을 만들어 냈다.

일본에서 철도에 따른 교외지역 개발은 유럽과 비슷하게 전개되었다.[2] 유럽과 동일한 방식으로 철도가 놓인 노선을 따라 교외 주거지가 개발되었다. 철도 도입 초기에 역을 중심으로 형성되었던 교외는 전후

1 존 어리, 《모빌리티》, 강현수 · 이희상 옮김, 아카넷, 2016, 178쪽.

2 도시 근교에 철도 노선을 건설하고 역을 중심으로 거주지를 만들어서 부동산 가치를 올리고 동시에 철도의 수요도 창출하는 방법으로 교외지역이 개발되었다. 일본 교외의 주택은 한큐阪急電鉄의 창업자인 고바야시 이치조小林一三 등에 의해 관서지방에서 먼저 개발되었고, 이어 관동지방으로 전파되었다. 일본의 경우 사철私鉄의 연선 개발이 교외지 개발에서 큰 역할을 하고 있다는 점이 특징적이다(고시자와 아키라, 《도쿄 도시계획 담론》, 장준호 편역, 구미서관, 2007, 72쪽).

고도경제성장기와 도시화를 거치면서 대규모 주택단지[3] 형태로 나타났다. 전철로 접근할 수 있는 교외 주택단지는 도시로 노동력을 제공하는 한편, 도시로 인구가 집중되는 것을 억제하는 역할을 했다. 전후의 교외는 경제성장, 도시화, 인구 증가와 맞물려서 팽창했으나 오일 쇼크와 1990년대 초반 버블 붕괴로 성장세가 멈췄다.[4] 이와 같은 변화를 거친 교외는 철도와 같은 이동을 가능하게 하는 테크놀로지의 발전만으로 이루어진 것이 아니라, 그 공간을 구성하는 여러 물적 · 인적 요소로 인해 형성되었다. 이를테면 먼 거리를 짧은 시간에 이동할 수 있는 교통, 수평으로 땅을 차지하고 있던 주택들을 수직으로 쌓아 올릴 수 있는 건축 기술, 멀리까지 전기를 운반하는 전선 네트워크와 같은 모빌리티[5] 테크놀로지 발달을 중요한 요소로 꼽을 수 있다. 이것들은 공간의 형성과 변형에만 영향을 미친 것이 아니라, 교외에서 삶을 영위하는 사람들의 생활에도 깊이 관여하여 새로운 삶의 방식을 만들어 냈다.

지금까지 교외는 중심도시와의 상관관계 속에 존재하는 장소로서 연구되어 왔다. 초기에는 중심도시 주변 지역 토지 이용 변화와 사회경제적 변화를 중심으로 연구가 진행되었다.[6] 최근에는 교외 단지의 쇠락,

---

3 단지団地는 중고층의 아파트군에 점포, 집회소, 공원, 학교 등의 시설이 갖추어져 있는 대규모 주택지를 말한다.

4 김은혜, 〈1990년대 중반 이후 일본의 도심회귀와 젠트리피케이션〉, 《지역사회학》 17(3), 2016, 6쪽.

5 모빌리티mobility는 단순히 물리적 이동이나 이주 자체만을 의미하는 것이 아니라 이동과 이주를 통해 생겨나는 다양하고도 상호 의존적인 관계들을 포함한다. 기차, 자동차, 비행기, 인터넷, 모바일기기 같은 모빌리티 테크놀로지에 기초한 사람, 사물, 정보의 이동과 이를 가능하게 하는 테크놀로지까지를 모두 아우르는 개념이다(존 어리, 《모빌리티》, 31~34쪽).

6 1940년 전후부터 도시학자들이 중심도시 주변 지역으로의 거주지 확산에 따른 지역 변

공동화에 문제의식을 가지고 교외 재생을 위한 연구가 이루어지고 있다. 도시사회학 연구가 주를 이루고 있으며 교외와 도시공간에 초점을 둔 문학연구로는 《도시공간 속의 문학都市空間の中の文学》(1992)과 《교외의 문학지郊外の文学誌》(2003)를 들 수 있다. 마에다 아이前田愛는 《도시공간 속의 문학》에서 다메나가 슌스이為永春水의 《슌쇼쿠우메고요미春色梅児誉美》, 가와바타 야스나리川端康成의 《아사쿠사구레나이단浅草紅団》 등 근세부터 근대에 이르는 문학작품과 베를린 · 상하이 · 도쿄의 도시공간과의 관계를 분석했다. 가와모토 사부로川本三郎는 《교외의 문학지》에서 메이지 후기에서 전후에 이르기까지 중산층의 삶의 장소인 교외 주택지를 배경으로 한 문학작품을 분석하여 '도쿄 교외' 발전의 모습을 검증했다. 구니키다 돗보国木田独歩를 비롯해 쇼노 준조庄野潤三까지 여러 소설을 대상으로 교외의 각 지역을 입체적으로 탐구했다. 가와모토의 연구는 '도쿄 교외'의 발전의 역사를 통시적으로 다루었다는 점에서 교외 소설 연구에서 빼놓을 수 없다. 교외 · 도시공간과 문학작품의 관계를 검토한 이들 선행 연구는 도시화, 경제성장, 물리적 · 가상적 이동을 가능하게 하는 모빌리티 테크놀로지의 발전 등의 복합적 요소로 인해 교외가 형성되고 변형되어 갔다는 점을 간과했다는 한계가 있다.

이에 이 글에서는 교외의 탄생을 가능하게 한 모빌리티 테크놀로지 발전에 착안하여, 교외가 여러 복합적인 관계 안에서 형성되고 변형되

화 연구를 수행했다. 중심도시 주변 지역의 교외화에 대한 연구는 1945년 이후 본격화되었으며, 초기에는 중심도시의 지역 구조를 분석하면서 중심도시의 일부 기능을 분담하는 지역으로서 연구되었다. 1960년대에 이르러 토지 이용 변화를 중심으로 한 중심도시 주변 지역 변화에 대한 연구는 사회경제적 변화를 중시하는 연구로 이어졌다(권용우, 《교외지역》, 아카넷, 2001, 11~14쪽).

어 갔음을 확인하려고 한다. '근대 기술의 장소적 생산물'[7]인 교외는 인구 증가와 도시로의 인구 집중으로 인한 주거지 확장 측면에서만 볼 것이 아니라 도시와 사회의 관계, 근대 기술의 발달과 함께 다층적인 생성물로 보아야 한다. 그렇게 본다면 '교외'는 일본 전후를 구성하는 여러 요소가 반영된 만들어진 공간으로 해석될 수 있다. 전후 일본의 교외는 철도를 따라 발달하고 확장하였으며, 교외의 공간 변화는 경제성장 및 물리적·가상적 이동을 가능하게 하는 기술을 비롯한 여러 사회적 요인이 작용하여 이루어졌다. 이 관점에 기반하여 이 글에서는 교외의 초기 형성기와 팽창기·쇠락기를 배경으로 하는 일본의 전후 문학작품을 통해 일본 전후에서 '교외'라는 공간이 갖는 상징성을 규명하려고 한다.

전쟁의 흔적이 침입하는 공간: 《무사시노 부인》

일본 최초의 여객철도는 1872년에 개통되었다. 도쿄 신바시新橋와 요코하마横浜 구간의 29킬로미터가 개통되면서 철도의 여객 수송이 시작되었다.[8] 일본에 철도가 도입된 시기 교외와 전차가 등장하는 작품으

7 홍지학·신은기·김광현, 〈근대 교외건축이 재현하는 도시성의 특징〉, 《대한건축학회논문집》 27(8), 2011, 207쪽.

8 열차는 1일 9회 왕복, 18개 열차로 편성되었으며, 수송력은 최대 4,356명으로 1일 약 4,400명의 수송이 가능했다. 이 구간의 역은 시나가와品川, 가와사키川崎, 쓰루미鶴見, 가나가와神奈川의 4개이며, 운전 시간은 53분, 속도는 약 33km/h였다(이용상 외, 《일본 철도의 역사와 발전》, 북갤러리, 2017, 50~51쪽).

로 〈무사시노武蔵野〉(1898)와 〈소녀병少女病〉(1907)이 있다. 구니키다 돗보国木田独歩의 〈무사시노〉에는 주거지로 개발되기 전의 교외가 그려지고, 다야마 가타이田山花袋의 〈소녀병〉에는 서사가 전개되는 공간으로 전차가 등장한다.[9] 〈소녀병〉의 주인공은 전차를 타고 직장으로 출근하면서 정차하는 각 역에서 탑승하는 여학생들을 훔쳐본다. 전차로 출근하는 모습은 직주 분리, 즉 직장과 주거지가 분리되면서 생겨난 광경이다. 〈무사시노〉가 발표된 무렵은 교외가 베드타운 주거지로 형성되기 전으로 무사시노는 숲과 들이 어우러진 곳이었다. 〈무사시노〉에 묘사된 무사시노 들판은 "바다가 물결치는 듯한 고저 기복이 있고"(〈무사시노〉, 48쪽) "들과 숲이 난잡하게 섞여 있어, 숲으로 들어간다고 생각하면 금세 다시 들로 나오게 되는"(〈무사시노〉, 49쪽) 곳이었다. 1900년대 전후에는 울창한 숲과 들로 채워졌던 도쿄 근교의 무사시노에 이후 철도 노선이 들어섰다. 오오카 쇼헤이의 《무사시노 부인武蔵野婦人》(1950)[10]은 1945년 전쟁이 끝난 후부터 3년째가 되는 해의 동경 서쪽 근교, 현재 고가네이시小金井市 주변을 무대로 한 작품이다.

30년 전 샘물을 포함한 저지대 일대 약 천 평의 땅은 거의 거저나 마찬가지의 가격으로 도쿄 관리 미야지 노부자부로의 손에 넘어갔다. 길가 웅

9 〈무사시노〉에는 무사시노를 산책하면서 만나게 되는 아름다운 자연으로서의 교외가 그려진다. 〈소녀병〉에는 교외인 센다가야千駄谷에서 도심인 간다 니시키초神田錦町까지 통근하는 주인공이 등장한다(요시미 슌야 · 와카바야시 미키오 편저, 《도쿄 스터디즈》, 오석철 옮김, 커뮤니케이션북스, 2006, 162~163쪽).

10 《무사시노 부인》은 1950년 1월부터 9월까지 《군조群像》에 발표되었고 같은 해 11월에 고단샤講談社에서 단행본으로 간행되었다.

덩이의 물 사용과 현재 '하케' 땅에 새로운 우물을 파는 비용 부담은 초사쿠의 선대가 양도에 즈음하여 아슬아슬하게 붙인 조건이었지만, 그래도 선대는 죽기 전까지 손해를 본 것이라고 불평했다. 그것은 토지를 팔고 나서 5년이 지나자, 여기에서 도보 15분 거리에 고가네이역이 생겨 땅값이 3배가 되었기 때문이다.

철도성 사무관인 미야지는 물론 역의 신설을 미리 알고 있었다. 그러나 그가 이곳을 택한 것은 꼭 타산 때문만은 아니었다. 그는 실제로 '하케'가 마음에 들었던 것이다.(《武蔵野夫人》, 《大岡昇平全集》 3, p. 147)

미치코가 살고 있는 '하케'는 철도성 공무원이었던 아버지 미야지 노부자부로가 30년 전에 거의 공짜나 다름없는 가격으로 구입한 곳이었다. 하케라 불리는 지대가 낮은 넓은 땅은 철도 노선과 역이라는 인프라가 구축되면서 그 가치가 급격하게 상승했다. 미야지 노인은 역의 신설로 얻게 될 땅값 상승보다 후지산이 보이는 자연을 벗삼아 여생을 보내고 싶다는 강한 바람으로 하케로 옮겨 왔다. 《무사시노 부인》에 설정된 배경처럼 전쟁 전 개발된 교외 주택지의 대부분은 도시에서 벗어나 아름다운 자연과 가까이 살아가고 싶다는 욕구를 지닌 중상류층이 만족할 만한 충분한 환경을 제공했다.[11]

주오센中央線 고쿠분지国分寺역과 고가네이小金井역 중간, 선로에서 평탄한 밭 사이 길을 2정丁 정도 남쪽으로 가면 갑자기 내리막길이 된다. '노

11 도이 쓰토무土井勉, 〈철도사업과 도시만들기 – 일본의 사철을 사례로 하여〉, 《울산대학교 사회과학논집》 13(1), 2003, 22쪽.

가와野川'라고 불리는 작은 강 유역이 거기에 펼쳐지는데, 강폭이 좁은 것에 비해 경사면이 높다.(〈武蔵野夫人〉, 《大岡昇平全集》 3, p. 146)

가끔 이 두 집을 방문하는 돈과 먹을 것에 지친 도회인들은 어렵고 힘든 세상에 이런 한가로운 세계가 있다는 것에 때로는 놀라고 때로는 실망해서 돌아갔다. 사면에서 내려다보이는 다마多摩 유역은 푸르렀다. 그중에 유달리 흰 빛이 도는 녹색이 모여 있는 숲을 보고 사람들은 이런 곳에는 나무까지도 신선한 빛을 유지하는구나라고 의아스러워했는데 그것이 밤꽃에 지나지 않는다는 것을 듣고 또 낙심했다.(〈武蔵野夫人〉, 《大岡昇平全集》 3, p. 158)

《무사시노 부인》의 서사는 과거 다른 지역이 바닷물에 잠겼을 때도 육지로 남아 있을 만큼 지대가 높은 '하케'를 배경으로 전개된다. 이와 같은 지리적 특성은 외부와 단절된 독립된 공간에서 일어나는 사건에 집중하게 하는 요건이 된다. 하케는 주오센 전철로 연결되는 도쿄와 가까운 곳임에도 불구하고 도시와 전혀 다른 '한가로운 세계'로 서술된다. 교외지역은 유럽에서 발생 초기부터 여가, 가족생활, 자연과의 합일을 추구하며 배제의 원리에 기초해 형성되었다. 노동은 가족의 주거로부터 배제되었고, 교외지역의 푸른 경관은 회색빛을 띤 오염된 도시 환경과 대조를 이루었다.[12] 유럽의 초기 교외의 원리는 하케에도 동일하게 적용된다. 하케에서는 푸른 다마多摩 유역이 내려다보이고 어디서나 볼 수 있는 밤꽃인데도, 방문객들이 유달리 신선한 빛을 가진 숲으로 자연

12 로버트 피시만, 《부르주아 유토피아》, 박영한 · 구동회 옮김, 한울, 2000, 18쪽.

을 받아들인다. 도쿄에 있는 사립대학 프랑스어 교원인 미치코의 남편 아키야마는 전철로 회사까지 통근한다. 도시와 가깝고 철도로 연결되며 주변에 푸른 자연이 펼쳐져 있는 하케는 초기 교외의 전형적인 모습을 갖고 있다. '한가로운 세계'의 하케 주민들도 가혹한 전쟁 시기의 삶을 보냈지만 전쟁이 끝나자 아키야마는 집을 수리하고 도시의 친구들을 초대해 집들이를 할 정도로 안정되어 갔다. 그러나 이와 같은 교외의 '한가로운 세계'는 미얀마 전장에서 돌아온 미치코의 사촌 쓰토무에 의해서 쉽게 균열이 생긴다.

> 경사면의 위쪽 길에는 작은 나무 문만 열려 있을 뿐 노인은 쓰토무를 포함해 모든 방문객에게 그쪽으로 들어오는 것을 허락하지 않았다.
>
> 앞쪽으로 낡은 문이 보였을 때, 쓰토무는 문득 그쪽으로 들어가고 싶어졌다. 나무 문은 걸쇠가 걸려 있었으나 나무 담 옆으로 손을 넣어서 쉽게 열 수 있었다. 나무 문을 밀면서 그는 이상한 기쁨을 느꼈다. 그는 그것을 단순히 어린아이 같은 장난에서 오는 기쁨이라고 생각했지만, 이러한 비밀스러운 행동은 역시 항상 기습을 강요받았던 전선에서 얻은 습관이었는지도 모른다. '적의 뒤쪽으로부터' 이것이 그의 마음에 들었던 것이다.
>
> (〈武蔵野夫人〉, 《大岡昇平全集》, pp. 164~165)

'한가로운 세계'의 균열은 '전장의 원리'에 따라 행동하는 인물의 하케 침입을 계기로 시작된다. 지퍼가 주렁주렁 달린 항공복 차림으로 하케에 등장한 '복원자復員者' 쓰토무는 전선에서 얻은 "뜻하지 않게 자신에게 속한 권리는 유예 없이 이용한다"(〈武蔵野夫人〉, p. 163)는 교훈에 따라 행동한다. 쓰토무는 아버지의 유산이 있는 한 마음대로 살기로 작정하고 전장의 원리대로 무엇이든지 해 나가는 인물이다. 그는 무사시노의 자연을 보초병의 눈으로 파악하고 미야지 노인이 방문객의 출입을 허락하지 않았던 문으로 '적의 뒤쪽으로부터' 기습하듯 하케로 침입한다. '하케'라는 공간으로 상징되는 일본의 '전후' 사회에 '전장의 원리'에 따라 행동하는 인물, 전쟁의 흔적이 침입하는 방식은 여전히 끝나지 않은 전쟁을 표상한다. 도쿄에서 전철로 접근할 수 있는 하케는 철도라는 이동 수단을 통해 도시와 연결되어 있지만 철도가 갖는 양면성으로 인해 단절되고 독립된 공간의 성격이 강화된다. 철도는 중심부에서 주변부로, 반대로 주변부에서 중심부로 가는 편리한 접근 수단인 동시에, 이를 통하지 않고서는 이동을 어렵게 하는 비접근성 또한 갖고 있기 때문이다. 초기 교외의 모습을 간직한 하케는 외부에 대한 배제를 통해서 유지되는 세계였지만, 그렇기 때문에 쓰토무라는 인물의 등장으로 인해 그 연약함이 쉽게 폭로되는 공간이다.

전후 일본의 '동경'의 공간: 《머나먼 단지》

《무사시노 부인》이 초기 교외의 모습을 재현하고 있다면 오오카 쇼헤이의 희곡 《머나먼 단지遥かなる団地》[13](1966)는 전후 일본의 대단지 교외의 모습을 담고 있다. 희곡은 소설과 달리 현장에서 연극을 관람하는 관

13 《머나먼 단지》는 1966년 《군조》에 발표된 희곡으로 1967년 1월 12일부터 24일까지 도쿄도시센터홀에서 공연되었다. 《머나먼 단지》에 대해 당시 《아사히신문》에는 오오카의 "장편 처녀 희곡으로 발표되었으며 단지, 정신병, 교통사고와 같은 현대 풍속 속에서 생겨난 웃음이 특징"이라는 평가가 실렸다(〈現代風俗の"笑い"描く〉, 《朝日新聞》, 1966 · 12 · 15).

객을 고려해야 하는 특성이 있다. 이에 대해 오오카는 "소설은 말하고 싶은 것을 반복해서 쓰면 되지만 연극에서는 중요한 대사를 관객이 기억하도록 뒷부분을 구성해야 한다"라고 설명한다. "연극은 시간의 예술이다. 관객을 자리에서 일어서게 하면 안 된다. 흥미의 중단이 있어서는 안 된다. 때문에 주제를 명확하게 유지해야 하는 것이 어려운 점이다"[14] 라고 했는데, 이 점은 희곡의 주제를 파악하는 데 유리하게 작동한다. 오오카는 당시 새롭게 생겨나는 교외의 단지들을 유심히 관찰하면서 새로운 주거 형태가 갖는 여러 특징과 사회현상을 희곡으로 담아냈다. 1969년 고단샤講談社에서 간행된 희곡 《머나먼 단지》의 후기에서 밝힌 "3년 전부터 단지라는 새로운 집단 주거 형태를 연극으로 만들어 보고 싶다고 생각했다"는 말에서도 오오카의 단지에 대한 관심이 엿보인다.

《머나먼 단지》는 경제성장과 인구 증가, 도시로의 인구 집중이 일어나는 시기 도쿄의 서쪽 교외 1시간 반 정도 거리에 있는 대규모 주택 단지를 배경으로 한다. 대규모 단지는 조용하고 전통적인 생활을 하는 '하케'와는 대비되어 인공적이고 세련되며 활력이 넘친다.

제1장 단지 내의 길 위

입주한 지 2년 정도 된 새로운 단지 내의 도로. 4월 말. 배경은 줄지어 선 단지의 건물, 잔디, 공터에 작은 벚꽃이 피기 시작했다. 토요일 오후 5시 즈음. 쇼핑을 마치고 돌아오는 주부, 여학생들이 지나고 있다.(〈遥かなる団地〉, 《大岡昇平全集》 12, p. 676)

14 大岡昇平, 〈処女戯曲〈遥かなる団地〉によせて〉, 《大岡昇平全集》 16, 筑摩書房, 1996, p. 685.

대규모 단지는 대도시 주변의 주택 부족 문제를 해결하기 위해 건설되기 시작했다. 일본은 1950년대 후반부터 고도성장기를 맞이하면서 도쿄, 오사카 등의 대도시로 급속하게 인구 이동이 발생했다. 이들 지역을 중심으로 주택 공급이 부족해지자 이를 해결하기 위해 대도시 근교에 대단지 뉴타운을 건설한 것이다. 1955년에 주택 공급 및 대규모 주택 개발을 위해 '일본주택공단日本住宅公団'이 설립되면서 수도권 근교에 대규모 단지 건설이 추진된다. 이렇게 해서 건설된 교외 대규모 단지는 역을 중심으로 대학이나 레저시설, 상업시설이 유치되는 등 철도를 축으로 한 '시가지 조성' 사업으로 전개되었다.《머나먼 단지》의 배경 역시 1960년대 도시로의 인구 집중과 주택 부족을 해결하기 위해 건설된 단지로 보인다.

줄지어 선 건물들 사이로 쇼핑을 마친 주부와 여학생이 도로 위를 지나고 있다. 과거에는 대가족이 농업에 종사하는 것이 표준적인 삶의 모습이었지만 고도성장기에는 새로운 생활 방식이 탄생했다. 부부와 아이로 구성된 핵가족이 일반화되고 남편은 도시에서 근무하고 아내는 가사를 도맡는 전업주부가 되었다.[15] 대규모 주택단지라는 교외의 새로운 공간은 '생활혁명'이라고도 할 만큼 그 공간에서 삶을 영위하는 가족의 구성, 형태, 역할에 절대적인 영향을 미쳤다.

《머나먼 단지》의 가라사와 후미오는 같은 회사 선배의 제안으로 2DK인 선배의 집으로 이사한다. 이사한 첫날 단지 안에서 우연히 골프백을 매고 있는 가라사와의 고향 선배 마에다 겐조를 마주치면서 서사

15 成田龍一,《戦後史入門》, 河出書房新社, 2015, pp. 95~96.

가 시작된다. 교외 단지에서의 삶은 지금까지의 생활 방식과는 달리 정해진 노동시간 외에는 골프를 치거나 라디오를 듣는 등 여가를 즐기는 삶으로 변모했다. 주거공간의 구조 역시 서양식 방 배치, 다이닝키친과 최첨단 설비인 수세식 화장실이 도입되는 등 단지는 당시 동경의 대상이었다. 이러한 공간 배치와 구조는 가전제품이 보급되고 수도를 제어할 수 있게 되면서 가능해졌다. 가라사와가 "조용한 환경, 모던한 건물, 품위 있는 사람들"(〈遥かなる団地〉, p. 683)이라며 단지를 천국에 비유하는 장면에서도 동경과 선망의 정도를 가늠할 수 있다.

> 제2장 마에다 집
>
> 리빙 키친. 소파 세트, 스탠드, 스테레오 등 3LDK에 어울리는 장식.
>
> 막 식사를 마친 참, FM 음악이 흘러나오고 있다. 마에다, 식탁에 앉은 채로 담배를 피우고 있다. 요시코, 스에코, 에이프런 차림으로 싱크대 앞에 서 있다.(〈遥かなる団地〉, 《大岡昇平全集》 12, p. 680)

마에다와 가라사와가 살고 있는 교외는 전통적인 도시 · 농촌이 갖는 역사성과 맥락을 결여한 다른 공간에 지어진 인공적인 주거지이다. 교통과 통신의 발달, 경제성장, 인구 증가 등의 여러 요소로 인해 생산된 근대 교외의 집은 전통적인 도시와 농촌에 없었던 것들로 그 공간이 채워진다. 이를테면 양변기, 싱크대, 냉장고, 세탁기, 텔레비전, 전기밥솥과 같은 기술 발달의 결과물이 그 자리를 메운 것이다. 이런 점에서 교외는 고도성장기 대중소비사회의 문화가 집약된 공간이기도 하다.

단지는 동경의 대상이었지만 한편으로 획일적인 구조와 상자 같은 건물 구조는 공동체에 사건을 일으키는 발단이 되기도 했다. 매우 가까운 거리로 인해 뒷 건물에서 앞 건물의 집 안이 훤히 들여다보이는 단점이 있었던 것이다. 《머나먼 단지》의 가라사와는 맞은편 마에다 집에 어떤 인물이 방문하는 것을 보고 거짓 전화를 걸어 큰 소동이 일어나게 만든다. 전화는 《머나먼 단지》의 서사에 주된 갈등을 제공한다는 점에서 상징적 소품이다.

> 요시코: 하지만, 가라사와 씨는 바로 맞은편 동이에요. 여기가 잘 보여요, 전화도 분명히 있을 터. (창문에 다가선다)
>
> 오호리: 저기에서 엿보고 이쪽 집의 상태를 살피면서 전화를 해 댄 거지, 잠시 다녀오겠습니다.(〈遥かなる団地〉, 《大岡昇平全集》 12, p. 705)

물리적인 거리가 있음에도 불구하고 마에다와 가라사와가 전화 하나로 연결되고 사건이 발생한다. 전화는 "소리는 나지만, 모습은 모이지 않고, 반대로 모습은 보이지 않아도 소리는 들리는" "획기적인 발명, 기술의 승리"(〈遥かなる団地〉, p. 725)로 묘사된다. 전화와 같은 가정용 기계는 생산지에서 멀리까지 전기를 운반하는 전선네트워크가 발달한 근대에 널리 보급될 수 있었다.[16] 전화는 도시와 지역의 네트워크 형성에 관계해 온 미디어이기 때문이다. 물리적으로 한없이 그 규모가 확대되었던 교외는 전후 등장한 핵가족의 '행복한 집'으로 여겨졌다. 그러나 동시에

16 또한 교환수를 거쳐야만 연결되었던 전화는 자동교환 방식이 도입되면서 전국적인 규모로 거리를 초월하는 미디어가 될 수 있었다(요시미 슌야, 《미디어 문화론》, 안미라 옮김, 커뮤니케이션북스, 2007, 113쪽). 일본에서 전화의 일상적 침투는 1960년대 이후에 나타나기 시작한다. 전화는 양적 증가뿐만 아니라 질적으로도 변용하였다. 전화망의 중심이 업무용에서 점차 주택용으로 이행하기 시작한 것이다(요시미 슌야 · 와카바야시 미키오 · 미즈코시 신, 《전화의 재발견》, 오석철 · 황조희 옮김, 커뮤니케이션북스, 2007, 41~42쪽).

그 내부는 '행복한 집'이라는 완결체가 붕괴되어 가는 현장이기도 했다. 전화와 같은 개인 지향 미디어가 생활공간에 들어오면서 그 경향이 두드러졌다.[17] 전화는 말, 소리를 전달하는 기계이다. 다시 말하면, 수화기를 통해 들려오는 말이라는 것은 보이지 않지만 수화기 저편에 말하는 사람이 있다는 것을 전제로 한다. 그런 점에서 전화는 집 안에 있는 개인이 외부에 있는 타자와 연결되는 통로이다. 가족 한 사람 한 사람이 자기 방에서 전화로 언제라도 외부의 상대와 만날 수 있게 되면, 가족의 공동성을 추구하려던 가정은 물리적으로는 닫혀 있지만 전기적으로는 나누어져 넓은 네트워크를 형성하게 되는 것이다.[18] 이처럼 전후의 교외는 화려하고 세련된 '마이 홈'으로 완성되지만, 인공적이고 균질적인 공간이라는 이면을 갖는다. 생산기술의 발달로 대량생산된 상품을 소비하고 대체로 경제적인 여유가 있는 사람들이 입주하는 대규모 주택단지는 대중들이 동경하는 이상적인 생활로 이미지화되었다.

빛바랜 '이상'으로서의 공간: 《정년 고질라》

《머나먼 단지》와 같은 교외형 단지는 전후 1950년대, 1960년대에 일본 전국 각지에 건설되었다. 교외가 양적으로 확장되던 시기를 지나

17 전화가 가정에 보급되기 시작할 때 전화의 위치는 현관, 신발장 위 등이었다. 하지만 전화 이용이 빈번해지고 일상적으로 사용하게 되면서 점차 응접실이나 부엌, 거실로 전화의 위치가 변하기 시작한다. 가족이라는 공동체가 외부와 접하는 경계부에서 중심부로 침투했다(요시미 슌야 · 와카바야시 미키오 · 미즈코시 신, 《전화의 재발견》, 43쪽).

18 요시미 슌야, 《포스트 전후 사회》, 최종길 옮김, 어문학사, 2013, 122쪽.

1980년대 교외 주택단지를 배경으로 하는 소설에서 교외가 어떤 공간으로 그려지는지 살펴보자. 시게마쓰 키요시重松清의 《정년 고질라定年ゴジラ》는 노후한 뉴타운에서 정년을 맞이한 4명이 산책 친구가 되어 각자의 있을 곳을 찾아가는 스토리이다. 작가 시게마쓰 기요시는 작품활동 초기부터 교외를 주제로 삼아 온 현대 작가이다. 시게마쓰 키요시의 소설에서 교외는 부모 세대로서는 꿈의 도달점이며, 자식 세대로서는 인생의 출발점이기도 한 이중의 의미를 지닌 장소로 다뤄진다.[19]

《정년 고질라》는 《소설현대小説現代》에 1997년부터 1998년에 연재되었고, 1998년 3월 고단샤에서 단행본으로 출판되었다. 2001년 2월에 속편인 〈돌아온 정년 고질라〉(《소설현대》, 2000 · 03)를 추가 수록하여 고단샤문고로 재출판되었다. 제119회 나오키상 후보작에 이름을 올린 《정년 고질라》는 정년 후의 삶을 테마로 한 연작 단편집이다. 그래서 《정년 고질라》를 '정년'이라는 삶에서 겪게 될 시간에 초점을 맞추어 보려는 경우가 많다. 그러나 작가는 《정년 고질라》에서 그리려고 한 것은 '정년'보다는 '뉴타운'이었음을 분명히 밝힌다.[20] 뉴타운을 만든 세대가 나이 들었을 때 자신이 있을 곳을 어떻게 발견하는가를 중심 테마로 소설을 써 나갔다는 것이다. 교외 뉴타운이라는 공간에 집중하여 《정년 고질라》의 교외가 어떤 의미를 지니는지 살펴보자.

---

19 시게마쓰 기요시의 초기 작품집 《전망탑에서 쭉見張り塔からずっと》(1995)에 수록된 〈까마귀〉는 거품경제 붕괴로 교외 뉴타운을 싸게 구입한 주인공에 대한 주변의 따돌림을 다루고 있다. 《에이지エイジ》(1999)는 주인공 중학생 에이지가 교외에서 자신의 장소를 찾아가는 이야기이다. 〈까마귀〉가 부모 세대의 서사라면 《에이지》는 자식 세대의 서사이다(요시미 슌야 · 와카바야시 미키오 편저, 《도쿄 스터디즈》, 170쪽).

20 内館牧子 · 重松清, 〈《終わった人》と〈定年ゴジラ〉に学ぶ〉, 《文藝春秋》 95(10), 2017, p. 251.

뉴타운 '구누기다이くぬぎ台'라는 이름은 택지 조성이 시작되기 이전에 부근 일대가 잡목림이었던 데서 유래한다. 20년이 넘은 지금도 주택지를 조금만 벗어나면 고즈넉한 자연이 남아 있다. 구누기다이는 대규모 사철의 연선 개발 일환으로 조성된 뉴타운으로, 20년 가까운 분양 시기에 따라서 1초메丁目에서 5초메까지 나뉘어져 있다. 각각 4백 호씩 분양하여 총 2천 호로 구성되어 있는데 주인공 야마자키는 제2기 분양, 즉 2초메에 사는 주민이다. 한 집의 가장들은 '대大자가 붙어 있든 없든 나름대로 이름이 잘 알려진 기업'에 근무하고 있고, '한 구획이 60평이 되는 토지와 주택을 살 수 있을 만큼의 수입이 있는' 회사원들이다. 이들은 같은 금액으로 더 편리한 곳에 아파트를 살 수 있는데 단독주택을 고집하고 자연이 어우러진 곳에서 구김살 없이 아이를 키우고 싶어 하는, 일도 중요하지만 가정을 잊지 않는 마이 홈 가장들이다. 이렇게 구누기다이 뉴타운은 분양 때마다 30대 후반에서 40대 초반의 직장인 일가를 맞이했다.

그리고 바야흐로 구누기다이는 세대교체의 시기로 접어들고 있다.

몇 년 전부터 1초메가, 지금 2초메가, 이제부터 앞도 3초메, 4초메, 5초메 순으로.

한때 한 집안의 가장으로서 이 거리에 이주해 온 중견 샐러리맨들이, 한 사람 또 한 사람 정년을 맞이해 간다. 레밍 행진을 하듯, 또는 아침 6시 57분 출발 신주쿠행 급행전철에 올라탈 때처럼 한 명씩 끊임없이 '노인'이 되어 가는 것이다.(《定年ゴジラ》, p. 14)

《정년 고질라》는 샐러리맨 생활을 마치고 정년 후의 시간을 단독주택의 뉴타운에서 지낼 수밖에 없게 된 남자들의 서사를 다룬다. 날로 그 규모가 커지던 교외 단지에는 동일한 속성의 주민이 대거 입주하여 초기에는 어린아이를 가진 핵가족이 많았다면 시간이 지나면서 또래 아이들은 성장해서 단지를 떠나고, 3, 40대였던 부모들은 정년을 맞아 단지에 남겨졌다. 야마자키의 딸 치호는 4년 전 결혼해 집을 나갔고, 만리는 올 봄 입사하면서 도심에서 혼자 생활하기 시작했다. 만리는 야마자키가 20년 넘게 다녔던 편도 2시간, 왕복 4시간의 통근 시간이 아깝다며 집을 떠났다. 처음 교외 뉴타운이 개발될 때는 도심까지 연결되는 전철이 매우 큰 장점이었지만, 지금은 철도를 통하지 않고는 도심으로 갈 수 없는 비접근성의 공간으로 형상화된다. 철도 노선을 따라 형성된 일종의 철도 마을—스스로의 정체성을 가지고 있고 공간적으로 제한되어 있으며 개방된 시골에 둘러싸인 공동체[21]—은 한편으로는 접근성이 제한되는 공간이기도 하다.

입주 시기에 따라 거주지가 결정되고, 그 순서대로 '노인'이 되어 간다는 것은 구누기다이 안에도 여러 속성의 주민들이 섞여 있음을 뜻한다. 1초메에 이어 야마자키가 사는 2초메에 정년을 맞이한 주민들이 늘어 가는 반면, 가장 늦게 분양된 5초메에는 아직 아이가 대학생이나 고등학생인 가족이 많다. 여기에는 뉴타운이 결코 균질적인 공간이 아니라는 사실이 분명하게 나타나 있다. 뉴타운 개발은 단계적으로 이루어지는 것이 일반적이기 때문에 팔린 시기에 따라 다른 동네가 되기도 한다.[22]

야마자키는 고등학교를 졸업한 이후 42년간 줄곧 은행에서 근무하

21 로버트 피시만, 《부르주아 유토피아》, 176쪽.

22 이시하라 치아키石原千秋는 《정년 고질라》에 대해 이질적인 공간인 동네에서 정년을

다 불과 한 달 전에 정년퇴직을 했다. 길고 긴 시간 무료함을 달래기 위해 산책을 하다가 5초메 변두리에 팔리지 않은 빈 땅 몇 구획을 둘러보다가 후지타를 만난다. 후지타는 신주쿠역 빌딩 무사시전철武蔵電鉄 본사에서 근무하다 정년퇴직을 한 지 일주일이 되었다. 무사시전철은 구누기다이를 개발한 사철로, 후지타는 그중에서도 연선개발과에서 구누기다이를 개발한 장본인이다. 이들과 함께 정년 7년차 마을회장, 5년차인 에토, 2년차인 노무라까지 5명의 정년퇴직자들이 3초메 마을회관에 보관되어 있는 구누기다이 모형을 보러 모였다. 모형을 보기 위해 모인 5명의 사람들은 둘러앉아 낮술을 마시며 구누기다이에 대한 푸념과 불만을 늘어놓았다. 공원의 수가 적다거나 슈퍼마켓에 주차장이 없어서 불편하다거나 하는 것이었다. 이에 대한 개발자 후지타 씨의 설명은 교외 뉴타운이 갖는 배타성을 실감하게 한다. 10년 전쯤에 시에서 공원을 추진했지만 구누기다이 이외의 사람들이 놀러 오면 조용한 환경이 흐트러진다며 반대운동이 일어날 정도였다. 또 무사시노전철 유통부에서 슈퍼마켓 주차장을 계획했으나 주차장을 만들면 멀리서 물건을 사러 오게 될 것이 싫다는, 뉴타운 구입 희망자를 대상으로 한 앙케이트 조사 결과에 따라 주차장을 만들지 않았다는 것이다. 역 앞이 변화하지 않다는 불평에도 설문조사에 응답한 주민들의 폐쇄성이 드러난다. 설문조사는 사람을 마주하지 않아도 나의 의견을 구하는 사람들에게 자신을 드러내지 않고 생각을 전할 수 있는 도구이다. 이 점이 타인의 평가를 의식하지 않고 감추어 두었던 내면을 드러내게 하는 역할을 한다.

맞이한다는 사실에 대한 비애를 통렬하게 이야기하고 있다고 평가한다(요시미 슌야 · 와카바야시 미키오 편저, 《도쿄 스터디즈》, 170~171쪽).

저도요, 처음에는 역 앞에 큰 맨션을 짓고 그 1층을 쇼핑가로 만들 생각이었어요. 그런데 여러분 설문조사에서 뭐라고 말씀하셨죠? 맨션이 들어서면 햇볕이 잘 들지 않고, 주민의 생활수준을 맞추고 싶은데, 요컨대 단독주택을 살 수 없는 계층의 사람이 살게 되기 때문에 싫다고, 모두 그런 답변이었어요.(《定年ゴジラ》, p. 33)

이런 이기주의는 여유 있고 유복한 가족들이 입주한 교외 뉴타운을 불편하고 일그러진 모습으로 만들었다. 새로운 땅에 계획되어 건설된 뉴타운에 공원이 적고, 전철로 도심과의 접근성을 보장받았던 주민들은 슈퍼마켓에 주차장이 없어서 자유로운 이동의 상징인 자동차를 이용할 수 없는 아이러니한 생활을 영위할 수밖에 없게 되었다. 외부인들의 자유로운 드나듦을 거부한 폐쇄되고 닫힌 교외 뉴타운은 그래서 주변과 조화롭게 어울리지 못하는 공간이다. 교외는 고도경제성장기와 80년대를 지나 90년대 들어 주로 사회학 분야에서 획일성 · 익명성 · 폐쇄성이 있는 공간으로 평가[23]되었는데, 이와 같은 점이 폐쇄성이라는 성격이 부여되는 한 요소가 되었을 것이다.

구누기다이에서 조금만 걸어 나가도 외양간이나 양계장이 있던 주변을 차단하면서까지 입주민들이 실현하고 싶어 했던 '이상理想'은 가로, 세로 2미터로 제작된 구누기다이의 '모형'으로 형상화된다. 모형은 무사시노전철 본사 빌딩 로비에서, 입주 신청과 추첨을 진행할 때 유리케이스 안에서 조명을 받아 빛나고 있었다. 그러나 모형으로 형상화된

23 大藪善久 · 中井祐 · 内藤廣, 〈郊外型団地は再生できるのか〉, 《景観 · デザイン研究講演集》, 2010, p. 41.

'이상'은 열망하던 교외 뉴타운에 입주한 뒤 그 빛을 잃어버렸다. 입주민들이 동경의 눈으로 바라보던 새하얗게 빛나던 모형은 제작자인 후지타에게도 잊혀졌다. 마침내 모형은 이들과 매우 가까운 구누기다이 마을회관 홀 뒤의 보관실에서 색이 바래고 더러운 모습으로 나타났다.

교외의 성립에 이동 및 네트워크 기술은 핵심적인 역할을 수행했다. 교외는 대중교통에 기반하여 입주민들의 직장을 도심에 두는 구조를 기본으로 하고 있다. 이러한 구조 속에서 교외는 도심에서는 실현할 수 없는 이상적인 생활을 가능하게 하는 장소로 기대되었다. 생활을 위한 수입은 도심에 의존하면서 도심에서 실현할 수 없는 자신들의 생활의 이상을 실현하려고 했던 것이다.[24] 교외에 보금자리를 마련한 이들이 가졌던 이상인 구누기다이 모형은 그것을 설계하고 만든 후지타로 인해 파괴되었다. 그 자리에 모인 정년을 맞은 4명의 인물들이 후지타가 근무했던 연선개발과의 전통대로 고질라 흉내를 내며 합세해 발로 밟아 조각내 버렸다. 이상적인 주거지를 만들고 싶었던 욕망이 실체화되어 나타난 모형을 스스로 파괴함으로써 '정년 고질라'들은 '지향해야 할 행복'이 무엇인지 고민하기 시작했다. '정년 고질라'들은 교외라는 자신과 가족의 행복을 실현해 줄 이상적인 공간을 손에 넣었다고 생각했지만, 20년이 지난 지금 그 이상이 낡고 초라한 모습을 하고 있음을 깨달았다. 여기에 뉴타운 구누기다이 모형이 상징적으로 활용되고 있는 것이다.

24 若林幹夫, 〈都市と郊外の社会学〉, 《〈郊外〉と現代社会 》, 青弓社, 2000, p. 36.

'전후' 일본의 상징으로서의 '교외'

교외가 성립된 근대적 조건들에는 20세기 초반 이동을 가능하게 한 모빌리티 테크놀로지의 변화와 경제적 안정성을 지닌 중산층이 주도하는 소비문화의 융성이 있다.[25] 기술의 발전은 거대한 인구 이동과 도시 집중을 야기하고 직장과 주거지 분리, 교외 발견으로 이어졌다. 철도 노선을 따라 새롭게 개발된 주거지 교외는 전차를 타면 도심에 닿을 수 있다는 교통의 편리함을 특징으로 갖는다. 그러나 철도 요금을 지불할 수 있는 능력을 갖춘 계층만이 교외로 이주할 수 있고 철도를 이용하지 않고는 접근하기 어렵다는 점에서 비접근성도 동시에 갖는다. 일본의 고도경제성장기와 도시화와 맞물려 형성된 교외형 단지는 일정 정도 이상의 수입이 입주 조건으로 내걸렸다. '단지족団地族'이라 불리는 교외 주택지에 입주한 가정은 전후 일본 고도성장기에 소비의 주체가 되고 전후를 지탱하는 축이 되었다.[26] 교외의 주택단지는 세탁기 · 냉장고와 같은 가전제품의 소비, 여가 활동, 근대적 주거양식, 깨끗하고 정돈된 이미지로 설명된다. 반면에 교외가 새롭게 만들어진 인공적인 공간이면서 대규모 주택단지이기 때문에 여기에서 비롯된 획일화 · 균질화의 성격 역시 동시에 가지고 있었다.

교외에 건설된 대규모 주택단지에는 주로 3, 40대를 중심으로 한 아이를 동반한 부부가 많이 입주하면서 활기가 넘쳤다. 그러나 고도경제성장기와 버블 경제기가 지나자 연령, 직업, 세대 구성 등의 비슷한 속성

25 홍지학 · 신은기 · 김광현, 〈근대 교외건축이 재현하는 도시성의 특징〉, 207쪽.

26 大薮善久 · 中井祐 · 内藤廣, 〈郊外型団地は再生できるのか〉, p. 40.

을 가진 주민들이 많이 입주했던 점이 역으로 공동화 현상의 원인으로 꼽혔다. 같은 속성을 가진 주민이 많이 입주함으로써 급격한 고령화와 단지 건물 자체의 노후화로 인한 문제가 현재화하고 있는 것이다.[27] 많은 교외는 주민의 입주 시기에 따라 세대 구성이 균질적이기 때문에 시간의 흐름과 함께 지역 전체가 한꺼번에 고령화해 가는 특징을 갖는다.

이 글에서 다루고 있는 《무사시노 부인》과 《머나먼 단지》, 《정년 고질라》는 초기 교외의 모습부터 번영, 쇠락의 과정을 그리고 있다. 1945년 전쟁이 끝나고 얼마 지나지 않은 '하케'에 전장에서 터득한 습관과 사고방식으로 행동하는 쓰토무가 등장하면서 평화롭던 교외의 마을에 균열이 생긴다. 《무사시노 부인》의 '하케'는 도시에서 벗어나 자연과 가까이 살아가고 싶다는 미야지 노인의 욕구로 발견된 곳이다. 초기 교외의 모습을 가진 하케는 주변보다 지대가 높고 외부 도심과 철도로만 연결되는 안정된 공간이지만 복원병 쓰토무의 침입으로 쉽게 그 견고함이 무너지는 공간이기도 하다.

《머나먼 단지》의 대규모 주택단지는 밝고 잘 정돈되어 있으며 최신식 설비를 갖춘 동경의 대상이다. 생활혁명이라고 부를 만큼 획기적인 주택의 공간 배치, 가전제품 보급으로 이전과 다른 삶의 양식을 향유하지만, 이는 한편으로 가정의 보이지 않는 공간의 변화를 초래한다. 《머나먼 단지》는 보이지 않는 대상과 지역을 이어 네트워크를 형성하는 전화가 가정의 안쪽으로 진입하면서 점차 분열되어 가는 가정 공간을 형상화하고 있다. 노후화된 교외의 모습을 배경으로 하는 《정년 고질라》

27 大藪善久 · 中井祐 · 内藤廣, 〈郊外型団地は再生できるのか〉, pp. 40~41.

에는 교외의 뉴타운을 여유롭고 풍요로운 생활을 영위할 수 있는 '이상'으로 여겼던 정년퇴직한 가장들이 등장한다. 이들은 빛바랜 뉴타운의 모형을 마주한 뒤에야 비로소 중요한 것이 무엇인지 깨닫고, 낡고 쇠락한 뉴타운에서 자신들이 있을 공간을 찾아간다.

세 편의 교외를 다룬 문학작품을 통해 교외는 철도와 같은 테크놀로지의 발달로 형성되기 시작했으나 여러 요소들, 이를테면 경제성장, 인구 증가, 도시화, 보이지 않는 전기와 목소리를 이동시키는 네트워크의 발달, 물과 불을 제어할 수 있는 기술 등 수많은 요소들의 복합적인 작용으로 확장되고 변형되어 왔음을 알 수 있다. 교외는 전쟁을 겪고 도약하여 성장과 팽창을 지나 쇠락에 이르기까지 전후 일본이 지나온 과정이 모두 집약된 공간, '전후' 일본을 상징하는 공간으로 해석할 수 있다.

참고문헌

大岡昇平, 〈武蔵野夫人〉, 《大岡昌平全集》 3, 筑摩書房, 1994.

______, 〈遥かなる団地〉, 《大岡昌平全集》 12, 筑摩書房, 1995.

重松清, 《定年ゴジラ》, 講談社, 2001.

구니키다 돗포, 〈무사시노〉, 《무사시노 외》, 김영식 옮김, 을유문화사, 2011.

고시자와 아키라, 《도쿄 도시계획 담론》, 장준호 편역, 구미서관, 2007.

권용우, 《교외지역》, 아카넷, 2001.

로버트 피시만, 《부르주아 유토피아》, 박영한 · 구동회 옮김, 한울, 2000.

요시미 슌야, 《미디어 문화론》, 안미라 옮김, 커뮤니케이션북스, 2007.

______, 《포스트 전후 사회》, 최종길 옮김, 어문학사, 2013.

요시미 슌야 · 와카바야시 미키오 편저, 《도쿄 스터디즈》, 오석철 옮김, 커뮤니케이션북스. 2006.

요시미 슌야 · 와카바야시 미키오 · 미즈코시 신, 《전화의 재발견》, 오석철 · 황조희 옮김, 커뮤니케이션북스, 2007.

이용상 외, 《일본 철도의 역사와 발전》, 북갤러리, 2017.

존 어리, 《모빌리티》, 강현수 · 이희상 옮김, 아카넷, 2016.

김은혜, 〈1990년대 중반 이후 일본의 도심회귀와 젠트리피케이션〉, 《지역사회학》 17(3), 2016.

도이 쓰토무(土井勉), 〈철도사업과 도시만들기 – 일본의 사철을 사례로 하여 –〉, 《울산대학교 사회과학논집》 13(1), 2003.

최병선, 〈서평 교외지역, 권용우 저자, 아카넷 2001.3〉, 《국토계획》 36(3), 2001.

홍지학 · 신은기 · 김광현, 〈근대 교외건축이 재현하는 도시성의 특징〉, 《대한건축학회논문집》 27(8), 2011.

大岡昇平, 〈処女戯曲〈遥かなる団地〉によせて〉, 《大岡昇平全集》 16, 筑摩書房, 1996.

川本三郎, 《郊外の文学誌》, 岩波書店, 2012.

成田龍一,《戦後史入門》, 河出書房新社, 2015.
前田愛,《都市空間の中の文学》, 筑摩書房, 1992.
若林幹夫, 〈都市と郊外の社会学〉,《〈郊外〉と現代社会》, 青弓社, 2000.

内館牧子 · 重松清, 〈〈終わった人〉と〈定年ゴジラ〉に学ぶ〉,《文藝春秋》95(10), 2017.
大薮善久 · 中井祐 · 内藤廣, 〈郊外型団地は再生できるのか〉,《景観 · デザイン研究講演集》, 2010.
〈現代風俗の"笑い"描く〉,《朝日新聞》, 1966 · 12 · 15.

버내큘러적 공공디자인의 혼종성

이종세

이 글은 《한국공간디자인학회논문집》 제16권 1호 통권70호(2021. 2)에 게재된 원고를 수정 및 보완하여 재수록한 것이다.

문화유산을 통한 국가브랜드의 가치 평가가 국력의 기득권 경쟁으로 이어지듯이, 지역의 삶에서도 인종과 계층 간 힘의 논리에 의한 경쟁으로 새로운 문화 발생이 반복되고 있다. 그러나 도시화 · 현대화 · 세계화 · 이민화 정책에 따른 동시대적 삶은, 더 이상 특정 장소에서 발생하는 고립적 문화현상으로는 사용자에게 호감을 주지 못한다는 것을 드러낸다. 특히 아시아의 대부분 개발도상국가들은 탈식민주의 이론과 포스트모던의 사유적 모델에 삶의 환경 변화를 의존하고 있으며, 도시의 자본과 마케팅 전략은 건축가와 공간디자이너에게 새로운 방법론 제시를 기대하고 있다. 이처럼 시간과 공간의 자유로운 이동 속에서 도시는 지속적으로 발생하는 교섭의 장소로서 다양한 이미지들과 혼합 · 생성되고 있다. 그곳의 거주자는 이러한 발생적 이질성을 이해해야 하며 새로운 관습을 삶의 경험으로 체화해야 한다. 또한 복잡한 이중 코드화 속에서 상호 상충적인 이중언어로 작용하는 잡종적 이미지들과 문화적 패턴을 설명하는 도구적 역할을 수용할 수 있어야 한다.

특히 한류 문화의 성공으로 문화적 콘텐츠와 디자인 개발이 범람하는 우리나라는 창조력과 문화적 재생산이라는 더 큰 디자인의 함양성과 영역 확장성을 요구받고 있다. 이에 중앙부처와 지자체에서 추진하는 공공디자인의 방향성 또한 일상의 가치와 사유의 지점으로부터 역사와 전통의 보존과 함께 공유적 공동체를 지향하되, 공공재의 사유화가 아닌 상호 협력 체계로서 '버내큘러Vernacular적 디자인의 혼종적 가치'가 발현될 수 있도록 지속적인 논의가 기대된다.

논제의 범위는 탈식민주의 이론을 중심으로 제도와 일상, 근대와 탈근대, 전통과 미래라는 이항대립의 위계구조로 이루어지는 대안적 근거, 그리고 포스트모니즘의 문화다원성에 입각한 상호 동화적 사유와 인식론을 근거로 한다. 또한 권력과 자본의 논리에 적용받지 않고 작가의 작품이 왜곡됨이 없이 순수한 혼종성을 보여 준다고 판단되는 국내외 작품 사례를 중심으로, 「공공디자인 진흥에 관한 법률」에서 명시하는 범주 내에서 살펴보고자 한다.

우선 본 글에서 사용되는 '버내큘러(적) 디자인',[1] '혼종성[2]' 등 다른 의미로 적용되거나 이견異見을 보일 수 있다고 판단되는 주요 단어의 해석과 객관적 근거를 제시한다. 해석의 방법은 버내큘러적 디자인의 기초자료 분석과 문헌 연구를 통해 시대적 해석과 관점을 비판적으로 검토한다. 버내큘러적 디자인의 새로운 위상을 인식하고, 탈식민주의 문화사적 근거를 중심으로 미술사의 사유적 관점에서 혼종성의 가치를 이해하고자 한다. 이어서 버내큘러적 디자인의 실천적 사례를 중심으로 위상학적 추론과 인식론적 해석을 통하여 동시대적 문화의 다양성과 가치적 관점에서 혼종성을 유형화한다. 마지막으로 불확정성과 비결정성의 시대적 혼종성을 가변적 이미지로 재현할 수 있는 실현 가능

---

1 버내큘러 개념을 다양한 현상으로 포용하는 데 한계가 있다고 판단된다. 이에 따라 특정 민족과 지역의 문화 그리고 근대의 기술이 결합하여 만들어졌고 버내큘러 속성을 가진 근 · 현대 디자인으로 정의한다(Chae · Oh, 2009, 참조). 단 본문에서 버내큘러를 디자인과 접목할 때는'버내큘러(적) 디자인'으로 사용한다.

2 혼성混成'은 둘 이상 다른 요소가 섞여 만들어지는 형태 분석적 의미를 가지나 '혼종混種'은 서로 다른 종의 교배에 의해서 생겨나는 현상으로서 사용되어며 잡종雜種과 언어적 유사성을 갖는다. 본문에서 제시하는 '혼종성'은 "탈식민주의 문화이론에서 사용하는 용어로서 이질적인 문화가 섞여 새로운 문화를 만들어 내는 현상을 지칭(DAUM, 어학사전)"하며 동시대적 문화현상에 대한 포괄적 의미로서 사용 가능하다. 즉, 세계화에 따른 유목민적 삶의 이동과 이민문화 등으로 다변화되고 다양한 문화가 공존하는 후기식민주의 또는 포스트디아스포라Post-diaspora적 삶의 현상으로 접근할 수 있다. 단 본 연구에서는 생물학적 결합에 대한 논의가 아닌 문화적 융합과 창조, 재생과 확산의 의미로서 해석하고자 한다.

성과 함께 디자인의 제도적 범주 안에서 기능성을 타진한다.

버내큘러와 혼종성

버내큘러적 디자인은 버내큘러가 갖는 전통과 관습의 보존을 포함한다. 존 파일John Pile은 버내큘러 디자인의 세 가지 근원적 요소를 자연으로부터 얻은 공동체의 자연적 미학으로서 '자연성', 사회 저변에 깔린 하층 미학의 '민중성', 버내큘러적 성격을 디자인화하는 현대의 기예로서 '과학기술'[3]로 구분한다. 이처럼 고전적 보수주의의 특성에서 벗어나 특정 지역의 토속과 전통의 원본적 특성을 차용하거나 전유하는 시대적 재해석으로서도 가능하다는 의미이다. 또한 이는 광의廣義적 관점에서 탈식민주의 이론에 근거한 포스트모던의 혼종적 특성과 사유적 모델에 근거한다. 〈표 1〉은 버내큘러의 다의적 해석과 관련한 학자들의

〈표 1〉 버내큘러의 다의적 해석

학자	해석 내용
티보 칼맨 Tiber Kalman	그래픽 디자이너인 그는 버내큘러를 "이분법적 구조 하에서 상대적 개념으로 이해해야 하고, 비디자인적이며 보이지 않는 것을 보는 디자인, 미학적인 세련미는 덜할지라도 나름의 인간미를 가진 주변 환경"(이, 2004, p.106)으로 해석함.
존 커웬호벤 John A. Kouwenhoven	버내큘러 용어가 디자인에 적용될 때는 인식적인 사고나 계획이 아닌 일상의 개념이나 습관적인 것으로 이해되어야 한다(이, 2000, p.65).
데런 딘 Darron Dean	버내큘러는 천진난만한naive, 'indigenous'라는 라틴어에서 유래했으며, 일상 속에서 이데올로기를 잃어버리고 스타일만 남은 디자인 언어와 통속적이고 자생적인 요구에 의해 형성된 지역 환경을 이루는 소재다(김, 1998, pp.10–11).

3 Ahn, Youngjoo, "(A) Critical Discourse and Political Possibilities on Vernacular Design," Hongik University Graduate School, PhD., 2015, p.14. 요약.

주요 주장이다.

버내큘러 오브제Object의 이중성

버내큘러는 "문학적 언어와 구별되는 일상적 언어로서 다양한 지역의 방언이나 사투리, 또는 역사적 건축양식과 구별되는 전통적인 장식과 구축 방법, 지역 재료를 사용하는 토착 건축양식[4]"으로 해석된다. 곧, 버내큘러는 시대와 장소에 따른 기후와 환경 변화에 적응하는 삶의 모습이다. 기술과 과학의 발달이 삶의 가치와 양식의 다양성을 가져다주는 것은 당연한 일이다. 1934년 뉴욕 현대미술관MoMA에서 개막된 〈머신 아트Machine Art〉전에서는 동시대 미학의 오브제로서 기계들이 작품으로 등장했다. 전시를 기획한 건축가 필립 존슨Philip C. Johnson은 "우리는 이름 있는 디자이너가 디자인한 오브제를 찾고자 애썼지만 쉽지 않은 일이었고, 그래서 사물의 아름다움은 디자인보다는 그저 다른 힘other forces의 결과라는 분명한 사실을 강조하는 편이 좋겠다고 느꼈다"[5]고 말했다. 기능 중심으로 최적화된 산업시대 기계들은 새로운 '오브제'로서 미적 가능성을 갖는다. 예술에 있어서도 다다이스트의 레디메이드 이후 오브제는 그 자체가 물질적 추상의 대상이 되면서 모더니즘이라는 미적 영감의 대상으로서 자리하게 된다.

2001년 세계디자이너ICSID 총회 특별전 〈버내큘러 미러: 20세기 세

4 American Heritage Dictionary, *The American Heritage Dictionary of the English Language*, Dell Publishing Company, 2011. http://www.ahdictionary.com

5 임근준, 〈디자인의 미니멀리즘, 미니멀리즘의 디자인(하)〉, 《디자인정글》 2015년 10월 2일자.

계디자인〉[6]이 서울에서 개최되었다. 수집된 150여 점의 사물은 메타적 차원에서 '전통적인 버내큘러 오브제', '모던/컨템포러리 오브제', '전유appropriation를 통한 세 개의 버내큘러 디자인'으로 분류되었다. 이는 직업적 위상과 디자이너로서의 자의식을 기준으로 '버내큘러 오브제'와 '버내큘러 디자인' 개념을 구분한 것이다.[7]** 전시 총괄기획가 임근준의 인터뷰에 따르면 산업시대 이전과 모던 시대의 굿 디자인으로 분류하였고, 컨템포러리 버내큘러 굿 디자인에 속하는 것 중 버내큘러적 요소를 의태mimesis하여 제 디자인에 적용한 작품을 다시 과거와 동시대로 나누어 분류하였다고 한다[8]. 이는 첫째 시대적 분류이고, 둘째 버내큘러 오브제의 원본과 디자인적 차용의 재분류이다. 그러나 탈산업시대의 디자인은 더 이상 버내큘러로서 가치를 구분하기보다는 미적 대상과 미적이지 않은 대상의 경계 즉, 미감적 오브제와 공리적 오브제, 그리고 디자이너의 전유를 통해 재발견된 오브제로서 가치를 분류하였다.

디자인 저술가인 엘런 럽튼Ellen Lupton은 "고급과 저급은 하나의 패턴으로서 개념적인 껍데기일 뿐이며, 그 가치는 상황에 따라 변한다. '버내큘러'라는 말은 고급/저급이라는 한 쌍과 마찬가지로 상대적이다. 이것은 표준어를 그보다 못한 방언에 대치시키며, 지배문화를 부수적인

---

6 2001년 10월 6일 서울 예술의전당 한가람디자인미술관에서 개최된 국제산업디자인단체협의회ICSID 세계디자이너대회 특별전 〈버내큘러 미러: 20세기 세계디자인The Vernacular Mirror: Twentieth-Century Design', Seoul: 212코리아〉 도록 참조.

7 An, Jumi, & Choi, Ikseo, "Direction of Korean Design Identity Discourse," *Archives of Design Research* 25(1), 2007, pp. 25-35.

8 디자인정글 매거진, 오늘-1919: 현대디자인의 역추적 – '디자인은 우리에게 무엇이었는가? 제5회 미술 · 디자인 평론가 임근우 aka 이정우의 글 참조, http://chungwoo.egloos.com/4096800

하위문화에 대치시킨다. '버내큘러'는 타자이며, 모든 담론은 그것의 타자를 지닌다."[9] 즉, 버내큘러는 모던디자인의 개념 안에서 고급과 저급의 위계구조로서 작용했지만 후기구조주의 관점에서 이들의 대립구조는 사이의 이중적 위치로서 해체되고, 단지 일상의 타자로서 또는 디자인 자원으로서 작용한다. 시대적 가치로서 혼종 식민성hybrid coloniality은 버내큘러를 권력의 주체적 시선 하에서 지배/피지배의 위계적 구조로 작용하도록 하지 않는다. 탈식민문화라는 이격에 의한 '차이差異'와 '차용借用'이라는 이중적 기호를 생성하고, 이들은 불안전한 상태의 '차연差延La différance'으로 남겨지는 상호 상이한 대상으로서 잔여 가치를 재현하며, 단지 새로운 인식론적 전회를 위한 시각적이고 은유적인 오브제로서 작용한다.

포스트디아스포라post-diaspora의 혼종성

인류 역사에서 인간의 욕망은 철저한 힘의 논리를 바탕으로 침략과 점령이라는 폭력성을 드러냈다. 문명의 노예, 종교의 핍박, 산업혁명과 제국주의로 연결되는 끝없는 전쟁사는 인종 우월성과 문화 말살이라는 디아스포라의 삶을 만들어 냈다. 제2차 세계대전 이후 재구성된 강대국의 열강 구조와 식민주의로서 지배구조는 독립과 자치국을 희망하는 제3세계운동과 탈식민주의post-colonialism 투쟁을 촉발하였다. 문화는 학습되고 축적되며 공유하고 변화하는 속성을 갖는다. 각각의 문화와 지역공동체는 '공간 글로벌화'라는 기호학적 관점에서 다양성으로 수

9 Ahn, Youngjoo, "(A) Critical Discourse and Political Possibilities on Vernacular Design," 2015, p. 25. 재인용.

용되지만, 통합될 수 없는 타자로서 상호 의미와 가치의 대립적 관계를 내포한다. 지역성이란 공동체로 살아가는 사람들의 합의에 의해 변화하는 사회적 공간으로서 장소의 의미를 갖는다. 한 국가에 다양한 인종이 함께 살아가는 세계화의 진정한 공동체는 마을 공간 내에서 일어나는 일상의 과정으로 이루어진다. 그러나 그 속에는 여전히 타자로서 계급 · 인종 · 민족이라는 차등적 구조가 작용하며, 엘리트 집단과의 갈등 속에서 일반 집단은 불이익을 받기도 한다. 그들은 때로 사회적 공간의 행정적 처분을 거부하면서 소속감을 표현하고 자신들의 의지를 표명하기도 한다. 이처럼 오랜 세월 동안 지배자와 이민자의 삶에 의한 문화 변화는 권력과 힘의 논리에 따른 제약 속에서도 이질적인 상호 교류로 새로운 문화를 만들어 내기도 하였다. 이는 디아스포라의 원형적 관점에서가 아닌 지배자와 피지배자의 상호 변화에 대한 작용으로 해석되며, 탈식민주의 담론과 문화연구에서는 이를 혼종성이라는 은유적 용어로 표현한다.

김소연에 따르면 "식민지 전통에 대한 콤플렉스는 '모방'으로 나타나며, 이는 지배자와 피지배자를 상호의존적이고 상호침투적인 관계로 풀어내는데 이 과정에서 일어나는 것이 혼종성이며 여기서 식민지 피지배자는 혼종의 주체이기 때문에 더 이상 제국의 문화에 일방적으로 종속되지 않는 주체화의 방식으로서 담론적인 지향성을 갖게 된다."[10] 이는 언어 · 습관 · 전통과 문화의 일방적 포함과 배제, 흡수와 변용 그리고 차용의 의미를 넘어 순응과 저항이라는 이항대립의 구성 요인으

10 Kim, Soyeon, "Colonial Experience and Consciousness of Korean Architects under Japanese Rule," *Journal of the Architectural Institute of Korea* 23(6), 2007, pp. 175-182.

로서 새로운 형식의 구조를 생성하는 도구로서 작용한다. 또한 문학과 예술로서 포스트디아스포라 현상은 세계 각지에 산재해 있으며, 민족으로서 정체성은 쉽게 상실되지 않고 세대를 반복하며 다양한 방식의 혼종성으로 등장한다.

버내큘러적 공공디자인

공공디자인의 비평적 담론

현대사회는 문화가 발전의 중심이 되는 시대로, 여가 및 휴식에 따른 문화적 욕구가 삶의 필수조건으로 인식된다. 이러한 욕망 충족을 위하여 낙후된 지역의 환경 개발과 장소적 차별화의 필요성이 중앙정부와 지자체의 정체성 확립을 위한 지역 발전 전략으로 이어진다. 특히 아시아 대부분의 개발도상국가들은 식민지와 디아스포라의 삶과 장소에 착근된 시각으로 탈식민주의 이론과 포스트모던 사유 모델에 의존하고 있으며, 우연성과 획일성, 자생성과 계획성의 버내큘러 흔적들은 건축가와 디자이너에게 새로운 방법론을 강요하고 있다. 그러나 비평가 할 포스터Hal Foster는 "포스트모던 건축이 '버내큘러 형태를 되살리는 척했지만, 대부분의 경우에는 버내큘러 형태를 상업 간판으로 대체했다'는 비판처럼 포스트모던 문화 내에서 버내큘러의 관계적 위상을 되짚어봐야 한다"[11]고 말한다. 이러한 디자인적 과제를 안고 있으며 관광과 수

11 Ahn, Youngjoo, "(A) Critical Discourse and Political Possibilities on Vernacular Design," 2015, p.16. 요약.

익성에 편중되는 도시의 경쟁 구조로서 버내큘러적 공공디자인은, 지역성 반영과 대중적 호감 면에서 여전히 부정적 측면을 드러낸다. 공공디자인의 발전은 역사 보존과 문화 활성화 방안의 핵심 수단이며, 시간성과 정체성을 만드는 전략으로서 장소적 가치가 중요한 역할을 차지한다. 자유로운 이동 속에서 도시는 지속적으로 발생하는 교섭의 장으로서, 다양한 이미지들을 통합하고 상호 발생적 이질성을 수용해야 한다. 또한 도시의 거주자는 복잡한 이중 코드화 속에서 상호 상충하는 잡종적 기호와 은어적 속성을 이해할 수 있어야 한다. 이에 따라 공공디자인의 방향성 또한 일상의 가치와 미학적 사유의 지점으로부터 지역의 전통과 사회의 공유적 공동체를 지향하고 공공재의 사유화가 아닌 상호 협력 체계로서 그 가치가 발현될 수 있는 버내큘러적 디자인의 혼종적 특성을 재해석할 필요가 있다.

1960년대 이후 자본주의의 급속한 발전은 대단위 재개발과 신도시라는 기능적 성과를 거둔 만큼, 철거민 강제이주와 자연 훼손이라는 위기감을 동시에 안고 있다. 2007년 서울시는 '디자인총괄본부'를 조직하고 거대 도시디자인 프로젝트를 기획하였다. 그 모범 사례들은 서울시로 국한되지 않고 중소도시에 많은 영향을 주고 있으며 옥외광고물과 공공시설물, 마을 가꾸기와 지역 역량 교육사업까지 전국에서 괄목할 만한 성과를 보여 주었다. 그러나 한편으로 각 지역의 정체성 반영보다는 대도시 성공 사례의 획일화된 모습을 재현하기에 급급하다는 부정적 평가도 존재한다.

버내큘러적 디자인의 실천적 사례

아시아 국가들의 장소 마케팅 전략 성공 사례들을 찾아 볼 수 있다. 산업시대의 구리제련소와 폐기물처리장을 예술로 승화시킨 일본의 '나오시마直島町 & 테시마手島섬', 일제강점기 철도 창고를 예술가의 공간으로 활용한 대만 타이중의 '무지개 마을Rainbow Village', 그리고 공장지대를 이용한 중국 다산쯔大山子의 '798예술거리' 등은 정부의 강력한 행정적 지원을 바탕으로 성공을 거둔 사례들이다.

그에 비해 말레이시아 피낭섬Pulau Pinang의 조지타운Georgetown은 2008년 도시 전체가 유네스코 세계문화유산으로 지정될 만큼 역사적 건축물과 문화적 명소가 잘 어우러져 극히 버내큘러적이다. 피낭섬은 서말레이반도의 소왕국 섬으로 포르투갈 · 네덜란드 · 스페인 등 강대국의 점령과 100년 동안 영국 식민지를 거치지만, 섬의 거주자는 19세기 후반 남중국 본토에서 이주한 페라나칸Peranakan이 인구의 절반을 차지한다. 유럽의 성공회교회, 불교와 힌두교사원, 이슬람의 모스크가 함께 공존하며 다민족 구성원이 여전히 상호 대립적 영역성을 유지하면서 공존의 삶을 영위해 간다. 2012년부터 정부가 매년 한 달 동안 열리는 '조지타운 페스티벌'을 지원하며, 이를 전 세계 작가들이 참여하는 건설적 공공예술 프로젝트로 발전시키고 있다. '인-비트윈 아트 페스티벌The In-between Arts Festival' 등 다양한 공공프로젝트를 추진한 결과, 낡은 건물에 색이 입혀지고 예술가와의 협업으로 거리 상점들이 변화되었으며 폐허의 공간이 시민들이 참여하는 거리미술관으로 탈바꿈하였다.

그림 1 버내큘러적 디자인 요소. 출처: 저자 촬영

일상의 타자他者적 요소

자신을 초동화, 초식민지화된 유럽의 혼혈아로 소개하는 자크 데리다Jacques Derrida는 그의 저서 《다른 곶》에서 "그 곶은 우리의 것일 뿐 아니라 타자의 것이기도 하고, 우리가 동일시하고 계산하고 결정하는 것일 뿐만 아니라, 우리가 그것에 대해 답해야 하며, 상기nous rappeler해야 하는 타자의 곶cap de l'auture이기도 하다"[12]라고 말한다. 그는 서구의 형이상학, 서구우월주의와 식민지적 무의식의 허구적 표상도 해체한다. 우리가 가야 할 다른 목적지는 다른 기호이고 상징이고 차연이며, 논리 또한 따르지 않는 타자로서 그 '곶'은 자신과 동일화된 장소로 해석된다. 〈그림 1〉은 타지他地에서 얻게 되는 일상의 다양한 풍경들이다. 그들은 주체의 시선에 따라 이국적(타자)이지만 자연스럽고 일상적이며

12 데리다, 2007, pp. 17-18.

자생적이라는 공통된 모습으로 다가온다. 다른 존재와의 마주침은 탈주체적 경험이며, 이를 통해 우리는 낯선 경험과 새로운 몽상이 작용하는 혼종적 중재자로서 새로운 위치를 갖게 된다. 다양한 표상들은 유추와 변형을 통해 내 안의 타자로서 편집되며 주체적 언어로서 차용된다.

에마뉘엘 레비나스Emmanuel Levinas는 서구 사회 전체주의의 기저는 반복적 동일화이며, 모든 대상을 습관적으로 동일화시키는 현상이 사회에서 반복적으로 이루어지는 것이 곧 전체주의의 과정이자 폭력임을 드러내며 이름 없는 '타자' 개념을 시대의 중심으로 끌어들였다.[13] 또한 데리다의 독자중심주의는 서양 문명의 음성주의를 비판하며 원작의 의도는 무시하고 자신의 해석에 따라 새롭게 읽어도 된다는 '타자'의 재해석을 허용하여 새로운 가치관으로서 가능성을 제시하였다. 이처럼 현대철학에서는 '타자'를 이국적 대상으로 보지 않으며, 새로운 가능성과 가치관 그리고 새로운 이론을 창조할 수 있는 존재로서 인정한다. 디자이너에게 타자의 존재란 질료적 대상일 수 있으며, 때로는 예술적 매체로서 작용되는 무한한 존재의 대상이다.

포스트디아스포라의 이중적 언어

피식민자와 이민자의 삶은 강압적 통치와 관행을 따르지만 체화된 습관으로 자국의 문화를 이식하며 집단생활로서 정체성을 유지해 간다. 침략과 이주의 역사에서 소수민족의 전통 공간, 예술, 패션, 음식

13 Kim, Minah, "Expression of Alterity in the Field of Art; Study on the Philosophy of Emmanuel Levinas and Contemporary Artworks about Alterity," *Ewha Ceramics Research Institute* 26(0), 2017, pp. 5-31.

에 이르기까지 다양한 흔적들은 세계 어디에서나 찾아볼 수 있다. 이처럼 지배자와 피지배자의 욕망은 오리엔탈리즘orientalism과 옥시덴탈리즘occidentalism이라는 두 개념 속에서 왜곡되는 자발성과 대립성으로 존재한다. 이는 스스로를 동일화시킬 수 없지만 시간의 흐름 속에서 자신과 자기 안의 타자성이라는 차이를 만들어 내고, 서서히 대항과 혼혈로써 이율배반적 동일성으로서의 정체성을 생성한다. 호미 바바Homi Bhabha의 탈식민주의 이론에 의하면 포스트디아스포라의 "동일화identification란 애초에 존재하는 나를 전달하는 것이 아니라 애초에 존재하지 않는 나를 표현하는 과정으로서 끊임없는 미완의 결과물이다."[14] 즉, 나의 동일화는 자기와 자기 안의 타자성을 인정함으로써 해체와 결합의 반복적 수행으로 자기를 표현할 수 있다고 해석되는 것이다. 또한 "전 이문화는 제3의 공간the Third Space, 이산diaspora, 모방mimicry, 혼합주의syncretism[15]"의 의미를 모두 포함하는 혼종화된 실행적 담론이다.

인문학 비평가인 아미리 바라카Amiri Baraka는 그의 저서 《흑인문학의 신화》에서 미국의 아프리카계 흑인 예술가들의 작품을 '이중음성적인 특정한 문학언어 용법'[16]이라는 버내큘러 개념으로 정립한다. 포스트디아스포라의 관점에서 버내큘러는 욕망을 대상으로 차지하는 형식적 전형으로, 포스트모더니즘 구조 안에서 새로운 형식의 예술을 만들어 낸다. 즉, 식민주의와 문화비평을 서구의 권력에 의한 문화적 수용과 이

14 Bhabha, Homi, K., *The Location of culture*, London;. New York: Routledge, 2004, p. 49.

15 Bhabha, Homi, K., *The Location of culture*, p. 212.

16 You, Hwayeol, "The possibility which is various it takes out from concept of Vernacular Design," *Journal of the Design Reseach Institute of Kyunghee University* 10(1), 2007, pp. 77-84.

그림 2 Yinka Shonibare영국계 나이지리아 예술가로서 그의 작품은 현대 세계화의 맥락에서 문화적 정체성과 식민주의 및 탈식민주의의 현상을 표현하고 있다. 출처: 잉카 쇼니바레 홈페이지 http://yinkashonibare.com
(좌) ODILE & ODETTE, The Royal Opera House, Covent Garden, London, 2005
(우) Wind Sculpture, Howick Place, London, 2014

분법적 의존에 대한 포스트디아스포라의 관점으로 살펴보면, 피지배자의 언어는 임의적으로 연결된 언어구조로서 해석의 근거를 갖지 못하고 본질을 상실하기도 한다. 이는 소쉬르Ferdinand de Saussure의 이중언어구조인 기표signifier와 기의signified로서 의미를 해석하면, 언어의 모순된 관계에서 그 기능을 확대시키는 것 중 하나가 바로 중심과 주변이라는 과거의 이해를 통해 새로운 시각으로 세상을 바라보는 후기식민문화의 혼종성 이론과 상치相値한다.

영국에서 성장한 나이지리아 이민자 잉카 쇼니바레Yinka Shonibare의 사진작품(〈그림 2〉 왼쪽)은 차이콥스키 〈백조의 호수〉에 등장하는 오딜과 오데트를 이중의 피부색으로 차별화하고, 원작의 검은색 의상을 화려한 아프리카 직물(더치왁스)로 변화시켜 포스트디아스포라의 이중적 언어로서 탈식민주의 사상을 이야기한다. 〈그림 2〉(오른쪽)의 공공조형물은 유럽의 제국주의와 아프리카 용병 그리고 인도네시아의 식민지라는 역사적 사건을 동시대적 맥락에서 이중의 언어로 전달하고자 대상의 패턴을 '아프리카니제이션Africazation'하였다. 그의 작품들은 왜곡된 정체성과 백인중심주의, 제국주의와 식민주의의 역사의식을 현대적 맥락 위에서 해학적이면서도 혼종적 어법을 사용하여 비판하고 있다.

문화의 변용과 체화된 감성

버내큘러적 디자인은 모더니즘 체계 안에서 대립적 관계에 놓였지만, 역설적으로 모던디자인의 발생과 함께 일반적으로 인식되었다. 이처럼 포함과 배제는 대립적 관계의 이분법적 논리로 시작된다.[17] 지루한 전통의 틀에서 벗어나야만 새로운 시대적 감성이라고 말할 수 있는 것은 아니다. 공공디자인에서 버내큘러적 디자인은 문화적 변용의 예술적 자율성과 시대적 경험의 체화된 감각으로 규정될 수 있다. 자크 랑시에르Jacques Ranciere는 《감성의 분할》에서 "어떤 공통적인 것이 참여에 소용되는 방식 자체, 그리고 개인들이 이 분할에 참여하는 방식 자체를 결정하는 공간들, 시간들 그리고 활동 형태들의 어떤 분할에 의거한다"[18]고 주장한다. 그는 예술의 자율성이 아닌 감성의 자율성을 주장하며 또한 예술을 개인적 감성이 아니라 사회적 감성에 배치하고 새로운 감성의 분배를 꿈꾸는 이상적 세계라고 주장하지만 구체적 결론은 제시하고 있지 않다. 그러나 시대적 감성으로서 새로운 아방가르드의 출현을 기대하기보다는 포스트모더니즘이 모던예술의 탈정치화를 고민하듯 무명작가의 거리예술로서, 공동체의 참여디자인으로서, 평등성

17 Ahn, Youngjoo, "(A) Critical Discourse and Political Possibilities on Vernacular Design," 2015, pp. 30-32. 내용 참조.

18 랑시에르, 자크,《감성의 분할: 미학과 정치》, 오윤성 옮김, 도서출판 b, 2008, 13~14쪽.

그림 3 Ernest Zacharevic, Kids on Bicycle, 2012. 출처: 저자 촬영
그림 4 Tang Mun Kian, ting ting thong, 2013. 출처: 저자 촬영

과 익명성의 확장으로서 대중적 감성의 속성을 갖고자 한다.

말레이시아 피낭섬은 작가 미상의 '비의도적 디자인'과 '일상 순응적 디자인'이 도시의 자연환경과 거리의 시대적 삶 속에서 자연스럽게 누적되어 있다. 식민지문화와 다문화의 혼종성이 발현되어 있으며, 위계적 대립구조를 넘어서는 포스트디아스포라적 삶의 가능성을 보여 준다. 또한 지속가능하고 미래지향적인 정책과 담론을 위한 하나의 대안적 접근 방안으로 간間문화주의를 통한 사회통합과 도시의 정체성 확립을 보여 준다. 무명의 리투아니아계 말레이시안 화가 자카르빅Ernest Zacharevic은 낡은 건물의 벽면을 이용한 그래피티Graffiti 예술가로 활동해 왔다. 〈그림 3〉은 남동생을 태우고 가는 어린 소녀의 표정으로 관람자의 동심을 자극하는 서정적 풍경을 전달한다. 그의 작품은 사건의 장소성과 삶에 대한 일상성, 그리고 동물보호와 환경에 대한 공익적 주제를 담고 있으며, 공간 내외부 벽면을 모두 활용한다. 〈그림 4〉 탕문키안Tang Mun Kian의 작품은 스틸 프레임을 이용하여 입체화시킨 캐리커처 조각으로서 공공디자인으로 분류된다. 무명의 작가였던 그의 작품은 지역의 사소한 역사적 사실들을 바탕으로 거리의 풍자적 스토리를 장식해 나간다. 이처럼 확산되는 거리미술관은 지역의 다양한 유·무형 문화, 자연, 산업유산을 모두 포함하는 복합적 개념으로서 물리적 환경과 삶의 활동 그리고 의미의 형성이라는 세 가지 요소가 충족되어야 한다. 모두의 자발적인 참여와 기억 그리고 보상이라는 지속가능성과 다인종 · 다문화의 상호 교호交互적 작용이 성공할 때 비로소 체화적 감성의 분배로 이어질 것이다.

혼종성의 현대미학적 범주

수용미학의 변증법

버내큘러가 공적 담론으로서 시대적 디자인에 적용되려면 먼저 주체와 객체, 포함과 배제, 제도와 비제도라는 모순 속에서 변증법적 과정을 거치게 된다. 그 다음 수용자를 축으로 한 신체성의 관계적 사고를 수반하는 내면의 심리적 적응, 사회문화적 적응 그리고 형태의 적응이 생성되어야 한다. 길성호는 《수용미학과 현대건축》에서 "수용미학 이전의 미학적 담론은 서술미학과 생산미학의 범주로 이해할 수 있으며, 생산미학적 입장은 작품이 속한 외적 환경과 사회적 관계 때문에 이해의 수용자가 부차적 존재로 누락되며, 서술미학은 작가가 의도한 작품에 수동적으로 반응하는 존재로 수용자를 상정한다"[19]고 주장한다. 또

19 길성호, 《수용미학과 현대건축》, 시공문화사, 2003, 18~19쪽.

한 그러나 "환경미학자 마데야S. S. Madeja에 따르면 '예술은 인간 지식의 형태인 심상 구조와 스키마Schema가 형태를 부여받는 주요 수단으로 작용하며, 브렙너J. Brebner도 스키마를 '함께 연관된 일련의 추상화된 관계성'으로 파악하고 인간은 서로 연계되지 않은 이미지와 상징을 단편적으로 기억하지 않고 서로 관계성을 지니도록 기억하는 과정이 있다"[20]고 말한다. 이는 디자인을 해석하는 과정에서 수용자는 수동적이고 부차적 존재인 단순한 수동적 반응자가 아니며, 인지적 · 경험적 구조와 문화와 정서적 상태에 따른 다양한 관점에서 기억의 단편들이 통합되고 해석된다는 의미이다. 또한 "모든 예술적 장르가 제작자의 사고방식을 수용자에게 강요하지 말아야 하고, 경우에 따라서는 수용자의 마음에서 발생하는 이미지네이션이 예술의 본질이 될 수 있다"[21]는 환경예술가 키슬러F. J. Kiesler의 주장처럼, 작품의 해석과 이해 과정에서 수용자 스스로의 주체성이 강조된다. 즉, 작품은 작가와 작품의 관계에서 해석되는 결과적 산물이지만 작가의 창작 과정을 벗어난 완성작품은 독립적 텍스트로서 수용자를 맞이하게 되며, 잠재되어 있는 이야기의 가치를 서술미학에 초점을 맞출 때 오히려 그 안에 담긴 진리를 찾을 수 있을 것이다.

사물을 바라보는 방식은, 고정적이고 추상적인 대상으로 인식하는 형이상학적 사유 방식과, 상호작용적 변화와 상호 갈등적 변형에 따른 해체와 재결합의 방식이 있다. '제도/비제도'라는 모순적 관계 속에서 버내큘러의 수용은 변증법적으로 작용한다. 버내큘러는 제도 속에 종속되지만 다른 문화적 언어를 간직하고 있는 이방인일 수도 있으며, 맥

20 길성호, 《수용미학과 현대건축》, 27쪽.

21 Kim, 2003, p. 338.

락의 재해석에 따른 유추적이고 은유적인 혼종성의 산물이기 때문이다. 즉, 버내큘러라는 비제도적인 것을 제도화에 포함시킴으로써 다양성과 기능성을 보여 주는 한편, 제도를 재규정하게 만들 수 있는 인간성 회복과 사용자의 감정이입에 중점을 두게 할 수도 있다.

폐허미학의 미정성未定性

아리스토텔레스《시학》의 카타르시스 이론에 의하면 "비극이란 … 연민과 공포를 통해 그와 같은 격정의 카타르시스를 수행하는 미메시스mimesis다."[22] 여기서 플라톤의 미학과 히포크라테스의 의학적 입장을 대입하면, 폐허로서 공포는 존재하는 연민을 씻어 내고 대상을 재현하려는 모방으로서 카타르시스의 치유적 감정을 일으킨다는 비유로 해석된다. 폐허는 시간성을 동반한다. 폐허로 변한다는 것은 자연으로 돌아가는 과정이며 이러한 폐허의 긴 과정 속에서 선택된 순간이 미적 대상이 되기 위해서는 고도의 성숙된 시간의식이 수반되어야 한다. 폐허는 버려진 폐허와 의도적인 폐허로 가치가 분류되며, 소멸되거나 재구성의 선택에 놓인 버내큘러적 요소로서 가능성을 갖는다. 전통의 미학적 사고나 실증주의자에게 미의 이념은 생산성과 완전성의 형이상학적 범주 안에 있을 것이다. 그러나 폐허는 숭고와 천박, 생산과 파괴라는 추의 미학적 경계처럼 미정으로 남는다. 칸트Immanuel Kant는《판단력 비판》에서 '쾌/불쾌'를 숭고의 근거로서,[23] 움베르도 에코Umberto Eco는 "미

22 미학대계간행회,《미학의 역사(미학대계 제1권)》, 서울대학교출간문화원, 2008, 101~102쪽.

23 미학대계간행회,《미학의 역사(미학대계 제1권)》, 2008, 303~304쪽 내용 참조.

와 선이 결합된 '완전함Kalokagathia의 반대인 악과 불완전함으로서 '추das Haßliche'"[24]를 역사적 의미와 시대적 문화에 따라 변해 가는 상대적 개념으로 해석한다. 로젠크란츠J. F. K. Rosenkranz는 추를 '형태 없음', '부정확성', '형태의 파괴'로 분류하고 정반합 이론 속에서 미와 추를 불가분 관계로 해석하여 추의 미학적 완성을 위해 다양한 현상을 분석한다.[25] 그러나 아도르노T. W. Adorno는 "아마 미에서 추가 나왔다기보다는 추에서 미가 나왔다는 말이 더 적절할 것이다"[26]라고 하며 움베르토 에코와 함께 추를 미학적으로 규정하기보다는 자율성과 상대성을 가진 변화하는 것으로 본다.

폐허는 주변과 필연적으로 문맥을 같이하기에 자연으로서 낭만성을 가지며, 원작의 행위적 속성과 구조적 비례로서 상상력을 불러일으킨다. '형태 없음'의 기억 회상과 '부정확성/불일치'에 의한 자발적 유추와 변형, 그리고 형태의 파괴에 의한 비의도적 재배치로서 폐허의 미적 가치를 변증법적으로 정당화한다면 현대적 삶에서 경험하는 이중성과 미정성으로 남는 독자적 해석이 현대미학의 맥락에서는 독해의 행위로 시도될 수 있다.

일상미학의 순응성

불안한 비일상성도 반복에 의해 일상의 자리로 머물게 된다. 작고 평범한 삶 속에서 일상의 미적 현상은 체험과 가치, 소소한 언어의 전이,

24 에코, 움베르트, 《추의 역사》, 오숙은 옮김, 열린책들, 2008, 28쪽.

25 로젠크란츠, 카를, 《추의 미학》, 조경식 옮김, 나남, 2008. 내용 참조.

26 아도르노, T. W., 《미학이론》, 홍승용 옮김, 문학과지성사, 1984, 89쪽.

그리고 대상과의 상관적 일치 속에서 생성된다. 이를 문학에서는 본질과 대상의 상관적 의미 속에서 발생하는 성찰과 사유, 그리고 관조적 상상을 통해 발생하는 미학적 분류로 보며, 이는 상상력을 필요로 한다. 칸트는 "미감적 판단의 규정 근거인 감정의 독특한 성격을 드러내기 위해 '무관심적 즐거움'의 개념을 사용한다. 이는 대상에 대한 독특한 거리두기를 의미하며, 미감적 판단은 쾌적함이나 선함에 대한 이성적 판단과 달리 오직 관조적'으로 대상을 바라보는 것"[27]이다. 이는 일상에서 우리가 작품을 대하는 태도에서 본질적 진지함을 이성적으로 해석하기보다는 사적 취향과 상호 주관적 공감으로서 즐거움을 지속하려는 데 목적을 갖기 때문이라고 이해된다. 그러나 콜링우드R. C. Collingwood는 예술과 사회의 관계에서 "예술은 관조가 아니라 행동이며, 청중의 가능성은 단순한 수용이 아니라 협력"[28]이라고 주장한다. 여기서 우선 관조의 행위에 대한 인식의 차이가 드러난다. 칸트가 미의 즐거움은 일반적 인식의 상태가 아니라 무욕적 태도로서 표상의 상태를 지속하고 초경험성 대상을 사유하려는 능력으로서 관람자의 관조적 행위를 강조하는 반면, 콜링우드는 물리적으로 체현된 작품을 대하는 감상자를 제2의 예술가로 인식하고 능동적 마음으로 대상을 재구성하고 부패한 의식을 치유하는 공동체적 예술론으로 발전시킬 수 있는 가능성을 주장한다. 즉, 일상미학의 순응성은 이처럼 미감의 주관적 태도와 집단적 감성의 확장성으로 해석을 대체할 수 있다.

27 미학대계간행회, 《미학의 역사(미학대계 제1권)》, 305~307쪽, 요약.

28 미학대계간행회, 《미학의 역사(미학대계 제1권)》, 543~544쪽, 요약.

마치며

우리의 삶은 수많은 제도적 변화와 끝없는 관계적 구조 속에 놓여 있다. 그러나 유독 관습과 문화, 전통과의 관계적 사유에 있어서 항상 아쉬움을 갖는다. 때로는 역사적 도시를 경관의 시각으로 감상하기도 하며, 때로는 이질적 문화에서 시간의 흔적을 찾아가며 그들의 삶을 이해하고자 한다. 모든 판단은 주관적일 수 있지만 도시를 찾는 여행자들이 국내나 아시아 국가들보다 유럽 등 선진국의 도시를 선호하는 이유는, 자신의 삶과 환경의 유사함에서 오는 감정이입의 식상함과 지루한 동양사상 또는 전통디자인의 접목이라는 강박관념이 오히려 고전적 식상함을 더하기 때문일 것이다. 그리고 그 이유는, 첫째 디자인이 전통의 본질을 해석하는 데 실패하였거나, 둘째 전통과 현대의 함축적 관계 맺기에 미흡했기 때문일 것이다.

버내큘러적 디자인에 대한 논의는 모더니즘 이후 지금까지 많은 분야에서 진행되고 있다. 특히 우리나라는 경제적 성장과 한류의 성공으로 국가브랜드의 위상과 공공디자인에 대한 관심이 증폭되어 가고 있다. 그러나 공공의 삶과 관련된 도시디자인은 여전히 대기업의 투자와 정부의 행정적 지원의 종속적 변수에서 벗어나지 못하고 있다. 이는 공공영역에 대한 디자인 적용이 사회와 문화의 영역으로부터 발생적, 독자적, 자생적 능력을 아직 확보하지 못하고 있음을 의미한다. 이에 본 연구는 버내큘러적 공공디자인의 시대적 가치로서 혼종성을 연구하고 유형화함으로써, 공공성이라는 상호 상충적 관계와 자발적 사회 참여 그리고 집단적인 문화의 사유로서 새로운 의미 생성을 도모하고자 하였다.

현대미학을 근거로 한 혼종성의 유형은 다음과 같다. 첫째, 수용미학의 변증법적 관점에서 신체성과 전위성의 관계적 특성을 가지며, 인간성 회복과 사용자의 감정이입에 중점을 둔다. 둘째, 폐허미학으로서 불확정성과 재구성성의 상상력이 동반되며 이중성과 미정성의 맥락적 독해가 요구된다. 셋째, 일상 순응적 감각의 유추와 변형, 재분배, 탈영역적 특성이 나타나고 사회적 확장성이 기대된다.

과거 파종播種과 이산으로서 디아스포라의 삶과 제국주의의 식민적 무의식은 새로운 디지털문화의 유목적nomadic 삶으로 대체되고, 세계시민주의Cosmopolitanism · 상호문화주의Interculturalism의 변용과 적응으로서 혼종성을 갖는다. 버내큘러적 공공디자인은 기술과 재료 또는 형태나 유형의 접근이라기보다 디자이너의 태도이며, 그것을 대하는 사용자 스스로가 투영된 모습이다. 상호 상충되거나 경쟁하는 예술적 문화 교류의 광범위한 역동성을 수용하고, 일상의 가치와 사유의 지점으로부터 지역의 전통성과 공유적 공동체를 지향하되 공공재의 사유화가 아닌 상호 협력 체계로서 버내큘러적 디자인의 혼종적 특성의 가치가 발현될 수 있는 지속적인 논의가 기대된다.

참고문헌

길성호, 《수용미학과 현대건축》, 시공문화사, 2003.

김희량, 〈현대 버나큘러 디자인의 역사적 맥락과 이를 私有化하는 디자이너의 작업 논리 연구〉, 서울대학교 석사학위논문, 1998.

데리다, 자크, 《다른 곶》, 김다은 · 이혜지 옮김, 동문선, 1997. (Derrida, Jacques, *L'autre cap*, Paris: Editions de Minuit, 1991.)

랑시에르, 자크, 《감성의 분할: 미학과 정치》, 오윤성 옮김, 도서출판b, 2008. (Ranciere, Jacques, *Le Partage Du Sensible: esthetique et politique*, Paris: La fabrique editions, 2000.)

로젠크란츠, 카를, 《추의 미학》, 조경식 옮김, 나남, 2008. (Rosenkranz, Johann Karl Friedrich, *Aesthetic of Ugliness*, German, 1853.)

미학대계간행회, 《미학의 역사(미학대계 제1권)》, 서울대학교출간문화원, 2008.

아도르노, T. W., 《미학이론》, 홍승용 옮김, 문학과지성사, 1984. (Adorno, Theodor W., *Ästhetische Theorie*, Suhrkamp, 1973.)

야마모토, 테씨지, 《이반 일리치 : 문명을 넘어선 사상》, 이적문 옮김, 호메로스, 2020. (Yamamoto, Tetsuji, *IVAN ILLICH*(2nd ed.), Tokyo: Hono no kizuna, Inc, 2009.)

야마구치, 가쓰히로, 《공간연출디자인의 원류 프레데릭 J. 키슬러》, 김명환 옮김, 미술문화, 2000. (Katsuhiro, Yamaguchi, *Environmental Artist, Frederick Kiesler*, Tokyo: Bijutsu Shuppan-Sha, 1978.)

에코, 움베르트, 《추의 역사》, 오숙은 옮김, 열린책들, 2008. (Eco, Umberto (a cura di), *Storia della bruttezza*, Ed. Bompiani, 2007.)

이원제, 《티보 칼맨 디자인으로 세상을 발가벗기다》, 디자인하우스, 2004.

이재국, 《디자인미학》, 청주대학교 출판부, 2000.

임근준, 〈디자인의 미니멀리즘, 미니멀리즘의 디자인(하)〉, 《디자인정글》 2015년 10월 2일자.

포스터, 할, 《디자인 앤솔러지: 21세기 디자인의 새로운 제안》, 박해천 외 5인 옮김, 시공사(시공아트), 2004.

An, Jumi, & Choi, Ikseo, "Direction of Korean Design Identity Discourse," *Archives of Design Research* 25(1), 2007, pp. 25-35.

Ahn, Youngjoo, "(A) Critical Discourse and Political Possibilities on Vernacular Design," Hongik University Graduate School, PhD., 2015.

Bhabha, Homi, K., *The Location of culture*, London;. New York: Routledge, 2004.

Chae, Hyejin & Oh, Changsup, "The Desire of Products following Vernacular in modernization," *Journal of Korean Society of Design Science* 22(3), 2009, pp. 53-66.

Kim, Minah, "Expression of Alterity in the Field of Art; Study on the Philosophy of Emmanuel Levinas and Contemporary Artworks about Alterity," *Ewha Ceramics Research Institute* 26(0), 2017, pp. 5-31.

Kim, Soyeon, "Colonial Experience and Consciousness of Korean Architects under Japanese Rule," *Journal of the Architectural Institute of Korea* 23(6), 2007, pp. 175-182.

You, Hwayeol, "The possibility which is various it takes out from concept of Vernacular Design," *Journal of the Design Reseach Institute of Kyunghee University* 10(1), 2007, pp. 77-84.

장례식장의 지리학
: 모빌리티와 수행의 만남
오정준

이 글은 《한국사진지리학회지》 27권 1호에 게재된 원고를 수정 및 보완하여 재수록한 것이다.

장소는 섬이 아니다. 독자적으로 존재하지 않고 항시 연결되어 있다. 또한 장소는 불변의 대상이 아니다. 고정되어 있지 않고 꾸준하게 (재)구성된다. 그래서 장소는 고유의 자연환경 및 역사적 배경과 그곳에 거주하는 사람들의 의미 및 실천으로만 구성되지 않는다. 수많은 이동, 다양한 수행, 다수의 관계를 통해 끊임없이 형성된다. 매시D. Massey의 표현대로 장소의 특별함은 '장시간에 걸쳐 형성된 역사로 비롯되기보다는 특정한 장소에 함께 표현된 특정한 관계의 집합'으로 구성된다.[1] 따라서 장소는 고립된 섬이 아닌, 여행 중인 배와 같다. 사물 · 의미 · 실천의 네트워크 속에서 떠돌아다니면서, 항시 변화의 상태에 놓여 있다. 물론 여기에는 이동과 수행, 그리고 관계가 전제된다.

모빌리티 패러다임은 유동적, 가변적, 역동적, 관계적 공간을 지향한다.[2] 이는 무수히 움직이는 관계 속에서 장소가 끊임없이 생성되고, 변화한다는 함의를 내포한다. 스리프트N. Thrift의 논의를 빌리자면, 이동하는 관계로 만들어지는 '생성 과정으로서의 공간'이다.[3] 수행적 관점 역시 모빌리티와 공명한다. 장소에 거주하는 자와 장소를 방문하는 자에 상관없이, 존재하는 모든 이들의 신체적 실천을 통해 장소가 생성된다는 견해를 상정한다. 따라서 모빌티리 및 수행적 패러다임은 장소를 바라보는 기존의 관점, 즉 장소를 고정되고, 수동적이며, 그곳을 방문하는 사람들과는 분리된 것으로 간주하는 주장을 동요시킨다.[4] '이동과

1 Massey, D., *Space, Place, and Gender*, Cambridge: Polity Press, 1994, p. 217.

2 존 어리, 《모빌리티》, 강현수 · 이희상 옮김, 아카넷, 2014, 582쪽.

3 이용균, 〈모빌리티의 구성과 실천에 대한 지리학적 탐색〉, 《한국도시지리학회지》 18(3), 2015, 147~159쪽, 재인용.

4 Urry, J., Larsen, J., *Tourist Gaze*, London: Sage, 2011, p. 193.

감정이 장소와 밀접히 연관되어 있다는' 어리J. Urry의 논의에서 볼 수 있듯이,[5] 장소는 모빌리티 및 수행과 밀접한 관련성을 맺고 있다.

해수욕장의 예를 들어 보자. 해수욕장의 환경적 특징은 해수욕, 일광욕, 서핑, 모래성 쌓기 등 수많은 신체의 방문과 다양한 실천을 유도한다. 그러나 거꾸로 다양한 수행 및 모빌리티가 없다면, 그것은 해수욕장이라는 장소라기보다는 일반적인 해변에 가깝다. 뢰프그렌O. Löfgren이 '고고학적 탐색'이라고 제시한 겨울 해변 방문은 이를 잘 반증한다.[6] 겨울 해변에서는 여름 동안 목격되었던 신체적 방문(혹은 신체적 모빌리티) 및 실천은 보이지 않고, 여름의 수행 도구(혹은 사물 모빌리티)들만 목격된다. 버려진 장난감, 손삽과 버킷, 바람 빠진 물놀이기구 등, 지나간 여름의 사물만 존재하는 이 장소는 해수욕장이라고 할 수 없다. 오히려 지나간 여름의 유물들로 가득한 유적지에 가깝다. 반면 여름 동안의 신체적 실천은 다양한 행위경관taskscape을 창조한다. 이는 장소와 관련된 활동들의 집합으로서, 사람들이 자신만의 이야기를 장소에 암각하는inscribe 행위이다.[7]

모래성이 그 대표적 사례이다. 모래성의 건축 목적은 여행 구성원들의 욕망과 즐거움으로 가득 찬 유토피아 (모래)왕국의 건립이다. 일상공간에서 경험한 여름 해수욕장의 이미지, 즉 파란색 바다, 하얀색 파

5 존 어리, 《모빌리티》, 454쪽.

6 Löfgren, O., *On Holiday: A History of Vacationing*, Berkeley: University of California Press, 1999, p. 1.

7 Ingold, T., *The Perception of the Environment: Essays in Livelihood, Dwelling and Skill*, London: Routledge, 2000, p. 195; Larsen, J., "De-exoticizing tourist travel: everyday life and sociality on the move," *Leisure Studies* 27(1), 2008, p. 28, 재인용.

도, 강렬한 태양, 금빛 모래, 파도타기, 모래성 등은 해수욕장에 대한 상상력을 배가시켜 준다. 또한 모래성을 공동 건립하는 이미지는 친밀감, 함께함, 즐거움을 가져다준다. 이러한 인식을 바탕으로 한 해변에서의 모래성 건립은 그들이 염원하는 이상적 여름휴가의 상징물이자, 일상 공간에서 이미 경험한 여름 해수욕장 이미지의 재현물이다. '재현의 재현'인 셈이다. 여기에 먼 거리를 이동해 온 모래 · 자갈 · 바닷물 · 손삽 · 버킷 등의 무수한 사물들이 건립에 관여되고, 가족 · 지인 · 친구와의 공현존을 위해 방문한 여행 구성원들의 신체적 실천이 추가된다. 이러한 다양한 요소들이 관계됨으로써 모래성이라는 행위경관이 탄생한다. 독립적 요소로서의 상상적 · 사물적 · 신체적 모빌리티는 담론으로 매개된 관광객 신체-사물 하이브리드로 결합됨으로써 모래성을 쌓고, 이를 더욱 견고하게 만든다. 다시 말해 이질적 모빌리티들이 모래성 건립을 위한 네트워크의 모든 요소로 작용하는 것이다.[8] 그러나 모래성은 일순간 나타나고, 일순간 사라진다. 따라서 이러한 행위경관을 기반으로 하는 장소는 역동적으로 변화한다. 즉, 변화와 생성의 상태에 항시 놓여 있다. 물론 그러한 변화의 전제 조건은 관계에 기초한 모빌리티와 수행이다.

그래서 수행적 관점과 모빌리티 관점 모두 기존의 장소정체성을 선험적으로 바라보지 않는다. 오히려 실천을 위한 형판, 즉 수행을 위한 불안정한 무대라고 간주한다. 장소는 그것의 고유한 특성에 부합되는 실천을 유도하기도 하지만, 상상적 · 사물적 · 신체적 모빌리티로 결합

8 Bærenholdt, J., "Haldrup, M., Larsen, J., Urry, J., *Performing tourist places*," Aldershot, UK: Ashgate, 2004.

된 창조적 수행의 무대를 제공한다. 만약 해변에서 위령제가 행해지면, 그곳에서는 애도의 담론으로 매개된 인간-사물 하이브리드의 실천이 이루어지고, 그 결과 해변은 '추모의 장소'가 될 것이다. 물론 여름의 체화된 실천이 사물과 결합되고 가족 시선family gaze으로 매개된다면 '진정한 해수욕장'이 될 것이다. 따라서 관광객 장소는 관광객이라는 배우가 무대에 오르기 전까지 '죽어' 있고, 무대에서 그들의 체화된 실연이 펼쳐지는 순간 '생명'을 얻게 된다.[9] 이러한 측면을 고려할 때, 장소는 선험적 꼬리표가 아닌 정체성의 창조적 생산을 위한 원료인 셈이다.[10] 더 나아가 장소를 생성시키고 변화시키는 동인, 즉 상상적 · 사물적 · 신체적 모빌리티로 결합된 행위주체는 장소의 공동 생산자이다.

따라서 고정된 장소, 내부자의 장소, 소비의 장소에 대한 기존 논의를 '뛰어넘어' 유동적 장소, 외부자의 장소, 생산의 장소로의 인식이 추가되어야 한다. '뛰어넘는'다는 것은 수행과 모빌리티 패러다임을 통해 기존의 장소에 대한 사유를 배격한다는 것이 아니라, 그것을 토대로 새로운 관점을 덧붙인다는 것이다. 기존의 관점이 새로운 패러다임으로 대체된다면, 또 다른 이원론에 불과하기 때문이다. 장례식장이라는 장소 역시 마찬가지이다. 이는 분명 '슬픔'의 장소이다. 그러나 모빌리티와 수행을 통해 '사교'와 '우정'의 장소도 될 수 있고, '기쁨'의 장소도 될 수 있다. 그러나 '기쁨'의 장소로 변했다고 해서 '슬픔'의 장소를 폐기할 필요가 없다. 또한 그것을 '슬픔'의 장소라고만 고집부릴 필요는

9 Larsen, J., "Families seen sightseeing: Performativity of tourist photography," *Space and Culture* 8(4), 2005, p. 422.

10 팀 크레스웰, 《장소》, 심승희 옮김, 시그마프레스, 2012, 63~64쪽.

더더욱 없다. 장례식장이 '슬픔'의 장소라는 것을 출발점으로 간주하면 그만이다. 장소의 고유한 특징은 그 이상도, 그 이하도 아니다.

장례식장과 모빌리티

병원은 병病을 고치는 집院이다. 환자를 진단하고 수용하며 치료하는 일을 한다. 그래서 아픈 자들을 위한 공간이다. 그러나 한국의 종합(혹은 대형)병원은 그 기능이 확대된다. '치료'를 뛰어넘어 '출생'과 '장례'까지 포괄한다. 태어나는 자, 아픈 자, 그리고 죽은 자를 위한 공간이 된다. 비약하자면, 한국 사람들의 삶은 병원에서 시작하여 병원에서 끝난다. 그래서 병원은 상충된 기호를 표출하는 공간이자,[11] 이항대립의 공간이 병존하는 곳이다. 태어나며, 치료받고, 동시에 임종하는 공간, 즉 '탄생', '회복', '죽음'의 아이콘이 함께 내포된 공간이다.

당연한 말이지만 병원 장례식장은 죽은 자를 위한 공간이다. 그러나 역설적으로 산 자를 위한 공간이기도 하다. 한국의 경우는 더욱 그렇다. 병원 장례식장은 한국에만 독특하게 존재하는 공간이다. 외국의 경우는 종교시설과 묘지에 동반한 장례식장, 그리고 전문적 장례식장이 보편적이다. 물론 우리나라 역시 1980년대까지는 보편적 장례공간이 존재했다. 그것은 다름 아닌 집이었다. 집에서 가족과 함께 맞이하는 죽음을 호상好喪이라고 명명했고, 집 밖에서의 죽음을 객사客死라고

11 천선영, 〈병원장례식장, 그 기이하고도 편안한 동거 – '상징기호 충돌'개념을 중심으로 한 시론적 탐색〉, 《사회사상과 문화》 30, 2014, 291쪽.

불렀다. 환자에게 가망이 없을 때, 과거에는 병원에서의 치료를 중단하고 환자를 집으로 옮기는 것이 일반적이었다. 그만큼 객사는 불미不美한, 즉 아름답지 못한 일이었다. 그러나 최근에는 상황이 다르다. 다수의 이유로 집 밖 장례공간의 필요성이 제기되었다.[12] 설령 환자가 집에서 치료받고 있더라도, 임종을 앞두면 병원으로 옮기는 일이 예사가 되었다.[13] 통계청의 사망통계에 따르면 임종 장소의 변화를 확인할 수 있다. 1989년에는 병원 장례식장이 12.8퍼센트, 집이 77.4퍼센트였다. 그러나 2012년에는 병원 장례식장이 70.1퍼센트, 집이 18.8퍼센트로 역전되었다.[14]

집으로부터 장례의 탈피는 장례문화의 변화를 의미한다. 장례의 절차와 의식은 장례사에게 위임하고, 상주는 조문객을 맞이하고 이들을 접대한다. 더 나아가 장례식장은 상주를 위한 휴게실과 샤워 공간까지 갖추고 있으며, 심지어는 문상에 대한 시간 제한을 적용한다.[15] 따라서 장례식장은 죽은 자의 공간이자, 동시에 살아 있는 자를 위한 공간이 되었다.[16]

병원 장례식장의 입지는 더욱 그렇다. 전문 장례식장이 도시 외곽이

12 천선영, 〈병원장례식장, 그 기이하고도 편안한 동거 – '상징기호 충돌'개념을 중심으로 한 시론적 탐색〉, 309쪽.

13 의사에 의해 진료의 중단과 죽음을 확인받기 위해서라도 병원을 가야 한다. 죽음에 대한 의사의 확인은 법적 필수절차이기도 하다.

14 《오마이뉴스》 2014년 8월 11일.

15 망자를 기억하기 위해 고인이 사용했던 의복 · 물품 · 사진을 간직하는 이도 있으나, 많은 이들이 흔적을 지워 버리려 한다. 심지어는 장례절차 역시 매장보다는 화장을 선호한다.

16 박정석, 〈도시지역의 장례공간과 장례방식에 대한 사례연구 – 광주시 지역을 중심으로 –〉, 《비교민속학》 25, 2003, 585~586쪽.

나 소도시에 입지한다면, 대부분의 병원 장례식장은 도시 내부에 입지한다. 이유는 간단하다. 전문 장례식장은 혐오시설이고 병원 장례식장은 그렇지 않기 때문이다. 전문 장례식장은 도시 내부, 더 나아가 도심에 입지할 수 없다. 운 좋게 당국의 허가를 받더라도 주민들의 반대가 극심하다. 그래서 전문 장례식장은 그 입지가 제한될 수밖에 없다. 그러나 종합병원은 다르다. 생명의 탄생과 환자의 회복을 관장한다는 이유로 면죄부를 받는다. 따라서 병원 장례식장의 입지는 자유롭다. 도심, 주거지역, 상업지역, 대학가 등 어디에나 입지한다. 그래서 상주가 병원 장례식장을 선택할 때, 죽은 자와의 인연보다는 현실의 조건을 고려한다. 상주가 용이하게 장례를 치르거나, 조문객이 쉽게 접근할 수 있는 곳으로 선택하기 때문이다. 만약 도시 외곽에 위치한 전문 장례식장을 이용한다면 문상을 포기하는 상황이 나타날 수 있다. 문상의 대부분이 늦은 저녁 시간에 이루어지기 때문에 대중교통을 이용하기가 매우 어렵고, 그래서 초행길 야간 운전이 요구된다. 일상생활에 찌든 몸을 이끌고 도시 외곽의 장례식장을 직접 운전해서 방문한다는 것은 특별한 능력과 자원이 필요한 일이다. 카우프만V. Kaufmann 등의 논의를 빌린다면 '모빌리티 자본mobility capital'이 필요한 셈이다.[17]

물론 지근거리에 거주하는 조문객들도 있지만 상당수는 먼 거리를 무릅쓰고 장례식장을 방문한다. 거리가 멀수록 조문객 수가 감소하는

17 모빌리티 자본이란 광범위한 시간적 · 공간적 제약이 따르는 현대사회에서 사람들이 자신들을 묶어 놓는 많은 시간적 · 공간적 제약을 벗어날 수 있는 자원 또는 능력을 의미하며 현대사회에서 개인의 삶을 정상적으로 영위하고 확장하기 위한 필수 자원으로 간주된다(Kaufmann et al., "Motility: mobility as capital," *International Journal of Urban and Regional Research* 28(4), 2004; 윤신희 · 노시학, 〈새로운 모빌리티스 개념에 관한 이론적 고찰〉, 《국토지리학회지》 49(4), 2015, 498쪽에서 재인용).

거리 조락이 발생할 수 있지만, 장례식장 방문은 꼭 그것에 비례하지 않는다. 거리를 극복할 수 있는 역량이 방문의 선행 조건이 될 수 있으나 필수조건이 되긴 어렵다. 다시 말해, 모빌리티 자본만으로는 장례식장 방문을 설명할 수 없다는 것이다. 이동 역량에 더하여 사람들과의 관계를 창출하고 유지하는 역량, 이른바 '네트워크 자본network capital'이 필요하다.

네트워크 자본은 거리에 상관없이, 감정적이고 물질적 혜택을 가져다주는 사람들과의 사회관계를 만들고 유지하는 역량이다.[18] 어리가 제시한 이 개념은 부르디외P. Bourdieu가 간과한 또 다른 종류의 자본으로서, 퍼트넘R. Putnam이 제시한 사회적 자본과 차이점을 갖는다.[19] 사회적 자본의 전제가 신뢰 및 호혜에 기초한 공동체 내부에서 형성되는 반면,[20] 네트워크 자본은 지역적 맥락을 탈피한다. 그렇기에 네트워크 자본을 유지하기 위해선 비용은 물론이고 상당한 노력이 요구된다. 네트워크 자본이 만남이라는 수행을 통해 존재한다는 점을 전제한다면, 장례식장 방문은 그 단적인 사례가 될 수 있다.

먼 거리든 가까운 거리든 간에 장례식장에 온 사람들은 망자를 애도하기 위해 방문한 것이다. 그러나 더 큰 목적은 상주 및 지인들과의 면대면 만남, 즉 공현존co-presence을 위해서이다. 장례식장에서의 조문은 기존 네트워킹을 강화하고 심지어는 소원했던 네트워크까지 복구한다. 이들의 만남은 주로 법률적 · 경제적 · 가족적 의무일 수 있고, 슬픔의

18 존 어리, 《모빌리티》, 2014.

19 존 어리, 《모빌리티》, 2014, 재인용.

20 윤신희 · 노시학, 〈새로운 모빌리티스 개념에 관한 이론적 고찰〉, 498쪽.

감정을 공유하고 표현하기 위한 만남일 수도 있다. 즉, 이는 의식적인 것으로서, 감정적 영향이 강하게 나타나는 만남이다. 그러나 옆자리에 위치한 안면 없는 조문객들 역시 네트워킹에 포함될 수 있는 잠재적 대상이다. 기쁨이나 반가움 같은 감정이 표출되지 않더라도 언제든지 '아는 사이'가 될 수 있는 대상이다. 어리는 이를 '느슨한 관계'로 표현했다. 이들과의 만남에서는 사회적 의무가 수반되지 않지만, 공현존 자체가 서로를 가깝게 만들기에[21] '느슨한 관계'는 또 다른 '느슨한 관계'를 연이어 창출한다. 이러한 과정이 지속될수록 부유한 네트워크는 더욱 부유해지고, 빈약한 네트워크는 더욱 빈약해진다.[22] 따라서 장례식장에서의 만남 수행은 네트워크 자본 격차를 심화시키는 사회적 불평등의 일면을 보여 준다.

한편 느슨한 관계와의 만남은 장례식장에서 부재적 현존absent presence이 나타나지 않는 결과로 이어진다. 부재적 현존은 동일 공간 내에 존재하는 사람들을 인식하지 못하는 상황으로서,[23] 스마트폰에 몰입하느라 공공장소 내의 주변 사람들을 인식하지 못하는 것이 대표적 사례이다. 장례식장 역시 모르는 사람이 다수 존재하는 공공장소이다. 일면식이라도 있는 지인을 문상객 중에서 찾는 것은 매우 어려운 일이기에 대부분의 조문객들은 자신의 자리에서 조용히 시간을 보낸다. 그러다 상주의

---

21 Goffman, E., *Behaviour in Public Places*, New York: Free Press, 1963, p. 22; 존 어리, 《모빌리티》, 421쪽, 재인용.

22 존 어리, 《모빌리티》, 417쪽, 재인용.

23 Gergen, K. J., "The challenge of absent presence," In Kats, J. & Aakhus, M, (eds.), *Perpetual contact*, Cambridge: Cambridge University Press, 2002; 이희상, 《존 어리, 모빌리티》, 커뮤니케이션북스, 2016, 56쪽, 재인용.

자리 방문이 새로운 국면을 가져온다. 상주의 소개로 인사를 나누고 합석을 시작한다. 비록 상주가 자리를 떠나더라도 만남의 시간은 연장되고, 합석한 사람의 소개를 통해 또 다른 만남을 창출한다. 이는 법률 및 가족적인 의무보다는 경제적이고 정치적인 의무로 방문할 때 더욱 활성화된다. 혹자는 망자 및 상주와의 만남보다 이러한 목적을 달성하기 위해 방문한다. 이처럼 느슨한 관계를 창출하기 위해 서로 노력하는 병원 장례식장은 부재적 현존이 다른 공간에 비해 축소되어 나타난다.

한편 장례식장에서는 현존적 부재present absence가 강력하게 나타난다. 이는 물리적 공간에서는 현존하지 않지만 사이버 공간상에 존재하는 방식이다. 조문객 중 다수는 지인들에게 부탁받은 조문 내용과 조의금을 상주에게 전달한다. 그리고 장례식장에 있는 동안 다른 장소에 존재하는 지인들과 연락을 부단하게 주고받는다. 때론 전화로, 때론 문자를 통해 조의금과 조문 내용을 전달받으며, 수시로 돈을 인출하면서 조의금과 조문 내용을 상주에게 전달한다. 비록 신체는 장례식장에 위치하지만 가상적 이동을 수반하는 다양한 연결과 관련되어 있다. 물론 이러한 연결은 거리와 상관없고, 실시간이고(빠르고), 강렬하다. 관계의 유지가 순환하는 실체circulating entities에 의해 실현되는 것이다. 이른바 원격현존telepresence인 셈이다.

원격현존을 통해 장례식장은 사이공간이 된다. 원격현존은 이음새 없는seamless 공간, 즉 통로와 관련 있다. 세상과의 연결은 과거 면대면에서 시작하여 인터넷으로 발전하였는데, 인터넷은 관문을 통한 접근이다. 특정 공간에 고정된 관문, 즉 웹web을 통해 사람들은 지구 반대편 사람들과 소통할 수 있다. 그러나 모바일 통신기기 발달 및 정보통신 인프라의 확충으로 고정된 인터넷 공간은 확장된 통로로 발전했다. 세상과의 연결이 '관문'을 넘어 '통로' 확장된 것이다.[24] 즉, 언제 어디서나 원격현존이 가능해진 것이다. 어리는 이러한 통로의 확장을 사이공간이란 개념으로 설명했다. 순간적으로 지나가는 공간이나 잠시 머무는 공간에서도 사회적 네트워크, 상호작용, 만남을 지속적으로 유지할 수 있다는 것으로, 이러한 공간을 사이공간으로 명명했다. 사이공간은 집, 직장, 그리고 생활의 주요 지점들 사이에 존재하는 이동 경로와 중간 지점을 포함한다. 물론 장례식장 역시 중간 지점에 해당된다.

장례식장과 수행

병원 내에는 '기쁨', '행복', '슬픔', '고통', '아픔' 등 다양한 감정의 장소가 존재한다. 병원에서 기쁨과 행복이 가장 충만한 장소는 분만실과 신생아실일 것이다. 당연히 이곳에서의 수행은 기쁨 및 행복과 관련되어 있다. 새롭게 태어난 생명을 축복하고 기원하기 때문이다. 이는 전적으로 분만실과 신생아실이라는 장소성에 귀속된 수행이다. 따라서 고프먼E. Goffman의 연극적 분석론을 빌리자면, '행복'과 관련된 대본script이 이미 제시되어 있고 그것에 맞춘 연출과 배우의 연기만이 남아 있을 뿐이다.[25] '탯줄 자르기'는 그 전형이다.

아이의 아버지는 탯줄을 자르기 위해 분만실에 입장한다. 설레는 마

24 오정준, 〈지리 학습에서 증강현실 기술의 활용 가능성 탐색〉, 《한국지리환경교육학회지》 20(1), 2012, 81쪽.

25 이에 대한 자세한 논의는 오정준, 〈재현과 수행으로서의 관광객 사진: '러버덕 프로젝트 서울'을 중심으로〉, 《대한지리학회지》 50(2), 2015 참조.

음을 안고 입장하지만, 그것은 잠깐이다. 분만실은 이미 아비규환 상태이기 때문이다. 산모의 비명, 의료진의 외침, 그리고 얼마 후 쏟아질 아기의 울음 등이 공존한다. 아버지의 입장에서 볼 때 출산 과정은 미안하고, 안타깝고, 고통스럽고, 심지어 지루하기까지 하다. 아기가 태어나면 의사의 입회 아래 탯줄을 자른다. 그러나 탯줄을 자르는 것조차 쉽지 않다. 오히려 공포의 시간이다. 가장 행복해야 할 시간이지만 행복으로 가득 찬 시간은 아니다. 일생을 통해 한 번쯤은 반드시 해야 할 의무, 즉 통과의례이다. '사진수행' 역시 '탯줄 자르기'와 마찬가지다. 아이가 산모에게 인계되면, 아버지의 본격적인 사진 찍기가 시작된다. 예쁜 아이의 모습과 행복해하는 산모의 모습을 함께 담으려 한다. 그런데 그러한 모습은 뷰파인더에 잘 나오지 않는다. 아버지는 연출가의 입장으로서, 배우에 해당하는 산모와 아이에게 미소와 포즈를 부탁할 수 없다. 아름다운 모습과 자세, 각도, 그리고 포즈를 담아내기에는 산모와 아이의 상황이 좋지 않기 때문이다. 그저 있는 그대로의 모습을 찍을 뿐이다. 따라서 이곳에서의 수행은 '행복'과 '기쁨'이라는 기호를 소비하지 못한다. 연극보다는 다큐멘터리에 가깝다. 따라서 분만실에서의 사진은 사실주의를 가장 잘 표방한다. '사실의 거울'인 셈이다(그림 1).

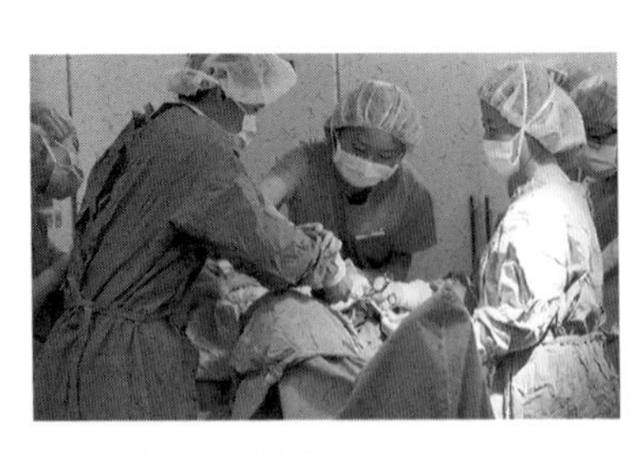

그림 1 분만실에서의 탯줄 자르기. (출처: 경향신문)

반면 신생아실에서의 상황은 다르다. 이곳 역시 기쁨과 행복으로 충만된 장소이다. 분만실과 다른 점이 있다면, 이러한 기쁨과 행복이라는 대본을 충실하게 잘 연기한다는 것이다. 아이의 친척, 지인들이 모여 새로운 생명을 맞이하는 장소로서, 아이의 건강을 확인하고 미래를 축복해 주는 곳이다. 이곳에 모인 사람들은 웃음과 덕담으로 아기를 응시한다. 그리고 세상에서 가장 행복해 보이는 표정과 포즈로 아이를 안은 채 카메라를 응시한다. 아이도 마찬가지다. 의도하진 않았지만 자는 모습(울지 않는 모습)을 보여 준다. 카메라를 든 사람은 이 상황을 재빨리 포착하여 뷰파인더에 담는다. 이 사진수행에 등장하는 모든 이들은 '행복'이라는 드라마를 수행하는 배우인 셈이다. 심지어는 아기와 인연이 없는 사람들조차 가장 밝은 미소로 카메라를 응시한다(그림 2). 이때의 신생아실은 '행복'이라는 대본을 통해 상상의 지리학을 재현하는 공간이며, 이곳에서의 사진수행은 재현주의를 가장 잘 표방하는 실천이다. '사실의 거울'이라기보다는 '사실의 변형'으로서의 사진 촬영인 셈이다. 따라서 이러한 사진수행은 신생아실이라는 장소성을 잘 반영하고 있다.

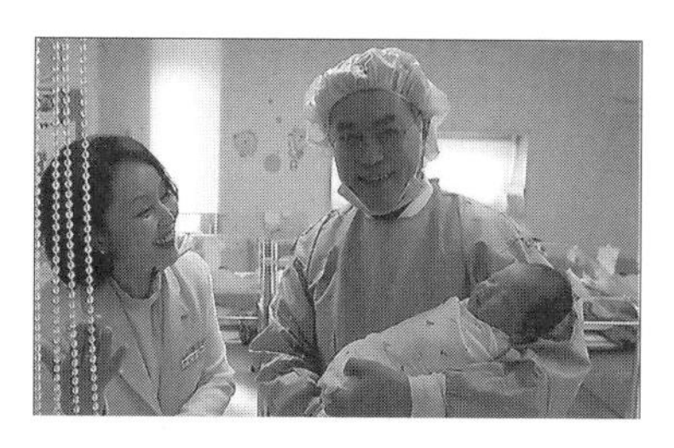

그림 2 **신생아실에서의 사진수행** (출처: 데일리안)

병원 장례식장은 두말할 것 없이 '슬픔'의 장소이다. 고인을 다른 세계로 떠나보내는 장소로서, 과거를 회상하는 동시에 마지막 모습을 기억하기 위해 망자를 직 · 간접적으로 아는 사람들이 회합하는 장소이다. 이곳에 모인 사람들은 일상적이지 않은 복장과 숙연한 표정을 하고 목례, 절, 헌화 등을 통해 예를 갖춘다. 오열하는 이들이 가끔 목격되지만 대다수의 행동은 절제되어 있다. 그들의 행동은 성찰적이고 의도적이다. 그들은 고인의 생전 모습을 영정사진을 통해 응시한다. 장례식장에서의 사진은 이뿐이다. 그 누구도 사진을 찍거나 찍히지 않는다.

장소성에 귀속된 수행은 여기까지이다. 버틀러J. Butler의 논의를 적용하자면, 장례식장이라는 정체성은 수행을 통해 (재)생산되고 강화된다. 즉, '규범의 강화된 반복'이다.[26] 또한 고프먼에 따르면 전면무대front stage에서의 연기이다.[27] 이제 연기자의 가면을 벗어던지고 무대의 후면으로 가게 되면 새로운 수행으로 점철된다. 앞서 언급했듯이 장례식장을 방문하는 것은 망자를 기리기 위함이지만, 더 나아가 상주, 혹은 타인과의 관계 때문이기도 하다. 그곳에서 의무적 관계를 강화하고 느슨한 관계를 창출한다. 인사를 하고, 술을 마시고, 웃고, 떠들고, 심지어 도박까지 한다. 이곳은 이제 슬픔의 장소로만 규정되지 않는다. 동창회의 장소, 지인과의 모임 장소, 정치적이고 경제적인 만남의 장소, 가족 간의 회합 장소가 된다. 그들은 사회적 관계와 관련된 수행을 통해 장례식장의 전형적인 장소성을 일순 불안정하게 만든다.

외국도 별반 다르지 않다. 2013년 남아프리카 공화국의 요하네스버그 FNB 경기장은 슬픔의 분위기에 젖어 있었다. 이 나라 최초의 흑인 대통령이자 노벨평화상 수상자, 그리고 인권운동의 상징적 존재였던 넬슨 만델라의 영결식이 진행되기 때문이다. 체육관은 장엄하고 숙연했다(그림 3, 그림 4). 각 나라의 정상만 100여 명이 참석했다. 만델라를 추억하고 애도하기 위함이다. 그럼에도 불구하고 그들의 목적은 애도에만 머무르지 않았다. 그들은 '관계'를 고려한다. 일반적으로 전 · 현

26 Butler, J., *Bodies that matter: On the discursive limits of sex*, London: Routledge, 1993; Larsen, J., "Families seen sightseeing: Performativity of tourist photography", 2005, 재인용.

27 어빙 고프먼, 《자아표현과 인상관리 – 연극적 사회분석론 –》, 김병서 옮김, 경문사, 1987.

그림 3 장례식장의 숙연함. (출처: ABC NEWS)

그림 4 장례식장의 유가족. (출처: News 24)

직 국가수반의 장례식(혹은 영결식)은 우방국 외교의 장이 된다. 2016년 이스라엘의 페레스 대통령 장례식에 참석한 70여 개국의 국가수반은 대부분 서방과 비중동 국가였다. 반면 같은 해 쿠바에서 카스트로의 장례식이 열렸을 때 그들의 모습은 찾아볼 수 없었다. 대신 남미의 좌파 성향 국가수반들이 자리를 차지했다. 참석하지 않는다는 것은 해당 국가와 관계를 창출하거나 회복할 생각이 없다는 것을 의미한다. '죽어도 보기 싫은 사람'이라는 표현이 어울리는 상황이다. 그러나 만델라의 영결식은 달랐다. 이념, 종교, 인종, 민족문제로부터 자유로운 만델라였기에 국가수반들 역시 이를 뛰어넘어서 참석했다. 노벨평화상 수상자답게 그는 죽어서까지 세계를 하나로 묶었다.

그곳에서 미국 대통령 오바마는 라울 카스트로 쿠바 혁명평의회 의장과 조우했다. 오바마가 각국 지도자들과 악수하던 중, 연단 앞줄에서 있던 카스트로 의장과 손을 잡고 짧은 대화를 나누었다(그림 5). 이에 미국 공화당은 적대국의 우두머리와 악수한 오바마를 맹렬히 비판했고, 당황한 백악관은 오바마 대통령과 카스트로 의장의 악수는 우연

그림 5 장례식장에서의 조우 (출처: 연합뉴스)

그림 6 쿠바를 방문한 오바마 (출처: 한겨레)

이라며 확대 해석을 경계했다.[28] 그러나 이들의 만남은 만델라의 마지막 선물이 되었다. 장례식장에서 조우하고 그 1년 후 미국과 쿠바는 국교정상화를 이루었고, 2016년에는 오바마가 쿠바를 방문하기까지 했다(그림 6). 장례식장에서 조우한 '불편한(혹은 느슨한) 관계'가 양국 간의 지리적 거리만큼 촘촘해진 것이다.

슬픔의 공간을 사회적 관계 창출의 공간으로 변모시킨 수행은 만남과 조우에 그치지 않았다. 이곳에서의 사진수행 또한 장례식장의 전형적인 장소성을 일시적으로 동요시켰다. 앞서 언급했듯이 장례식장에서의 사진(수행)은 금기시되는 행동이다. 특히 셀카selfie를 포함한 인물사진 찍기는 더욱 그러하다. 실제 D 포털사이트에서 검색어를 '장례식장 셀카'로 검색해 본 결과 극히 제한된 이미지만 검색되었다.[29] 그러나 '장례식 셀카'로 인해 장례식장의 정체성을 일순간 변화시킨 사례가 있다.

28 《데일리안》 2013년 12월 12일.

29 D 포털사이트에서 '장례식장 셀카'라는 검색어로 도출된 이미지 수는 637건에 불과했다. 이 중 장례식장 내부에서 직접 찍은 사진은 소수에 불과했다.

그림 7 우정의 장례식장 1 (출처: NY DAIRY NEWS)

그림 8 우정의 장례식장 2 (출처: NY DAIRY NEWS)

그림 9 우정의 장례식장 3 (출처: getty image)

그림 10 우정의 장례식장 4 (출처: getty image)

무대는 앞서 언급한 만델라의 장례식장이고, 배우는 영국과 덴마크 총리, 그리고 미국 대통령이다. 장례식장은 장엄하고 숙연했으나, 그들의 셀카로 인해 공간의 숙연함과 시간의 장엄함은 일순간 사라졌다. 언론은 들끓었다. '때와 장소를 못 가리는 대통령?Wrong Place, Wrong Time?'이란 기사 제목에서 알 수 있듯이, 언론은 그들의 행동을 질타했다.

그러나 프레이밍을 달리해 볼 필요가 있다. 덴마크 총리가 자신의 스마트폰을 들어서 구도를 형성한다(그림 7). 영국 총리와 미국 대통령은 스마트폰의 앵글에 포함되기 위해 몸을 구부리고, 밀착하고, 고개를 비스듬히 기울인다. 그리곤 아주 환한 웃음으로 스마트폰을 응시한다(그림 8). 각도를 달리한 사진도 마찬가지이다. 차이점이 있다면 오바마가 셔터를 누르고 있다. 그리고 덴마크 총리는 영국 총리의 얼굴을 가리는 장난까지 한다(그림 9). 그들은 가장 환하고 즐거운 표정을 연출하기 위해 신체를 움직인다. 미소 짓고, 수차례 버튼을 누름으로써 가장 좋은 사진을 완성한다(그림 10). 그들의 수행은 감정에 충만한 것이었다. 의도적이거나 고의적이지 않고, 더불어 성찰적이지도 않았다. 오히려 즉흥적이고 습관적인 모습이었다.

비록 짧은 순간이지만 그들은 사진수행을 통해 우정을 강화했고 과시했다. 그들은 장례식장이라는 장소성에 귀속되지 않고, 아주 일순간이지만 장소의 정체성을 불안정하게 만들었다. 슬픔의 장례식장을 우방국과의 외교 공간으로 변화시킨 것이다. 에덴서T. Edensor는 아주 잘 통제된 공간, 즉 장소정체성이 강력한 공간조차 몸의 실천을 통해 변화시킬 수 있다고 보았다. 다시 말해 장소를 고정되거나 주어진 것이 아닌, 생성 및 생산되는 것으로 간주한 것이다. 이러한 측면에서 수행하는 모든 이들은 장소의 공생산자co-porducer가 되기에 충분하다. 따라서 영국과 덴마크 총리, 그리고 미국 대통령은 '슬픔'의 공간을 '외교' 및 '우정의 공간'으로 변화시킨 '장소의 공생산자'인 셈이다.

장소의 정체성은 이미 주어진 것이 아니라 사람들의 실천, 즉 신체적 수행을 통해서 형성될 수 있다. 해수욕장이라는 장소성이 일광욕, 해수욕, 모래성 쌓기, 사진 찍기 등을 유도할 수 있지만, 앞서 언급한 신체적 실천에 의해 해수욕장의 정체성은 형성된다. 만약 이곳에서 어린아이들을 위한 환경교육이 행해지면 교육의 장소가 될 수 있고, 바다에서 죽은 이들을 위한 위령제가 행해지면 슬픔의 장소도 될 수 있다. 무대는 배우가 무대에 올라가기 전까지 죽어 있다. 그리고 배우가 무대에 올라가면 그들의 연기에 따라 무대는 살아 숨 쉬고 생명력을 갖게 된다. 따라서 장소의 기존 정체성은 출발점에 불과하다. 그 이상도 그 이하도 아니다. 모빌리티와 수행의 관점에서 본다면 장소는 고정적이지 않다. 이분법적이고 영역적인 세계를 지양하고, 관계와 네트워크를 지향한다. 수많은 사물과 감정적 수행의 결합을 통해 만들어지고 생성되는 공간이다. 따라서 장례식장이 '슬픔'의 장소라는 것은 단지 그것의 출발점인 셈이다. 장례식장조차 '우정'과 '행복'의 장소로 충만될 수 있다. 물론 수행을 통해서이다. 그리고 그것의 가장 대표적인 전형이 사진수행이다.

나가며

프랑스의 아날학파는 관심의 초점을 변화시켰다. 사회경제사에서 문화사로, 과거 역사에서 현재의 기억으로, 계급구조에서 일상 담론으로 관심과 초점을 이동시켰다. 이를 계기로 고유한 연구 영역과 방법론을 표방하고 있던 전통 역사학파는 인접 과학 혹은 사회과학의 방법론을 적극적으로 도입했고, 그 결과 프랑스의 역사학은 이전보다 다양하고 풍성해질 수 있었다.[30] 이는 하나의 극적인 '전환turn'이었다.

장소에 대한 관점 역시 극적인 '전환'이 나타났다. 장소를 고정적이고 불변의 대상으로 간주하는 관점이 존재했고, 이는 오랜 기간 동안 지배적인 관점으로 자리 잡고 있었다. 그러나 모빌리티 전환mobility turn

30 필립 데일리더 · 필립 월런, 《20세기 프랑스 역사가들: 새로운 역사학의 탄생》, 김응종 외 옮김, 삼천리, 2016.

과 수행적 전환performative turn은 이동과 네트워크의 관계 속에서 수행이 장소를 변화시킬 수 있다는 점을 강조한다. 장소는 모빌리티를 유도하지만, 역으로 네트워크화된 모빌리티 요소들은 장소를 변화시킨다. 더 나아가 수행은 장소에 새로운 이야기를 새겨 놓는다. 그 결과 장소의 기존 정체성은 일순간 동요되며, 새로운 장소가 생산된다. 장례식장의 모빌리티와 수행은 장례식장의 장소정체성을 불안정하게 만들면서 또 다른 정체성을 일시적으로 생산한다. 슬픔의 장소를 관계를 위한 장소로 변화시키고, 우정의 장소로 바꾼다. 새로운 '장소', 새로운 '지리'가 생산되는 순간이다.

바야흐로 '전환'의 시대이다. 언어적 전환, 문화적 전환, 비판적 전환, 공간적 전환, 관계적 전환, 물질적 전환, 모빌리티 전환, 수행적 전환 등, 지난 30년간 다양한 전환들이 출현했다. 이제는 전환이라는 용어 앞에 특정 수식어만 붙이면 신조어가 될 것 같은 착각이 든다. 전환은 글자 그대로 방향을 바꾸는 것이고, 그래서 도로에서 유턴이나 피턴 등 전환turn이라는 용어가 자주 사용된다. 도로에서의 전환은 줄곧 주행하던 방향에 변화를 준다는 것인데 학문도 이와 다를 바 없다. 기존에 접근했던 방식을 바꾸는 것이다. 현상에 대한 사유는 물론이고, 연구의 내용과 방법도 해당된다. 새로운 전환을 통해 기존의 개념을 새롭게 설명하는 것은 학문적 사고를 더욱 풍부하게 해 주고 다양한 관점을 가질 수 있도록 해 준다. 따라서 학문 발전에 도입해야 할 당연한 사명이자 숙제이다. 그러나 전제가 필요하다. 기존의 사고를 폐기하지 말고, 그 위에 덧붙여야 한다. 만약 기존의 사고를 기각하고 새로운 것만 주장한다면, 또 다른 이원론의 등장일 뿐이다. 모빌리티와 수행적 관점은 기존의 사고와 단절하지 않는다. 오히려 그것을 출발점으로 삼는다.

참고문헌

어빙 고프먼, 《자아표현과 인상관리 – 연극적 사회분석론 –》, 김병서 옮김, 경문사, 1987.

요시하라 나오키 , 《모빌리티와 장소》, 이상봉 · 신나경 옮김, 심산, 2010.

이희상, 《존 어리, 모빌리티》, 커뮤니케이션북스, 2016.

존 어리, 《모빌리티》, 강현수 · 이희상 옮김, 아카넷, 2014.

팀 크레스웰 《장소》, 심승희 옮김, 시그마프레스, 2012.

필립 데일리더 · 필립 월런, 《20세기 프랑스 역사가들: 새로운 역사학의 탄생》, 김응종 외 옮김, 삼천리, 2016.

박정석, 〈도시지역의 장례공간과 장례방식에 대한 사례연구 – 광주시 지역을 중심으로 –〉, 《비교민속학》 25, 2003, 565~589쪽.

오정준, 〈지리 학습에서 증강현실 기술의 활용 가능성 탐색〉, 《한국지리환경교육학회지》 20(1), 2012, 79~94쪽.

_____, 〈재현과 수행으로서의 관광객 사진: '러버덕 프로젝트 서울'을 중심으로〉, 《대한지리학회지》 50(2), 2015, 217~237쪽.

윤신희 · 노시학, 〈새로운 모빌리티스 개념에 관한 이론적 고찰〉, 《국토지리학회지》 49(4), 2015, 491~503쪽.

이용균, 〈모빌리티의 구성과 실천에 대한 지리학적 탐색〉, 《한국도시지리학회지》 18(3), 2015, 147~159쪽.

천선영, 〈병원장례식장, 그 기이하고도 편안한 동거 – '상징기호 충돌'개념을 중심으로 한 시론적 탐색〉, 《사회사상과 문화》 30, 2014, 291~325쪽.

Bærenholdt, J., Haldrup, M., Larsen, J., Urry, J., *Performing tourist places*, Aldershot, UK: Ashgate, 2004.

Massey, D., *Space, Place, and Gender*, Cambridge: Polity Press, 1994.

Löfgren, O., *On Holiday: A History of Vacationing*, Berkeley: University of California Press, 1999.

Urry, J., Larsen, J., *Tourist Gaze*, London: Sage, 2011.

Edensor, T., "Performing tourism, staging tourism(Re)producing tourist space and practice," *Tourist Studies* (1), 2001, pp. 59-81.

Larsen, J., "Families seen sightseeing: Performativity of tourist photography," *Space and Culture* 8(4), 2005, pp. 416-434.

______, "De-exoticizing tourist travel: everyday life and sociality on the move," *Leisure Studies* 27(1), 2008, pp. 21-34.

문화의 이동과 이동하는 권리

2022년 2월 28일 초판 1쇄 발행

지은이 | 이진형 · 문혜경 · 서유경 · 이해수 · 김희선 · 주하영
우연희 · 이종세 · 오정준
펴낸이 | 노경인 · 김주영

펴낸곳 | 도서출판 앨피
출판등록 | 2004년 11월 23일 제2011-000087호
주소 | 우)07275 서울시 영등포구 영등포로 5길 19(양평동 2가, 동아프라임밸리) 1202-1호
전화 | 02-336-2776 팩스 | 0505-115-0525
블로그 | bolg.naver.com/lpbook12
전자우편 | lpbook12@naver.com

ISBN 979-11-90901-82-6